Diflanedig Fyd: Gohebia
a Gwallter Llyfni, 1

I
Delyth, Eilir a Catrin

Cynnwys

Rhagair

Gweld llun eiconaidd Geoff Charles o Garneddog a'i wraig, Catrin, pan oeddynt ar fin ymadael â'u hen gartref uchel yn Eryri a'm denodd i at y dyn ei hun gyntaf. Troi wedyn at gofiant gwerthfawr E. Namora Williams iddo a dysgu mwy am ei hanes. Magodd hynny awydd ynof am bori drwy ei bapurau yn y Llyfrgell Genedlaethol, a dyna pryd y cefais flas ar ddarllen yr ohebiaeth helaeth a fu rhyngddo a nifer o'i gyfoedion. Y mae'r ohebiaeth a gyhoeddir yma ymhlith y mwyaf blasus o'r gohebiaethau personol a fu rhwng Carneddog a rhai o'i gyfeillion agosaf, cylch o ffrindiau a gynhwysai Bob Owen, Croesor, Eifion Wyn, Ioan Brothen, Gwilym Deudraeth, a John William Jones o Flaenau Ffestiniog.

Bûm mor ffodus â chael arian gan Bwyllgor Iaith a Llên y Bwrdd Gwybodau Celtaidd yn 2005 i gyflogi Cynorthwy-ydd Ymchwil i gopïo'r llythyrau fel rhan o gynllun noddi prosiectau ymchwil. Penodwyd Dr Gwen Angharad Gruffudd am gyfnod o flwyddyn i weithio ar y prosiect hwn yn 2005-2006, a llwyddodd i gopïo'r ohebiaeth a fu rhwng Carneddog a Syr O. M. Edwards, John William Jones, Bob Owen, Croesor, a Gwallter Llyfni. Yr wyf yn dra dyledus iddi am ei gwaith diwyd a manwl a threfnus, ac elwais yn fawr ar gael cydweithio â hi. Traddodasom ill dau ddarlith ar y cyd yn trafod cynnwys yr ohebiaeth yn Llyfrgell Genedlaethol Cymru ym mis Chwefror 2007. Carwn ddiolch hefyd i swyddogion y Bwrdd Celtaidd ar y pryd am bob cymorth, sef yr Athro Emeritws Geraint H. Jenkins (Cadeirydd), Mr Roberts Rhys (Cadeirydd y Pwyllgor Iaith a Llên), a Dr Owen Thomas (Ysgrifennydd y Pwyllgor Iaith a Llên). Cefnogwyd y cais gwreiddiol am yr arian nawdd gan fy nghyn-Bennaeth Adran, yr Athro Emeritws Gruffydd Aled Williams, Dr Huw Walters o'r Llyfrgell Genedlaethol, a chan Dr Tedi Millward. Mae'n braf cael cydnabod fy nyled iddynt ill tri yn y fan hon. Yr wyf yn ddyledus hefyd i Mr Dewi Jones o Ben-y-groes am roi imi fenthyg y llun o Wallter Llyfnwy sydd yn ei feddiant. Dewi oedd y cyntaf i dynnu sylw ar goedd at fywyd a gwaith Gwallter, ac yr wyf innau fel sawl un arall wedi elwa ar ei ddwy ysgrif arno.

Fel rhan o'r gwaith ymchwil cefndirol, bu Gwen Angharad a minnau yn recordio sgwrs gyda'r diweddar Ifor Owen, Llanuwchllyn, a fu'n ysgolfeistr yn Ysgol Croesor, ac a gofiai Carneddog a Bob Owen. Un arall a fu mor garedig â rhannu ei atgofion oedd y diweddar William Jones Williams, Gardd Llygad y Dydd, Nanmor (ganed yn 1917), a thrysoraf y cyfle a gafwyd i sgwrsio ag un o gymdogion Carneddog a'i cofiai'n dda. Diolchaf yn gynnes i Nia Watkin Powell, nith William Jones Williams, am drefnu'r ymweliad cofiadwy â Gardd Llygad y Dydd. Un arall sy'n cofio Gwallter a Charneddog yw Mair Parry o Lanllyfni (ganed yn 1910), a arferai fod yn ysgrifenyddes i Gwynfor (Thomas Owen Jones) pan oedd yn Llyfrgellydd cyntaf Llyfrgell Sir Gaernarfon, ac yr wyf yn ddiolchgar iddi hithau am rannu ei hatgofion â mi. Bu Dr Tom Dulyn Thomas, gynt o Nebo, yn sgwrsio â mi am ei atgofion am ei dad, Elias Thomas, a'i daid, T. H. Griffith (Arfonydd), a adwaenai Wallter, a diolchaf iddo am sawl cymwynas.

Carwn ddiolch i Glyn Jones o Drefor, gor-nai Gwallter, a Richard Griffith, Burbage, ŵyr Carneddog, am eu caniatâd parod i gyhoeddi'r ohebiaeth hon. Cefais wybodaeth gan Gwerfyl Gregory, Morfa Nefyn, am deulu Gwallter, ac yr wyf yn ddiolchgar iawn iddi. Diolchaf i Dr John Llywelyn Williams ac Irene ei wraig am eu cymwynasgarwch. Carwn fynegi fy ngwerthfawrogiad hefyd o gefnogaeth Alan Llwyd, ac o'i fawr ofal wrth lywio'r gyfrol drwy'r wasg.

Yn olaf, ond nid yn lleiaf, carwn ddiolch i Delyth fy ngwraig, ac i Eilir a Chatrin y plant, am ddioddef fy nghlywed yn sôn llawer ar yr aelwyd am yr hen Garn a Gwallter.

Bleddyn Owen Huws
Awst 2010

Rhagymadrodd

Nid gohebiaeth bersonol deallusion na dysgedigion yw hon. Yn wahanol i ohebiaethau Saunders Lewis, Kate Roberts a D. J. Williams, tri llenor amlwg a gafodd addysg brifysgol,[1] yr hyn a geir yma yw gohebiaeth dau werinwr diwylliedig a digoleg, a dau fardd gwlad at hynny a ymddiddorai mewn hanes lleol a hynafiaethau: dau werinwr hunan-addysgedig i bob pwrpas. Carneddog, heb os, oedd y mwyaf adnabyddus ohonynt, a hynny ar gyfrif ei amlygrwydd fel gohebydd a chyfrannwr i bapurau newydd a chylchgronau fel *Cymru*, *Baner ac Amserau Cymru*, a'r *Herald Cymraeg*. Llwyddodd hefyd i gyhoeddi tri llyfr ar ddeg yn ystod ei oes, rhai ohonynt gyda chymorth O. M. Edwards, ac eraill ar ei liwt ei hun. Yr oedd Gwallter yn ffigwr llawer mwy dinod, a hynny am iddo fethu â sicrhau yr un amlygrwydd cyhoeddus â Charneddog. Er bod ganddo sawl llyfr ar y gweill, ac er ei fod yn ei ffansïo'i hun yn dipyn o sylwebydd diwylliannol a allai droi ei law at olygu cylchgrawn, ni lwyddodd i wireddu ei gynlluniau. Oherwydd hynny y mae'n ffigwr digon trasig. Nid oedd ganddo mo'r cyfoeth ariannol personol, nac ychwaith mo gefnogaeth yr un noddwr cefnog, i allu mentro'i law ar gyhoeddi ffrwyth ei awen nac ychwaith ffrwyth ei ymchwil i hanes beirdd a llenorion plwyf Llanllyfni.

Cawn yma olwg ar gyflwr ac ansawdd diwylliant gwerinwyr gwlad-garol yn y cyfnod rhwng y ddau Ryfel Byd, a chyfle i glywed am eu delfrydau a'u dyheadau ynghylch bywyd llenyddol a diwylliannol Cymru'r dwthwn hwnnw, a hynny mewn Cymraeg rhywiog a gloyw. Gan fod y llythyrau hyn yn cwmpasu'r cyfnod pan oedd Carneddog yn paratoi dau lyfr ar gyfer y wasg, nid syndod yw i gyhoeddi llyfrau ddod yn bwnc trafod cyson rhwng y ddau. Pwnc arall oedd eisteddfodau

1. Gw. Dafydd Ifans gol., *Annwyl Kate, Annwyl Saunders[:] Gohebiaeth 1923-1983* (Aberystwyth, 1992); Emyr Hywel gol., *Annwyl D.J.: Llythyrau D.J., Saunders a Kate* (Tal-y-bont, 2007).

lleol a chyfarfodydd llenyddol a darlithoedd cyhoeddus, a gwelwn fod Gwallter yn fawr ei sêl dros weld parhad y rheini fel cyfryngau i oleuo a diwyllio gwerin gwlad. Prin y gellir gosod yr hen Garn a Gwallter yn rhengoedd mawrion llenyddol yr ugeinfed ganrif – hogiau'r is-gynghrair yn hytrach na'r uwch-gynghrair oeddynt – nid oeddynt yn gynnyrch ysgol sir na phrifysgol, yn wahanol i lawer o'u cyfoedion enwocach. Ni frithir eu llythyrau gan gyfeiriadau tra dysgedig at na gweithiau llên na chelf aruchel nac athroniaeth wleidyddol, ond ni olyga hyn nad oedd eu diddordebau mwy greddfol werinol fymryn yn llai angerddol nac yn llai pwysig.

Carneddog (Richard Griffith, 1861-1947)

Wrth syllu ar y llun trawiadol a dynnodd Geoff Charles o Garneddog a Chatrin pan oeddynt ar fin ymadael â'r Carneddi yn Nantmor a symud i fyw at eu mab hynaf, sef Richard Morris Griffith, yn Hinckley swydd Gaerlŷr, ym mis Medi 1945, ni ellir peidio ag ymdeimlo â thristwch cefndir yr hanes.[2] Ym mis Awst y flwyddyn honno canfuwyd corff eu mab, Hywel Wyn, yn llyn Dinas gerllaw Beddgelert, a phan gynhaliwyd y cwest, adroddwyd iddo'i foddi ei hun ar ôl bod yn gymysglyd ei feddwl. Nid oedd dim dewis ond rhoi'r fferm ar y farchnad ac i Garneddog a Chatrin symud i fyw i Loegr at Richard a'i deulu.[3] Honnai Nansi Richards (Telynores Maldwyn) iddi hi a'i gŵr, Cecil, fwriadu prynu'r Carneddi, ac i Garneddog fynnu yn ei ddagrau mai 'Nansi sydd i ddod yma', ond nid felly y bu.[4] Gwerthwyd y fferm

2. Y llun o Garneddog a Chatrin, ond odid, yw llun enwocaf casgliad Geoff Charles yn Llyfrgell Genedlaethol Cymru. Hwnnw a ddewiswyd ar gyfer clawr y llyfr a olygwyd gan Ioan Roberts, *Cymru Geoff Charles* (Tal-y-bont, 2004).
3. Am yr hanes yn llawn, gw. E. Namora Williams, *Carneddog a'i Deulu* (Dinbych, 1983), t. 102. Gw. hefyd Bleddyn Owen Huws, 'Y ddau Garneddi: golwg ar rai o lythyrau olaf Carneddog', *Llên Cymru*, 24 (2001), tt. 149-58. Am enghraifft o'r ymateb i'r hanes ar y pryd, gw. erthygl olygyddol T. Eurig Davies yn *Y Drysorfa* yn Alun Eurig Davies gol., *T. Eurig Davies 1892-1951: Portread Mewn Llun a Gair* (Aberystwyth, 2008), tt. 200-2.
4. Marged Jones gol., *Nansi* (Llandysul, 1981), t. 28.

i deulu o Loegr a arferai ddod i Nanmor ar eu gwyliau haf, a chroniclodd Ruth Janette Ruck, nad oedd ond merch ifanc ym mis Medi 1945, hanes yr ymsefydlu mewn dau lyfr o'i heiddo, *Place of Stones* a *Hill Farm Story*.[5] Yn ôl Ruth Ruck (Orkney Work wedyn ar ôl priodi), fferm fynydd 83 erw oedd y Carneddi pan brynodd ei rhieni hi y lle. Yn ogystal â'r tŷ a'r adeiladau, fe brynasant ddiadell o 150 o ddefaid a thair buwch, merlen a chi defaid.[6] Mae pryd a gwedd yr hen gwpl yn y llun a dynnodd Geoff Charles yr un mor ysgrithrog â'r creigiau grugog o'u cwmpas: yr oedd y ddau bron yn un â'r tirlun. Er cymaint yw arwyddocâd hanesyddol a chymdeithasegol y ffotograff enwog, nid yw ynddo'i hun yn ein galluogi i ddod i adnabod personoliaeth ei brif wrthrych na gwybod dim am bwysigrwydd ei waith.

Nid oes dim dwywaith nad oedd Carneddog yn un o ffigurau llenyddol a diwylliannol gwerinol pwysicaf ei gyfnod. Plentyn y bedwaredd ganrif ar bymtheg ydoedd mewn sawl ffordd, na dderbyniodd ond ychydig o addysg wladol elfennol, ond a oedd yn gynnyrch diwylliant llenyddol gwerinol a goludog bro ei febyd yn Eryri. Cyhoeddodd ei gyfrol gyntaf o'i gerddi ei hun, *Ceinion y Cwm* (1891), pan oedd yn ddeg ar hugain oed. Flynyddoedd yn ddiweddarach, esboniodd ei wraig Catrin sut y bu iddo fwrw ati i gyhoeddi ei waith. Pan oedd unwaith yn Ffair Penmorfa fe glywodd faledwr yn canu un o'i gerddi, 'Annie Bach rwy'n mynd i ffwrdd', a dysgu fod pum can copi o'r gân wedi cael eu hargraffu ar daflen a'u gwerthu gan R. I. Jones (Alltud Eifion, 1815-1905) yn Nhremadog. Dymunai hwnnw gael argraffu pum can copi o gerdd arall ganddo, sef 'Llancesau Eryri', ond cynghorwyd Carneddog gan Thomas Jones (Cynhaiarn, 1839-1916) i fynd ati i gyhoeddi ei gerddi ei hun mewn cyfrol yn hytrach na gadael i Alltud Eifion elwa ar ei draul.[7]

5. Ruth Janette Ruck, *Place of Stones* (London, 1961); *eadem*, *Hill Farm Story* (London, 1966).
6. *Place of Stones*, tt. 32-3.
7. Catrin Griffith sy'n dweud yr hanes mewn llythyr at John William Jones (marc post 18 Rhagfyr 1950), gw. Llawysgrif Bangor 9777. Cyhoeddwyd y ddwy gerdd yn *CE*, tt. 212-13.

Yn ogystal â bod yn fardd gwlad ac yn llenor, yr oedd Carneddog hefyd yn hynafiaethydd a ymddiddorai yn nhraddodiad llenyddol a diwylliannol bro Eryri. Gwnaeth lenyddiaeth a diwylliant Eryri yn faes arbenigedd iddo'i hun, ac ymgynghorai sawl un yn helaeth ag ef pan geisient wybodaeth am hanes diwylliannol plwyf Beddgelert. Mynegodd D. E. Jenkins ei ddyled iddo wrth baratoi ei lyfr enwog ar hanes a thraddodiadau'r ardal, *Beddgelert*: *Its Facts, Fairies, & Folk-Lore*, gan bwysleisio ei fod yn cael ei gydnabod yn awdurdod ar hynafiaethau'r fro, er nad oedd wedi cyrraedd ei ddeugain oed ar y pryd.[8] Un arall a elwodd yn sylweddol ar ei ysgrifeniadau a'i wybodaeth am ardal Beddgelert a Nanmor oedd William Hobley pan ysgrifennai *Hanes Methodistiaeth Arfon*.[9] Ac er nad enwir ef yn y rhagair i *The Mountains of Snowdonia in History* a olygwyd gan H. R. C. Carr a George A. Lister, dywed Carneddog iddo dderbyn copi o'r gyfrol yn rhodd gan George Lister ac ynddo'r nodyn '. . . many thanks for advice and assistance.'[10]

O dan ddylanwad ei athro barddol, Glaslyn (Richard Owen, 1831-1909), dechreuodd ysgrifennu erthyglau ar hanes a llenyddiaeth i gylchgrawn O. M. Edwards, *Cymru*, a than ddylanwad golygydd y *Cymru* coch magodd hyder i gyfrannu i lawer o gyhoeddiadau eraill.[11] Cyflawnodd wasanaeth fel gohebydd lleol yn *Baner ac Amserau Cymru*, *Y Genedl Gymreig* a'r *Herald Cymraeg* am gyfnod o ddeugain mlynedd, ac edmygid ei gyfraniad gan lawer, fel y nododd y newyddiadurwr Picton Davies:

8. D. E. Jenkins, *Beddgelert: Its Facts, Fairies, & Folk-Lore* (Portmadoc, 1899), t. 346: 'If one takes an interest in the antiquities of the parish, one is always referred to Carneddog . . .'.
9. William Hobley, *Hanes Methodistiaeth Arfon. Dosbarth Caernarvon Ardaloedd Waunfawr a Beddgelert* (Caernarfon, 1913), tt. 107-218.
10. Gw. 'Manion o'r Mynydd', *Yr Herald Cymraeg*, 1 Medi, 1925, t. 2.
11. Rhestrir ei ysgrifau yn y cylchgrawn *Cymru* yn William Phillips, *Mynegai i "Cymru" O. M. Edwards* (Cymdeithas Llyfrgelloedd Cymru, 1971), tt. 63a-63b. Am dystiolaeth fod yr ysgolhaig Celtaidd o'r Almaen, Dr Heinrich Zimmer, yn gyfarwydd â darllen ysgrifau Carneddog yn *Cymru*, gw. H. Parry-Williams, 'Dr Heinrich Zimmer', *Cymru*, xx (1901), t. 114.

> Carneddog oedd y gohebydd lleol gorau a adnabûm erioed . . . Gallai wneud newyddion ei fro yn ddiddorol i gannoedd na welsant mo'r Wyddfa erioed.[12]

Un o'i gampau mwyaf nodedig oedd ei waith fel colofnydd rheolaidd y 'Manion o'r Mynydd' yn yr *Herald.* Yr oedd y golofn yn un o ryfeddodau'r oes. Cynhwysai newyddion lleol pentrefi godre'r Wyddfa, sef Beddgelert, Nant Gwynant, Rhyd-ddu, Nanmor, Llanfrothen a Chroesor, byr nodion personol gan Garneddog ar ei helyntion a'i ddiddordebau o dan y pennawd 'Briwsion y gŵr brysiog', ysgrifau ac atgofion am fywyd llenyddol, diwylliannol a chymdeithasol yr ardal, a gohebiaethau lu yn trafod barddoniaeth, hanes a hynafiaethau, enwau lleoedd, coelion gwlad, meddyginiaethau ac amrywiol bynciau eraill. Rhyw fasgedaid gymysg o golofn yr oedd iddi gryn ddilyniant, a barnu wrth sylwadau'r bobl a ymatebai iddi o bell ac agos, gan gynnwys rhai o Gymry alltud yr Unol Daleithiau.

Cwmpasa'r ohebiaeth y cyfnod prysur hwnnw yn hanes Carneddog pan oedd yn paratoi i gyhoeddi *Cerddi Eryri* (1927) ac *O Greigiau'r Grug* (1930). Fe welir mai'r man cychwyn oedd y drafodaeth ynghylch casglu enwau tanysgrifwyr ar gyfer y gyntaf o'r ddwy gyfrol hyn, sef ei gasgliad o gerddi ardal Eryri a ddyfarnwyd yn fuddugol mewn cystadleuaeth llunio casgliad o 'hen faledi a cherddi unrhyw ardal yng Nghymru' yn Eisteddfod Genedlaethol Pwllheli yn 1925, cystadleuaeth y cyfrannodd Gwallter y wobr ariannol o ddwy gini iddi.[13] A hithau'n fyd llwm ar gyhoeddwyr rhwng y ddau Ryfel Byd, yr oedd gofyn bod yn ochelgar rhag llosgi bysedd drwy fentro cyhoeddi llyfr. Wrth gyhoeddi *Gwaith Glaslyn* yn 1914 dioddefodd Carneddog golled ariannol oherwydd 'triciau brwnt drwgdalwyr', chwedl yntau. Llwyddodd yn rhyfeddol gyda *Cherddi Eryri* oher-

12. Picton Davies, *Atgofion Dyn Papur Newydd* (Liverpool, 1962), t. 137. Ar bwysigrwydd ffigwr fel Carneddog i'r newyddiaduron Cymraeg fel gohebydd amatur, gw. Aled Gruffydd Jones, *Press, Politics and Society: A History of Journalism in Wales* (Cardiff, 1993), t. 33.
13. Gw. y Rhagair i *Cerddi Eryri* (Dinbych, 1927), t. iii. Yr hyn a nodir yn *Rhaglen Swyddogol Eisteddfod Genedlaethol Frenhinol Cymru, 1925, Pwllheli*, t. 238, yw: 'Gwobr £2/2/0, yn rhodd gan Mr Walter S. Jones, Llanllyfni.'

wydd ei ymdrechion i gasglu enwau digon o danysgrifwyr trwy gymorth nifer o gyfeillion a chymwynaswyr.[14] Wedi'r cyfan, yr oedd Carneddog yn enw digon adnabyddus i ddenu cefnogwyr ymysg darllenwyr llengar gogledd-orllewin Cymru a thu hwnt, ac yr oedd ei brofiad fel cyhoeddwr gyda chefnogaeth ei hen noddwr O. M. Edwards yn rhoi iddo ddigon o hyder, serch ei ofid am beidio â bod yn ddigon mentrus. Mewn llythyr dadlennol at E. Morgan Humphreys yn 1920, er enghraifft, dywedai cymaint y gwelai eisiau ei hen noddwr caredig,[15] ac mewn dau gerdyn post ato yn 1928 dywed fel yr edifarhâi na fyddai wedi mentro argraffu hyd at fil o gopïau'n ychwanegol o *Gerddi Eryri*.[16]

Oherwydd ei lwyddiant diamheuol gyda *Cherddi Eryri*, cafodd ail wynt i'w hwyliau ac yr oedd yn llawn cynlluniau ar gyfer cyhoeddi rhagor o lyfrau o'i eiddo. Ar ôl darllen adolygiad ffafriol gan E. Morgan Humphreys ar y gyfrol honno, aeth rhagddo ar ei union i hel ynghyd ddeunydd ar gyfer *O Greigiau'r Grug* a argraffwyd gan Wasg Gee, sef casgliad o'i gerddi ei hun. Yn ôl tystiolaeth llythyr rhif 65, a llythyrau eraill a anfonodd at John William Jones yn Nhanygrisiau, yr oedd ganddo fwy o lyfrau y carai weld eu cyhoeddi, sef 'Ffraeth Ddywediadau Cymreig', 'Hanes a Chroniclau Bedd Gelert', a 'Cymru'r Beirdd'.[17]

Yr hyn a oedd wrth fodd Carneddog yn ystod cyfnod yr ohebiaeth hon oedd bywiogrwydd y bywyd diwylliannol a geid yng nghymoedd yr Wyddfa, er bod ambell awgrym fod pryf y dirywiad eisoes yn y

14. Gw. Bleddyn Owen Huws, *Hanes Cyhoeddi* Cerddi Eryri *(1927) Carneddog* (Cyhoeddiadau Barddas, 1999).
15. LlGC 'Papurau E. Morgan Humphreys', A/1201, 28 Mehefin 1920: '. . . collais fy hen noddwr caredig "O.M.". . . Gresyn na fuasai rhyw *fund* i helpu truan o lenor gwledig fel myfi (a'm tebyg) i gyhoeddi fy llafur, ynte? . . . onid oedd yn Gymro ardderchog? Bu yn or-garedig wrthyf fi, a'r hen Laslyn hefyd . . .'.
16. LlGC 'Papurau E. Morgan Humphreys', A/1202-3.
17. LlGC 'Papurau J. W. Jones', rhif 3888 (dyddiedig 8 Mawrth 1928), a rhif 3892 (dyddiedig 9 Medi 1928). Mewn llythyr dyddiedig 17 Mawrth 1927, *ibid*., rhif 3877, y soniai am 'Hanes a Chroniclau Bedd Gelert'. Mewn llythyr at Isaac Lloyd (Glan Rhyddallt), dyddiedig 11 Rhagfyr 1928, soniai am ei fwriad i gyhoeddi 'Cerddi Gwyllt Walia', sef cerddi na fuont erioed mewn print, gw. Llawysgrif Bangor 16516, 'Papurau Glan Rhyddallt', rhif (v).

pren. Calondid iddo oedd y symudiad i sefydlu Eisteddfod y Cymrodyr gan ieuenctid yr ardal yn 1928, yn ychwanegol at Eisteddfod Beddgelert a gynhelid bob Nadolig, a chyfarfodydd y gymdeithas lenyddol yng nghapel Peniel, Nanmor. Creodd Côr Telyn Eryri gryn fwrlwm ddechrau'r tridegau, gyda Nansi Richards ac Edith Evans ymysg ei aelodau mwyaf adnabyddus, a cheid nifer o feirdd yn lleol, Elen Ann Evans o deulu dawnus Cwmcloch, William Francis Hughes (Wil Oerddwr) a'i chwaer, Morfudd Mai Hughes, ac R. R. Morris.

Gwallter Llyfni (Walter Sylvanus Jones, 1883-1932)

Gair i ddechrau am ei enw barddol. Fe'i hurddwyd yn aelod o'r orsedd dan yr enw 'Gwallter Llyfnwy' yn Eisteddfod Genedlaethol Pwllheli.[18] Enw gwneud o'r bedwaredd ganrif ar bymtheg ar afon Llyfni yn Nyffryn Nantlle yw Llyfnwy.[19] Yn llythyr rhif 4 y mae Gwallter yn ei gywiro ei hun ac yn dewis ei alw ei hun yn Wallter Llyfni, ond mae'n ymddangos bod ei gyfoedion yn llawer mwy cyfarwydd â'i alw'n Wallter Llyfnwy, gan mai'r enw hwnnw a ddefnyddiai amlaf wrth ohebu yn y wasg.

Ym Mhant-glas yn Eifionydd y'i ganwyd, cyn i'r teulu symud i fyw i Nasareth am gyfnod cyn ymsefydlu yng Nghoed Cae Newydd (Coecia ar lafar) yn Llanllyfni.[20] Y tebyg yw mai ar ôl marw ei rieni y symudodd ef a'i frawd i fyw i'r Felin yn Llanllyfni, lle y trigai adeg cyfnod yr ohebiaeth hon hyd at fis Mawrth 1930, pan symudodd i Ben-y-groes. Ymadawodd â'r ysgol yn bedair ar ddeg oed a mynd yn brentis saer coed. Bu'n gweithio am gyfnod yn ne Cymru, lle'r oedd cyfnither iddo'n byw, ac yr oedd yn gweithio ym mhwll glo Senghennydd adeg y danchwa yno yn 1913. Fe'i galwyd i wasanaethu yn y

18. Gw. y manylion bywgraffyddol adeg ei farw yn yr ysgrif 'Eisteddfodwr's Death', *The Caernarvon and Denbigh Herald*, 1 Gorffennaf 1932, t. 6.
19. Gw. Ifor Williams, *Enwau Lleoedd* (argraffiad newydd, Lerpwl, 1962), t. 43.
20. Ar hanes ei fywyd a'i waith, gw. Dewi Jones, 'Walter Sylvanus Jones (Gwallter Llyfni) 1883-1932', *Trafodion Cymdeithas Hanes Sir Gaernarfon*, 50 (1989), tt. 71-85; *idem*, *Cynghanedd, Cerdd a Thelyn yn Arfon* (Llyfrau Llafar Gwlad, Llanrwst, 1998), tt. 97-111.

fyddin yn ystod y Rhyfel Byd Cyntaf, ond gwenwynwyd ef gan nwy yn ôl tystiolaeth David Thomas mewn ysgrif goffa iddo.[21] O ganlyniad, derbyniodd bensiwn llawn gan y llywodraeth, ond gadawodd yr aflwydd ei ôl arno gan mai bregus fu ei iechyd weddill ei oes. Llwyddai i'w gynnal ei hun drwy gymorth pensiwn y fyddin a thrwy ysgrifennu i'r papurau Cymraeg, a gweithredu fel gohebydd i rai ohonynt yn yr Eisteddfod Genedlaethol.

Yn ogystal â bod yn fardd gwlad, llenor, hynafiaethydd a hanesydd lleol, yr oedd Gwallter hefyd yn gerddor. Arferai ef a Dafydd ei frawd gystadlu fel deuawd mewn eisteddfodau lleol, a chyfeiriodd D. J. Williams mewn llythyr unwaith at ei lais trawiadol yn canu mewn tafarn am ddau o'r gloch y bore yn ystod Ysgol Haf gyntaf y Blaid Genedlaethol ym Machynlleth yn 1926.[22] Cyfrannai golofn gerddorol i bapur newydd *Y Dinesydd Cymreig* dan y ffugenw 'Largo', a chyfrannai ysgrifau achlysurol ar gerddoriaeth i gylchgrawn *Y Cerddor Newydd* o dan olygyddiaeth W. S. Gwynn Williams. Fe welir yn yr ohebiaeth fel y cyfeiriai at ei gyfraniadau yn rhai o gylchgronau amlycaf y dydd, *Yr Haul*, *Y Llan*, *Y Brython*, *Y Llenor* a'r *Ford Gron*. Er mai cof plentyn a oedd gan Hywel D. Roberts amdano, fe greodd Gwallter gryn argraff arno, mae'n amlwg:

> Un o gymeriadau lliwgar Llanllyfni oedd Walter S. Jones (Gwallter Llyfnwy). Cof plentyn sy gen i amdano yn yr eisteddfodau, – gŵr digon mawreddog, het fawr fel artist, wyneb tenau dyn gwael a rhyw stori fod ganddo gwt ar lan y môr tua Chlynnog i fynd am awyr iach i helpu ei iechyd bregus . . . [hoffai] sôn am y bobl bwysig oedd ef yn eu hadnabod, fel Syr Richard Terry a David Brazell, ac eraill.[23]

21. David Thomas, 'Cwta Filltir', *Lleufer*, xvi (1960), t. 124. Gwasanaethodd Gwallter yn y fyddin rhwng mis Awst 1916 a mis Awst 1918, pan ymadawodd ar gorn cyflwr ei iechyd. Yn Ysbyty Milwrol Seaforth, Crosby, yr oedd ddechrau Awst 1918.
22. *Annwyl D. J.: Llythyrau D.J., Saunders, a Kate*, t. 73: 'Y mae 'na 'uffarn o gic' ynddo fe ys dywedodd y Mr. Walter Llyfni druan 'slawer dydd am 'uffarn o lais' pan drawodd e ma's i ganu 'Bugail Hafod y Cwm' am ddau o'r gloch y bore yn y White Horse yng nghynhadledd gynta'r Blaid ym Machynlleth.'
23. Hywel D. Roberts, *Prifardd y Dyffryn – R. Williams Parry,* Darlith Flynyddol Llyfrgell Penygroes, 1973-74 (Caernarfon, 1974), t. 21.

Anfarwolwyd Gwallter yng ngherdd R. Williams Parry, 'Yr Hen Gantor', ond ar wahân i'r gerdd honno nid oes fawr neb yn cofio amdano heddiw.[24] Llithrodd i afael anghofrwydd a dinodedd. Un rheswm am hynny yw na lwyddodd i gyhoeddi dim o ffrwyth ei lafur mewn cyfrol arhosol, naill ai fel prydydd nac fel golygydd llyfrau. Er gwaethaf ei uchelgais a'i frwdfrydedd dros weld ffrwyth ei lafur mewn print, methodd â chael neb i gyhoeddi ei lyfrau yn ystod y blynyddoedd llwm rhwng y ddau Ryfel Byd. Bu diffyg arian a nawdd i gefnogi'r 'athrylith dlawd', chwedl yntau, yn gŵyn gyson ganddo yn ei lythyrau personol a chyhoeddus fel ei gilydd. Mynegodd ar goedd ei awydd ysol am ddod â llenyddiaeth brintiedig o fewn cyrraedd y Cymro cyffredin, ac fe welir yn amlwg yn rhai o'i lythyrau at yr hen Garn pa mor angerddol a diffuant oedd ei farn ynghylch yr angen am ddarparu deunydd darllen fforddiadwy yn y Gymraeg. Wrth i'w ddaliadau sosialaidd lywio'i farn, nid ar sail anghyfiawnder yn unig y dadleuai fod angen radicaleiddio'r diwylliant Cymraeg, ond ar sail yr angen ymhlith y werin am lyfrau Cymraeg i'w haddysgu a'i diwyllio. Bwriai ei lid ar bendefigion y sefydliad eisteddfodol am eu difaterwch, Syr Vincent Evans a Syr John Morris-Jones yn benodol, dynion a elwid ganddo'n 'wŷr boldyn'. Fel lladmerydd y werin lengar dlawd, yr oedd yn gwbl ddigyfaddawd ei farn.

O ran ei ddaliadau gwleidyddol, yr oedd yn sosialydd o genedlaetholwr o gryn argyhoeddiad. Pan sefydlwyd Byddin Ymreolaeth Cymru yn 1921 etholwyd Gwallter yn llywydd, ond parhaodd yn aelod o'r Blaid Lafur.[25] Fe'i cyflogwyd yn drefnydd y blaid honno ym Môn am flwyddyn, ond ymgeisiodd am swydd trefnydd y Blaid Genedlaethol yn 1930 pan ddaeth honno'n wag ar ôl marwolaeth H. R. Jones. Yr oedd yn ffrindiau mawr â chefnogwyr y Blaid, ac yn dilyn etholiad seneddol 1929 pan safodd Lewis Valentine yn etholaeth Sir Gaernarfon, dywedodd wrth Garneddog:

24. R. Williams Parry, *Cerddi'r Gaeaf* (Dinbych, 1952), tt. 32-34.

25. Cyfeirir at ei gefnogaeth gref i'r Blaid Lafur yn enwedig mewn etholiadau yn yr ysgrif 'Eisteddfodwr's Death', *The Caernarvon and Denbigh Herald*, 1 Gorffennaf 1932, t. 6.

> Gresyn oedd i Valentein ddod allan y tro yma. Nid yw'r wlad eto wedi ei haeddfedu i'w genadwri, ond yn bendifaddau yhi fydd plaid y dyfodol. Rhaid fydd i Gymru gael yr hyn sydd deg a chyfiawn oddiar law Lloegr.[26]

Er i Richard Wyn Jones gyfeirio ato fel 'gŵr braidd yn anwadal ei wleidyddiaeth',[27] arhosodd ei ymlyniad wrth les yr iaith a'i llenyddiaeth yn ddi-syfl hyd y diwedd, nes y gellir honni mai cenedlaetholwr diwylliannol ydoedd yn bennaf. Cwbl nodweddiadol o'i sêl genhadol oedd ei sylwadau ar Ddewi Sant yn *Y Brython*:

> Mawr yw'r cyfnewid sydd ym mywyd Cymru heddiw, ond er gwaethaf traha'r Sais, "Mae calon wrth galon yn curo'n y fynwes," ac wyneb y genedl tua'r wawr . . . Dewi Sant yw ysbrydiaeth Urdd Gobaith Cymru Fach. Ysbryd y sant sydd yn helpu'r Cymdeithasau a'r Dosbarthiadau a welir ledled ein gwlad, a thra bo ysbryd Dewi yn y tir byw fydd y Gymraeg.[28]

Nid oedd, fe ymddengys, yn anifail gwleidyddol hyd fêr ei esgyrn, oherwydd synhwyrir yn ystod cyfnod yr ymgyrchu etholiadol nad oedd yn gwbl gyfforddus yn ymhél â'r byd hwnnw: 'Yr wyf dros fy mhen a'm clustiau ym myd *politics* yrŵan, a byd ar y d——l ydyw hefyd.'[29] Mewn llythyr arall, dywed: 'Rwyf finnau fel ci ffair. *Politics* i frecwast, *Politics* i ginio, brechdan driog i de, a *Pholitics* i swper, a chyn bo hir byddaf yn mynd o gwmpas yn *Political Sandwich*.'[30] Dedwyddach o lawer ganddo oedd ymwneud â gwleidyddiaeth y Pethe gan geisio dylanwadu ym myd llên a barddas a diwylliant yn gyffredinol. Yn ei ysgrifeniadau cyhoeddedig, yn ogystal ag yn ei lythyrau, ei thema fawr oedd yr angen am gynnal diwylliant y gwerinwyr digoleg er mwyn diogelu parhad yr iaith a'r genedl. Mewn ysgrif

26. Gw. llythyr rhif 36.
27. Richard Wyn Jones, *Rhoi Cymru'n Gyntaf: Syniadaeth Plaid Cymru*, Cyfrol 1 (Caerdydd, 2007), t. 59 n. 7.
28. *Y Brython*, 26 Mawrth 1931, t. 6.
29. Gw. llythyr rhif 13.
30. Gw. llythyr rhif 16.

ar 'Yr Eisteddfod' yn *Y Cerddor Newydd* yn 1923, er enghraifft, galwai am ddiwygio'r brifwyl drwyddi draw drwy ei Chymreigio.[31] Yr oedd Gwallter yn gefnogwr brwd i'r syniad, a grybwyllwyd gyntaf gan W. J. Gruffydd ar dudalennau'r *Llenor* yn haf 1926, ynghylch sefydlu'r Eisteddfod Fach i herio'r drefn a bwrw'r pendil yn ôl at y werin bobl ddiwylliedig, a bu'n gohebu â'r Athro ac yn y wasg ynghylch y bwriad. Ond ni ddaeth dim o'r symudiad hwnnw.[32] Drachefn, mewn ysgrif yn *Yr Haul* yn 1930, bwriai ei lach ar yr Eisteddfod Genedlaethol fel sefydliad am beidio ag achlesu'r werin ddigoleg, a chanai glodydd y cyfarfodydd llenyddol a gynhelid ledled y wlad ac a roddai faeth i'r bardd a'r llenor a'r cerddor Cymreig fel ei gilydd:

> Nid oes a wnelo'r werin ddim â'r Eisteddfod Genedlaethol bellach, ac afraid iddi ddisgwyl dim o'r cyfeiriad hwnnw, a phan gyll ei gafael ar y cyfarfod llenyddol, bydd ar ben ar ein diwylliant Cymreig.[33]

Y pennaf bwganod oedd ceffylau blaen y sefydliad, pobl a dueddai i fod yn ddibris o ymdrechion gwerinwyr diwylliedig. Mewn llythyr yn *Y Genedl Gymreig* ym mis Mawrth 1927, traethai'n huawdl ar yr angen am gyhoeddi llyfrau Cymraeg a fyddai o fewn cyrraedd poced y dyn cyffredin, rhag i'r diwylliant gael ei gyfyngu 'i gylch yr ychydig ffodus'.[34] Bron flwyddyn yn ddiweddarach, meddai wrth Garneddog:

> Y mae fy amynnedd i wedi pallu'n llwyr, wrth weld dynion cymharol dlawd yn gwasanaethu eu gwlad, a cheisio gwella, diddori, a diwyllio y genedl, a rhyw swbachiaid diawl yn clafoirio hyd lwyfannau. Damia nhw eto.[35]

31. *Y Cerddor Cymreig*, Awst 1923, tt. 147-8. Yr oedd Gwallter yn un o sylfaenwyr 'Cymdeithas Cerddorion Cymreig' a sefydlwyd mewn cyfarfod yn Eisteddfod Genedlaethol yr Wyddgrug, 1923, gw. *Y Cerddor Newydd*, Medi 1923, tt. 167-8.
32. Gw. Bleddyn Owen Huws, 'Pennod yn Hanes Cyhoeddi Llyfrau Cymraeg rhwng y Ddau Ryfel Byd', *Y Llyfr yng Nghymru/Welsh Book Studies*, 4 (2001), tt. 59-60.
33. *Yr Haul*, Tachwedd 1930, t. 324.
34. *Y Genedl Gymreig*, 21 Mawrth 1927, t. 5.
35. Gw. llythyr rhif 14.

Perthynai i'r cylch o ffrindiau a oedd gan R. Williams Parry yn Nyffryn Nantlle, cylch a gynhwysai hefyd John Evan Thomas y cyfeirir ato droeon yn yr ohebiaeth hon. Yr oedd yn un o'r eneidiau hoff cytûn a gyfarfyddai i sgwrsio am lenyddiaeth a diwylliant, ac i gydyfed cwrw. Dr Tom Dulyn Thomas a glywais i yn dweud yr hanes fel yr arferai Gwallter (Walter Coecia fel y'i gelwid gan y teulu) ac R. Williams Parry gyfarfod yn siop Nebo, cartref ei daid, T. H. Griffith (Arfonydd), i swpera ac i yfed cwrw a chwisgi, ac fel yr hebryngid ef yn blentyn i'r gwely drwy'r siop rhag amharu ar y criw dethol a gymdeithasai yn y gegin ganol.[36] A barnu wrth dystiolaeth ei lythyrau at Carn, yr oedd R. Williams Parry yn ddigon agos ati pan grynhodd gymeriad ei gyfaill fel hyn: 'Ffyddlondeb i'w gyfeillion, a hunan-dyb diniwed, oedd ei nodweddion amlycaf'. Ond yr oedd hefyd yn ffigwr trist na ellir ond cydymdeimlo ag ef oherwydd ei fethiant i gyflawni ei uchelgais a'i ddyhead, ac am i afiechyd ei oddiweddyd.

'. . . rhof fy awen yn ei chwd yn dragywydd'

Nid oes dim rhyfedd fod cymaint o drafod cyhoeddi llyfrau yn yr ohebiaeth. Cyfeirir fwy nag unwaith at ymdrech y bardd a'r canwr Griffith W. Francis, sef un o'r enwog Frodyr Francis o Nantlle, i gyhoeddi ei gynnyrch prydyddol. Y sbotiwr talentau llenyddol hwnnw, E. Morgan Humphreys – gŵr y perchid ei farn gan lawer o bobl y cyfnod – a gymhellodd Griffith Francis i fynd ati i gyhoeddi cyfrol o'i waith.[37] Yn un o'i adolygiadau ar *Cerddi Eryri* cyfeiriodd Morgan Humphreys ato fel un o sêr y gyfrol, ac nid ofer ei symbyliad. Gwelodd *Telyn Eryri* olau dydd yn 1932, ac yr oedd gan Griffith Francis

36. Adroddir mwy o hanesion am R. Williams Parry a Gwallter gan Gwilym R. Jones yn *Rhodd Enbyd* (Y Bala, 1983), tt. 62-3, a chan Mathonwy Hughes yn *Perlau R. Williams Parry* (Dinbych, 1981), tt. 7-9.
37. Mewn adolygiad ar *Cerddi Eryri* yn *Y Genedl Gymreig*, 23 Ionawr 1928, t. 4, dywed hyn: 'Y mae'n dda gennyf gael cymaint o waith Mr Griffith Francis yma – gŵr sy'n meddu'r hen dinc felys . . . Oni ellir perswadio Mr Francis i gasglu ei waith yn gyfrol?'

ail gyfrol ar y gweill hefyd, sef 'Bwrdd Gwledd y Bardd Gwlad neu Rhwng yr Ordd a'r Eingion'.[38] Diau fod clywed am gynlluniau Carneddog i gyhoeddi *O Greigiau'r Grug* ar ôl llwyddiant *Cerddi Eryri* yn halen ar y briw i Wallter, a hefyd yn ysgogiad iddo geisio efelychu ei gyfaill. Ar ôl clywed bod *O Greigiau'r Grug* bron yn barod i'r wasg ym mis Hydref 1929, a bod T. H. Parry-Williams yn bwriadu cyhoeddi casgliadau o gerddi, cyhoeddodd Gwallter ei gynlluniau yntau:

> Yr oeddwn wedi clywed fod y Dr Tom Parry Williams yn dwyn cyfrol o benillion telyn allan, ond ni wyddwn am ei delynegion. Bydd y ddwy yn werth eu meddu. Bûm innau yn brysur yn hwylio fy nghyfres innau i'r wasg, ac y mae cefnder y Dr, sef Tom Parry wedi addo sgrifennu Rhagair iddi, ag af i'w weld i Fangor yforu, yna af i Lerpwl ddydd Gwener i geisio ei gwerthu i Hugh Evans, Swyddfa'r Brython.[39]

Mae'r rhagymadrodd a ysgrifennodd i'w gyfrol deipysgrif o 'Gerddi'r Dyffryn', er enghraifft, fel petai'n adleisio mewn mannau ragymadrodd Carneddog i *Cerddi Eryri*.[40] Ac ymhlith ei bapurau ym Mangor hefyd y mae amcan bris heb ddyddiad arno gan wasg W. Gwenlyn Evans yng Nghaernarfon am argraffu dwy fil o gopïau o 'Blodau'r Grug', sef, fe ddichon, y teitl a roes i un casgliad o'i gerddi ei hun.[41] Buasai hynny cyn mis Mawrth 1930, gan fod y llythyr wedi'i gyfeirio ato i'r Felin, Llanllyfni, cyn iddo fudo i Ben-y-groes, ac felly mae'n bosibl fod teitl Carn i'w lyfr ef yn ddylanwad ar deitl Gwallter i'w gyfrol arfaethedig yntau. Yr oedd meddwl am argraffu dwy fil o gopïau yn dra uchelgeisiol, a dweud y lleiaf, mewn cyfnod o ddirwasgiad, ond diau mai clywed Carneddog yn difaru iddo beidio â mentro cyhoeddi mwy na'r mil copi a argraffwyd o *Cerddi Eryri* a barodd i Wallter anelu mor uchel.

38. Cadwyd y gyfrol anghyhoeddedig yn Llawysgrifau LlGC 23623E a LlGC ex731.
39. Gw. llythyr rhif 43.
40. Gw. Llawysgrif Bangor 5344.
41. Gw. Llawysgrif Bangor 5350.

Ar ôl dychwelyd yn benisel o Lerpwl drannoeth y Diolchgarwch yn 1929 wedi methu â chael Gwasg y Brython i gyhoeddi llyfr ganddo, tyngodd Gwallter: 'Ni chyhoeddaf ddim byth bythoedd ar ffurf llyfr, a rhof fy awen yn ei chwd yn dragywydd.'[42] Drylliwyd ei obeithion, 'ac aeth blinds ei natur lon i lawr,' meddai Carneddog amdano yn ei ysgrif goffa i'w gyfaill.[43] Diau fod y sôn sydd am ei delyn ddigywair yn y gerdd 'Fy Mhrofiad', a gyhoeddwyd yn 1931, yn arwydd o'r digalondid a'r anobaith a gymylai ei wybren erbyn hynny.[44]

Ergyd arall i yrfa Gwallter fel golygydd, yn sicr, oedd na ddaeth dim o'r ymgais i atgyfodi cylchgrawn *Y Llwyfan* ar ei newydd wedd yn dilyn ei einioes fer. Cyhoeddwyd rhifyn cyntaf y cylchgrawn deufisol hwnnw gan Undeb y Ddrama Gymreig ym mis Rhagfyr 1927, ond ymddangosodd y rhifyn olaf ym mis Mawrth 1929.[45] Parhaodd swyddogion yr Undeb i drafod ei ailgychwyn er mwyn hyrwyddo drama, adrodd, a cherddoriaeth, a gwahoddwyd Gwallter drwy lythyr ym mis Hydref 1929 i ymgymryd â'r olygyddiaeth.[46] Yng nghyfarfod cyffredinol yr Undeb yng Nghaerdydd fe'i penodwyd yn ffurfiol yn olygydd y cylchgrawn ar eirda clodforus W. J. Gruffydd:

> Yn ddistaw bach i ti a'r pared, yr oedd arnaf braidd ofn yr Athro W. J. Gruffydd. Gwyddost y fath feirniad yw o, ond cefais fy siomi i'r ochr orau o lawer. Yn wir ni feddyliais fod ganddo y fath syniad uchel am danaf, ac yn ôl a ddeallais oddiwrth gyfaill mynwesol i mi oedd ar y pwyllgor, i'r Athro fy rhestru yn bur uchel ymysg llenorion Cymru, a thipyn uwch fel cerddor a beirniad.[47]

42. Gw. llythyr rhif 44.
43. 'Colli Gwallter [:] Atgofion am yr Hen Hwyl', *Yr Herald Cymraeg*, 11 Gorffennaf 1932, t. 2.
44. Gw. Atodiad IX isod.
45. Ceir hanes y cylchgrawn byrhoedlog yn O. Llew Owain, *Hanes y Ddrama yng Nghymru 1850-1943* (Lerpwl, 1948), tt. 253-4.
46. Gw. llythyr rhif 43.
47. Gw. llythyr rhif 47.

Y bwriad oedd i'r rhifyn cyntaf o dan olygyddiaeth Gwallter ymddangos ym mis Ionawr 1930, ac yr oedd eisoes wedi comisiynu ysgrifau ar ei gyfer ac yn credu bod pob argoel y byddai'n rhifyn da.[48] Ond ni welodd y rhifyn olau dydd, ac ni chlywyd gair arall amdano gan Wallter ar ôl 25 Ionawr 1930, er bod sôn o hyd am gyhoeddi'r cylchgrawn yng nghyfarfod blynyddol Undeb y Ddrama Gymreig ym mis Medi 1930. Fel y syniad am sefydlu'r Eisteddfod Fach, yr oedd y syniad o ailgyhoeddi'r *Llwyfan* yn farw-anedig, ac fel y llyfrau y gobeithiai weld eu cyhoeddi, dyna fenter arall wedi mynd i'r gwellt. Pa ryfedd iddo ddweud yn bendrist: 'Byd llawn o siomedigaethau ydyw'r byd hwn, ac y mae lle i ofni mai fy siomi a gaf fi yn y nesaf hefyd'?[49] Tipyn o ymffrost diniwed oedd cyfeirio ato'i hun fel 'Golygydd y Llwyfan' ac at y gefnogaeth a roddwyd iddo gan W. J. Gruffydd a'r Athro Ernest Hughes.[50] Anelai'n uchel ond methai â chyrraedd y nod. Nid o ddiffyg ymdrech, mae'n sicr, ond oherwydd fod amgylchiadau yn ei erbyn. Bu farw flwyddyn cyn cyrraedd ei hanner cant oed. Y cyfan a erys heddiw i'w anfarwoli yw'r cyfrolau teipiedig a baratôdd ar gyfer y wasg sydd ymhlith ei bapurau anghofiedig yn Archifdy Prifysgol Bangor. Y gobaith yw y bydd clywed ei lais yn llefaru eto trwy gyfrwng y llythyrau hyn yn fodd i ddod ag ef i sylw cynulleidfa ehangach nag y medrodd ei chyrraedd yn ystod ei oes.

'Y tri hyn un ydynt'

Fe welir fel y dechreuodd Gwallter gael gwahoddiad i aros noson yn y Carneddi a chael ei gymell i fynd yno i helpu gyda'r gwair, ac fel yr oedd cwmnïaeth Carneddog, Catrin, a Hywel wrth ei fodd. Erbyn mis Mawrth 1928 yr oedd Gwallter wedi ymweld â'r Carneddi ac yn

48. Gw. llythyr rhif 49.
49. Gw. llythyr rhif 54.
50. Gw. llythyr rhif 43. Cofier i R. Williams Parry ddweud mai nodweddion amlycaf ei gyfaill oedd 'Ffyddlondeb i'w gyfeillion, a hunan-dyb diniwed', gw. *Cerddi'r Gaeaf*, t. 32.

edrych ymlaen am gael mynd yno eto. Yn llythyr rhif 16, dyddiedig 21 Mawrth 1928, y mae'n anfon ei gofion at Gatrin a Hywel am y tro cyntaf, ac fe'u cyfarcha'n lled reolaidd o hynny ymlaen: 'Cofia fi yn gynes at y wraig a Hywel, a thitha hefyd. Wel Trindod ydych. Y tri hyn un ydynt'.[51] Fe welir yn llythyr rhif 44 fod Gwallter yn annog ei gyfaill i roi tro amdano yn Llanllyfni, ond hyd y gwyddys nid ymwelodd Carn â'i gartref erioed, a hynny am nad oedd ganddo mo'r amser na'r gallu i deithio'n rhwydd. Nid oedd ganddo gar modur na motor-beic, a dibynnai'n llwyr ar y bws i'w gludo i Borthmadog a Chaernarfon. Dyna danlinellu cymaint oedd ei gamp yn cyhoeddi ei lyfrau, oherwydd yr unig ffordd y cysylltai Carneddog â'r byd oddi allan i'r Carneddi oedd trwy gyfrwng llythyrau a chardiau post.

Buasai teulu Carneddog yn byw yn y Carneddi oddi ar ddiwedd yr ail ganrif ar bymtheg. Yr oedd ef yn un o naw o blant a anwyd i'w rieni, ond pedwar yn unig ohonynt a fu byw'n ddigon hen i briodi ac i sefydlu eu teuluoedd eu hunain. Trawyd y lleill gan y ddarfodedigaeth, neu fel y cyfeiriai Carneddog ati, 'yr haint deuluol'. Nid oes ryfedd, felly, pam yr ymboenai Carn gymaint yn y llythyrau hyn ynghylch cyflwr ei iechyd. Ailymwelodd yr haint yn greulon ag aelwyd y Carneddi yn ystod y cyfnod y bu ef a Chatrin yn magu teulu. Ganwyd chwech o blant iddynt i gyd, ond bu farw tri yn fabanod o'r ddarfodedigaeth, a chladdwyd bachgen arall gyda'r un clefyd cyn cyrraedd ei un flwydd ar bymtheg. Dyna adael Richard Morris (1897-1960) a Hywel Wyn (1903-1945). Gwasanaethodd Richard Morris (Dic) yn y fyddin yn ystod y Rhyfel Mawr, a chafodd waith ar ôl y rhyfel fel peiriannydd yng nghanolbarth Lloegr lle y cyfarfu â'i wraig, Clarrie, a lle y bu fyw weddill ei oes. Ef oedd yr unig blentyn i oroesi ei rieni.

Merch leol oedd Catrin (1867-1951), un o deulu Gelli'r Ynn Uchaf, Nanmor. Priododd y ddau yn 1889, ac yr oedd yn wraig ddeallus a diwylliedig. Yn ôl un a fu'n gymydog i'r teulu, yr oedd ganddi 'gof fel cofiadur'.[52] Erbyn cyfnod yr ohebiaeth hon yr oedd bron fel

51. Gw. llythyr rhif 47.
52. Geiriau'r diweddar William Jones Williams, Gardd Llygad y Dydd, Nanmor, mewn sgwrs â mi ym mis Awst 2005.

meudwyes am nad âi i unman y tu hwnt i derfynau'r Carneddi.[53] Yr oedd hithau mae'n amlwg yn mwynhau cwmnïaeth Gwallter, a thystiai Bob Owen, Croesor, na cheid gwell croeso naturiol a dirodres yn unman nag ar aelwyd y Carneddi:

> Ni bu neb mwy croesawgar na Chatrin a Charneddog. Bu cael treulio gyda'r nosau yn eu cwmni yn drêt mawr i mi am gyfnod pur faith a phe bai gennyf ddawn J. O. Williams neu Kate Roberts mae'n ddiau y gwnawn fy ffortiwn yn disgrifio'r hen bâr annwyl . . . Edrychai Catrin a Charneddog yn union fel pobl o'r ddeunawfed ganrif.[54]

Hen lanc oedd Hywel Wyn yn byw gartref gyda'i rieni hyd nes iddo ei foddi ei hun, ac yntau'n ddeugain a dwy oed. Tystiai sawl un fod Hywel yn gymorth mawr i'w dad fel gohebydd, yn mynd ar amryw o negeseuon ar ei ran ac, yn wir, yn llenwi'r bwlch fel gohebydd ei hun, megis y gwnaeth ym mis Chwefror 1932 pan oedd ei dad yn wael yn ei wely ac yn rhy wan i allu ysgrifennu'i golofn wythnosol i'r *Herald*.[55] Wrth ddisgrifio taith i'r 'wlad ramantus a Chwbl Gymreig' y tu hwnt i Feddgelert a Bwlch Aberglaslyn yn 1922, rhoddodd Caerwyn (Owen Ellis Roberts) eirda i'r mab wrth sôn am y tad:

> Yn gynharach yn y dydd, cwrddais Hywel ap Carneddog. Ac ni bu mab erioed yn dwyn delw ei dad yn gywirach o ran pryd a gwedd ac anianawd. Prin y ceir llyfr na llenor na wyr Hywel amdano, a'i orhoffedd yw cyfeillachu a hwy.[56]

A barnu wrth gynnwys y gerdd 'Ar y Mynydd', a luniodd Gwallter tra oedd yn aros yn y Carneddi yn haf 1931, byddai crwydro'r unig-

53. Gw. llythyr rhif 25: 'Ni fydd Catrin byth yn mynd i'r Capel. Ni fu i lawr drwy'r giât haearn, ar derfyn y Carneddi, ers blynyddoedd.'
54. Dyfed Evans gol., *Bywyd Bob Owen* (Caernarfon, 1978), tt. 88-9.
55. Gw. llythyr rhif 93 n. 309. Gw. hefyd lythyrau rhif 52 a 74 lle cyfeirir at Hywel fel gohebydd.
56. Maredudd ap Rheinallt ac Owena D. Thomas, *Caerwyn* (Lerpwl, 2010), t. 306.

eddau yn Nanmor yn falm i'w enaid.[57] Melys ganddo hefyd oedd y gymdeithas ar aelwyd y Carneddi, fel y tystiodd Carneddog yn ei ysgrif goffa:

> Adroddai hen chwedlau gwlad a barddoniaeth . . . tan berfeddion nos, a byddai "Enaid direidi a'i lond o drydan" yn fyw ar yr aelwyd . . . cawsom amser dedwydd, dedwydd, a Gwallter yn adrodd straeon gyda'i gof a'i fedr dihafal.[58]

Anogai Carneddog ei gyfaill i fynd i'w helpu yn y gwair,[59] a chofnododd Bob Owen, Croesor, hanesyn am un o ymweliadau Gwallter adeg y cynhaeaf sy'n dangos mor hoff ydoedd o gellwair:

> Gŵr a fyddai'n hoff iawn o fynd i'r Carneddi oedd yr hen gyfaill Walter S. Jones o Benygroes. Nid oedd ef yn un cryf iawn o gorff ond gellid ei ystyried yn eithaf Atlas o'i gymharu â Charneddog. Yr oedd Walter Jones yno yn ystod y cynhaeaf un tro a rhoes help yn naturiol, i gael y gwair i ddiddosrwydd. Pan godwyd y fforchiad olaf o'r llwyth olaf yn y gadlas rhoes Carneddog ochenaid hir, ac meddai: "Diolch i Dduw, dyna'r cynhaeaf i mewn." Yn ei ddull digrif troes Walter Jones ato'n sydyn gan ofyn: "I be ddiawl 'rwyt ti'n diolch i hwnnw a minnau wedi gweithio mor galed iti?"[60]

Ceid llawer o dynnu coes rhwng y ddau, ac mae'n amlwg nad oedd beiddgarwch Carneddog mewn un llythyr nas cadwyd yn mennu dim ar Wallter. Pryderai Catrin a Dic gymaint y byddai Carneddog yn tramgwyddo yn erbyn ei gyfaill un tro nes iddynt ei gymell i daflu llythyr hirfaith a ysgrifenasai iddo i'r tân.[61] Ni chymerodd Gwallter ato o gwbl am fod y ddau yn deall ei gilydd i'r dim, ddim hyd yn oed

57. Gw. Atodiad XII isod.
58. *Yr Herald Cymraeg*, 11 Gorffennaf 1932, t. 2.
59. Gw. llythyrau rhif 84 ac 86.
60. *Bywyd Bob Owen*, t. 88.
61. Gw. llythyr rhif 23.

pan oedd Carneddog yn cellwair fod ganddo blant a'i fod yn caru â gwraig o Feddgelert![62] Nid syndod, felly, i Garneddog roi yn deitl i'w ysgrif goffa 'Colli Gwallter [:] Atgofion am yr hen hwyl'.[63]

Patrwm y gohebu

Cwmpasa'r ohebiaeth gyfnod o bum mlynedd a phum mis rhwng dyddiad y llythyr cyntaf ym mis Rhagfyr 1926 a'r llythyr olaf a dderbyniodd Carneddog gan Wallter pan oedd hwnnw ar ei wely angau ym mis Mai 1932. Gogoniant y casgliad hwn yw fod yr ohebiaeth ddwyffordd wedi ei diogelu, er nad yn gwbl ddi-fwlch. Fe welir, er enghraifft, fod rhai llythyrau, ac o leiaf un cerdyn post, yn amlwg ar goll o flaen rhifau 9, 22, 55, 68, 78, 83, 91, 94 a 95. Tueddai Gwallter i geisio ateb pob llythyr a dderbyniai gyda'r troad, ond weithiau ceid cyfnodau ysbeidiol o dawelwch rhyngddynt, a'r pryd hynny byddai angen proc ar Garneddog: 'Mae'n dawel iawn yn y mynyddoedd yna. Beth sy'n bod?'[64] Weithiau, âi misoedd heibio heb glywed gair o'r naill du na'r llall,[65] ac ar ôl ysbaid o fis o dawelwch yng ngwanwyn 1930, wele Garneddog yn holi: 'Walter annwyl, a wyt ti'n fyw? Go ddieithr, ynte?'[66] Os na rwystrai salwch Garneddog rhag ateb yn brydlon, ei brysurdeb oedd ar fai. Mae darllen y 'Manion o'r Mynydd' a bwrw cip ar yr ohebiaeth ym mhapurau personol Carneddog yn dangos cymaint o waith ateb llythyrau oedd ganddo. Yn ogystal â'i helyntion fel ffermwr, y ceir cyfeirio cyson atynt yn yr ohebiaeth, yr oedd mynych drafferthion y colofnydd a'r cyhoeddwr hefyd yn lladrata'i amser. Meddylier amdano o ddifrif yn cyhoeddi a dosbarthu *Cerddi Eryri* o'i gartref ar lechweddau Nanmor heb gymorth dim ond y gwasanaeth post.

Ni wyddys yn union pryd y daeth Carneddog a Gwallter i'w hadnabod ei gilydd, ond mae sylwi ar y modd y trodd y 'chwi a

62. Gw. llythyrau rhif 3-6; 74-5.
63. *Yr Herald Cymraeg*, 11 Gorffennaf 1932, t. 2.
64. Gw. llythyr rhif 73.
65. Gw. llythyrau rhif 16 ac 17.
66. Gw. llythyr rhif 60.

chwithau' parchus a ffurfiol yn 'ti a thithau' cartrefol a chyfeillgar yn rhyw awgrym mai yn ystod 1926 y bu hynny, o bosibl yn sgil y gwaith o baratoi'r casgliad o 'Gerddi'r Eryri' ar gyfer y wasg.[67] Gan fod Gwallter yn adnabod Bob Owen, Croesor, mae'n bosibl mai trwyddo ef y cyfarfu â Charneddog, a hynny yn nhref Porthmadog. Mae Carneddog yn llythyr rhif 83 yn dwyn i gof ddarn o sgwrs rhyngddynt yn y Port, a'r awgrym yw i'r sgwrs honno ddigwydd ar eu cyfarfyddiad cyntaf. Cyfeiria Carneddog yn y llythyr cyntaf un am Wallter yn sôn wrtho yn y Port am un o feirdd y casgliad cerddi, ac yn ôl yr hyn a ddywed yn ei lythyr yn ateb hwnnw casglwn i Wallter gael benthyg y casgliad i'w ddarllen. Credaf mai'r casgliad buddugol o gerddi a ddaeth â hwy i gysylltiad agos â'i gilydd i ddechrau. Tyfodd yr adnabyddiaeth yn sgil yr ohebiaeth yn berthynas wresog a ffyddlon.

Un o nodweddion y berthynas oedd iddi gael ei seilio ar gyfeillgarwch cellweirus; tynnent goes ei gilydd yn ddigon diniwed ac ysmala ynghylch y pethau yr anghytunent yn eu cylch, sef gwleidyddiaeth a chrefydd a'r ddiod gadarn. Yr oeddynt yn ddau o'r un anian, ymddiddorent yn yr un pethau, ac adwaenent lawer o'r un math o bobl. Gwahanol, serch hynny, oedd amgylchiadau bydol y ddau lythyrwr. Yr oedd Carn yn llawn ffwdan helbulus ei waith fel amaethwr yn unigedd y Carneddi, a Gwallter yn ymhyfrydu ym mhwysigrwydd ei gysylltiadau llenyddol a diwylliannol ac yn fwy rhydd i grwydro'r wlad gan dorri cyt wrth wisgo siwt. Sonia yn yr ohebiaeth, er enghraifft, am ei ymweliad â'r Eisteddfod Genedlaethol bob blwyddyn, am fynychu Gŵyl Gerddorol Harlech, pwyllgor yng Nghaerdydd, cyngerdd yn Lerpwl, ac am un daith fythgofiadwy i Loegr.[68] Hoffai ymrwbio yn y mawrion, a mynych y sonia am y bobl a welodd neu y bu'n siarad â hwy. Mae hanes ei daith anturus i Eisteddfod Llanelli

67. Dechreuodd Carneddog ei lythyr trwy gyfarch Gwallter yn 'ti' yn llythyr rhif 10, rhyw naw mis ar ôl dyddiad llythyr cyntaf yr ohebiaeth. Sylwir mai yn rhif 19 y dechreua Gwallter alw Carn yn 'ti', sef tua dwy flynedd o ddyddiad dechrau'r ohebiaeth. Tybiaf mai ar ôl ymweld â'r Carneddi am y tro cyntaf a chysgu'r nos ar yr aelwyd tua mis Mawrth 1928 yr asiwyd y berthynas rhyngddynt yn dynnach.

68. Gw. llythyr rhif 87.

yn 1931 yn hynod ddiddorol.[69] O'r ddau ohebydd, Gwallter sy'n ysgrifennu'n fwyaf ymwybodol lenyddol. Mae rhywbeth llawer mwy nodiadlyd, pytiog, a brysiog yn llythyrau Carneddog, a diau fod hynny i'w briodoli i amgylchiadau ei waith fel ffermwr ac i'w brysurdeb fel gohebydd. Fe sylwir fel y mae Carneddog yn cyfeirio at drafferthion y tymor wyna, at galedwaith trochi a chneifio defaid, ac at effaith anwadalwch y tywydd ar y cynhaeaf gwair. Mae llythyrau Gwallter yn fwy hamddenol ac yn fwy ymdrechgar. Yr oedd ganddo fwy o amser ar ei ddwylo i gywreinio a chaboli'i fynegiant, a mwy o gyfle i grwydro'r wlad.

Mae gan y ddau Gymraeg naturiol-rywiog. Sylwir yn benodol ar rai o idiomau tlws Gwallter, ac ar ddylanwad amlwg Cymraeg y Beibl arno, er nad oedd, hyd y gellir casglu, yn grediniwr cadarn. Yr oedd naill ai'n wrthgiliwr neu'n anffyddiwr, gan fod ffydd a chrefydd yn destun pryfôc sy'n codi ei ben yn aml rhwng y ddau. O ran ei gred, mae'n atgoffa dyn o agwedd ei gyfaill R. Williams Parry at grefydd, am mai 'un na wybu gariad ond at bridd' oedd Gwallter yntau. Mae cywair y llythyrau'n aml yn gellweirus-gyfeillgar, a chawn argraff fod yma eneidiau cytûn, er bod y naill yn llwyrymwrthodwr cadarn a'r llall mor hoff o'i beint.

'Gwŷr y colegau' a'r 'llenor a'r bardd di-goleg'

Yn ei adolygiad ar *Gwaith Glaslyn*, a olygwyd gan Garneddog, dangosodd Ifor Williams iddo ddeall i'r dim bwysigrwydd y math o lenor a bardd gwlad oedd Glaslyn yn niwylliant Cymru yn ail hanner y bedwaredd ganrif ar bymtheg a degawdau cyntaf yr ugeinfed ganrif. Perthynai Glaslyn, meddai, 'i'r to o lenorion gwlad na chawsant ond Ysgol Sul a rhyw chwarter neu ddau o ysgol feunyddiol i feithrin eu dawn a rhoi cyfeiriad i'w hathrylith'.[70] I'r un mowld yn union y perthynai Carneddog a Gwallter. Er bod amryw o ysgolheigion Cymraeg Prifysgol Cymru yn parchu gwaith a chyfraniad y gwŷr hyn, a

69. Gw. llythyr rhif 64.
70. *Y Beirniad*, vi (1916), t. 68.

hynny am eu bod yn gynnyrch yr un math o gymdeithas yr oedd y diwylliant gwerinol yn gynhysgaeth iddi, y mae modd synhwyro bod peth tyndra rhwng y dysgedigion a'r llenorion gwlad, sef y math o dyndra a geir rhwng pobl broffesiynol ac amaturiaid. Daethpwyd i gyfeirio at y dysgedigion erbyn ugeiniau'r ganrif fel 'ceiliogod y colegau', sef dilynwyr John Morris-Jones a'r orgraff newydd. Yn ei ragymadrodd i *O Greigiau'r Grug*, er enghraifft, dangosai Carneddog ei fod yn ymwybodol o safon a chwaeth wahanol i'w eiddo ef wrth gyflwyno i'r byd gynnyrch ei awen a elwid ganddo yn 'ganu cartre', neu'n 'ganu ffwrdd â hi', na fyddai'n dal beirniadaeth 'safon ddiweddar y gwŷr dysgedig . . .'.[71]

Synhwyrir bod bwlch rhwng y werin, ar y naill law, a gwŷr y colegau a'r genhedlaeth newydd o feirdd a llenorion, ar y llaw arall. Yr oedd Caradog Prichard ymhlith y newydd-ddyfodiaid yn ffurfafen brydyddol y cyfnod pan enillodd y Goron am y tro cyntaf yn Eisteddfod Caergybi yn 1927. Wrth ymateb i'r newydd am y bardd coronog, dywedodd Carneddog gyda sicrwydd dyn yn adnabod chwaeth ei gynulleidfa:

> Fachgen, yr wyf yr un fath yn union â thi hefo'r farddoniaeth ddiweddar. Y gwir yw, nid yw y werin yn darllen dim o waith y beirdd ifanc hyn. Mae'n sicr fod Mr Caradog Prichard yn fachgen galluog iawn, ond diau na ddaw ei 'gân fawr' byth yn boblogaidd gan y werinos . . .[72]

Drachefn, wrth ymateb i'r newydd fod casgliad o gerddi gan T. H. Parry-Williams, *Cerddi* (1931), ar fin cael ei gyhoeddi, y cwestiwn a deflir mewn tôn amheugar yw 'pwy fedr ei ddeall?'[73]

Fe welir beth oedd cylch darllen y ddau lythyrwr, sef y papurau a'r cylchgronau Cymraeg yn bennaf. Darllenent ddeunydd yn ymwneud â llenyddiaeth a hanes lleol, cynnyrch yr eisteddfodau lleol a'r Eisteddfod Genedlaethol. Gwelai Gwallter eisiau cylchgrawn *Y Geninen*

71. *O Greigiau'r Grug* (Dinbych, 1930), t. vii.
72. Gw. llythyr rhif 9.
73. Gw. llythyr rhif 83.

ar ôl i hwnnw ddod i ben yn 1928 am na theimlai bellach fod gan y bardd a'r llenor gwlad gyfrwng i gyhoeddi ei waith, ac yr oedd yn awyddus i weld ei ailgychwyn.[74] Cafwyd ymgais i bontio rhwng ceiliogod y colegau a hen ŷd y wlad yn 1922 pan sefydlwyd cylchgrawn *Y Tyddynnwr*, ac Ifor Williams yn gyd-olygydd arno. Byr fu parhad hwnnw, fodd bynnag: fe'i terfynwyd ar ôl cyhoeddi pedwar rhifyn. Ei ddiben oedd gwasanaethu gwerin Cymru drwy 'ddwyn y Brifysgol at y Werin', gan drafod pynciau mor amrywiol ag economeg, athroniaeth, hanes a llên, er mwyn atgyfnerthu'r gwaith a wneid gan diwtoriaid dosbarthiadau Addysg y Gweithwyr ledled y wlad.[75] Gweld yr angen am gael llwyfan i gefnogi a chynnal gwaith gwerinwyr diwylliedig a wnâi Gwallter hefyd, a hynny yn nannedd yr hyn a ystyriai yn ddifaterwch arweinwyr diwylliannol y dydd.

Y newid a ddaeth

Ceir awgrymiadau hwnt ac yma fod dirwasgiad y dauddegau yn dechrau gafael ac yn dylanwadu ar ansawdd y bywyd diwylliannol. Gofidiai Carn am nad oedd cymdeithas lenyddol ym Meddgelert erbyn 1927, ac am nad oedd llawer o fynd ar y fasnach lyfrau yn lleol oherwydd diffyg llewyrch y diwydiant llechi. Cwynai'r ffermwyr ar eu byd hefyd, a cheir drych o gyflwr ffermydd yr ucheldir yn llythyrau Carn. Yr ymwybyddiaeth hon â dirywiad y bywyd diwylliannol gwledig a barodd i'r beirniad craff hwnnw, E. Morgan Humphreys, ymhelaethu arno wrth adolygu *Cerddi Eryri* yn 1928.[76] Sylwodd fod y diwylliant gwerinol gwledig a thrwyadl Gymraeg a adlewyrchid yn y casgliad hwnnw o gerddi dan fygythiad. Cyfeiriodd yn bennaf at fodolaeth addysg yr ysgolion, y radio a'r papurau newydd Saesneg, ac at ddyfodiad y beic modur fel symbolau'r newyddfyd blin a fygythiai dempo a natur y gymdeithas wledig a'i diwylliant. Dyna rai o'r pethau

74. Gw. llythyr rhif 69.
75. Gw. y Rhagair i rifyn cyntaf *Y Tyddynnwr: Cylchgrawn Chwarterol at Wasanaeth Gwerin Cymru*, argraffwyd gan Hughes a'i Fab, Wrecsam, 1922.
76. 'Snowdonian Ballads', *Liverpool Daily Post and Mercury*, 30 Ionawr 1928, t. 9.

a welai cenedlaetholwyr fel y bygythiadau mwyaf i'r iaith hefyd ar y pryd. Ymddangosodd cartŵn gan R. Ll. Huws ar un o dudalennau'r *Ddraig Goch* yn 1931 a ddarluniai'r iaith Gymraeg ar ffurf coeden ac enwau capeli ar y nythod a orweddai ar ei changhennau, a phum ffigwr dynol yn bwyellu wrth ei bôn, pum ffigwr a gynrychiolai'r pum peth andwyol: 'Y Cinema', 'Busnes', 'Ymwelwyr Haf', 'Y Radio', 'Y Wasg Seisnig'.[77]

Ceir sawl awgrym yn y llythyrau hyn sy'n dangos bod newid yn y gwynt. Hiraethai Gwallter am gymdeithas y gorffennol agos yn Eifionydd:

> Byddai gan fy mam lu o adgofion am yr amser dedwydd gynt, pan oedd pobol onest yn byw yng Nghymru. Rhodres y Sais heb le i roi ei ben i lawr. Gwladwyr plaen, yn siarad yn blaen â phawb, ac fel pe wrth fainc llys barn, 'Y gwir a dim ond y gwir'. Yr oedd yn yr ardal honno ar y pryd wŷr amlwg ym myd llên. Huw Tegai yn weinidog yn Rhoslan, a chyfaredd y Du a'r Gwyn heb ballu yn ei ddylanwad. Cymdeithas Eifionydd heb ddarfod. Y papur newydd heb ddysgu dyweud cymaint o gelwyddau, a'r byd yn fwy o'r haner.[78]

Parhaodd lle tyner i Eifionydd yng nghalon Gwallter. Sylwai nad oedd yr un rhuddin i ddiddordebau diwylliannol pobl nac i'w sgwrs yn Llanllyfni o gymharu â'r hyn a geid yn nyddiau'r hen felinydd yno: 'Yn oes Morus Robert ceid rhynion yma, ond heddiw [e]isin sil a geir.'[79] Tystiai O. Roger Owen yntau, a symudodd o ardal amaethyddol Bwlchderwin yn Eifionydd i fyw i bentref gweithfaol Llanllyfni yng nghanol y tridegau, fod yn Nyffryn Nantlle gyfoeth o ddiwylliant ar ddechrau'r ganrif pan oedd bri ar drafod diwinyddiaeth, llenyddiaeth a gwleidyddiaeth, a bri ar gystadlu ar adrodd a chanu a chyfansoddi cerddoriaeth, a mynd ar seindorf enwog Nantlle,

77. *Y Ddraig Goch*, Mehefin 1931, t. 2.
78. Gw. llythyr rhif 4.
79. Gw. llythyr rhif 22.

ond iddo ef gyrraedd yno 'pan oedd y llanw yma'n dechrau treio.'[80] Diau mai ymgais i geisio cadw i'r oesoedd a ddêl y glendid a fu oedd y rhan amlwg a oedd gan Wallter yn sefydlu Cymdeithas Hanes Dyffryn Nantlle yn 1930.[81]

Hanes y casgliadau

'Yr wyf yn cadw dy lythyrau i gyd yn ofalus, a chaiff 'Llythyrau Gwallter' eu hanfon i'r Llyfrgell Genedlaethol.'[82] Dyna eiriau Carneddog sy'n dangos nid yn unig ei fod fel rhyw wiwer yn tueddu i gasglu a chadw popeth ond ei fod hefyd yn sylweddoli pa mor flasus oedd gohebiaeth ei gyfaill, ac y gallai fod gwerth ynddi i chwilotwyr y dyfodol. Fel y dywedodd amdano un tro: 'Mae Gwallter . . . yn sgrifennwr Cymraeg graenus, llithrig, a doniol.'[83] Am ei fod yntau yn ymwybodol o werth llythyrau'r hen Garn, fe ymatebodd Gwallter mewn modd tebyg:

> O ai e, cadw fy llythyrau a'u hanfon i'r Llyfrgell Genedlaethol[?] Da iawn wir, a finnau wedi rhegi cymaint, ond tae fater, y mae dy rai dithau ynghadw gennyf finnau bob un, ac os y byddaf farw, (peth anhebyg rŵan) gwnaf yn fy ewyllus fod llythyrau Sant Carneddog yn mynd yno hefyd, ac yn bendifaddau bydd yno gasgliad hafal i lythyrau y Morisiaid.[84]

A barnu wrth dystiolaeth yr hyn a ddiogelwyd, o leiaf, Gwallter oedd y llythyrwr mwyaf cyson o'r ddau, gan mai ef piau trigain y cant o'r ohebiaeth, sef 57 llythyr o'r cyfanswm o 95. Fel yr awgrymwyd eisoes, prysurdeb bywyd llenyddol Carneddog a olygai nad oedd yn llythyru mor rheolaidd, nid esgeulustod.

80. O. Roger Owen, *O Ben Moel Derwin* (Pen-y-groes, 1981), tt. 42-3.
81. Gw. llythyr rhif 61 ac Atodiad VII isod.
82. Gw. llythyr rhif 50.
83. Gw. 'Y Manion o'r Mynydd', *Yr Herald Cymraeg*, 19 Tachwedd 1929, t. 2.
84. Gw. llythyr rhif 51.

Cedwir holl lythyrau Carneddog at Wallter yn Llawysgrif Bangor 5369, Cyfrol A a B. Rai misoedd ar ôl marw Gwallter anfonodd Carneddog lythyr at ei deulu yn gofyn a fyddai modd iddynt anfon ei bapurau i'r Llyfrgell Genedlaethol yn unol â dymuniad ei gyfaill, a llythyr arall drachefn yng Ngorffennaf 1934 yn dweud yr hoffai gael gweld llawysgrifau Gwallter cyn eu hanfon i Aberystwyth yn unol â'r dymuniad gwreiddiol, ond i Lyfrgell Prifysgol Bangor y cyflwynwyd hwy maes o law.[85] Yn ei lythyr dywed Carneddog iddo eisoes anfon y llythyrau a dderbyniodd gan Wallter i Aberystwyth. Ceir tri chasgliad o'r rheini erbyn hyn, sef dalennau rhydd heb eu rhifo yn Llawysgrif LlGC 7237D, a gyflwynwyd i'r Llyfrgell yn 1932, a Llawysgrif LlGC 9659D, a gyflwynwyd yn 1933, a chnewyllyn o saith llythyr a thri cherdyn post a geir yn y prif gasgliad o bapurau Carneddog a gyflwynwyd yn 1947 a 1957.[86] Llythyrau teipiedig oedd rhai Gwallter bron i gyd. Ni chyhoeddir yma y cardiau post am nad oes dim o werth ynddynt, nac ychwaith ddarnau o lythyrau anghyflawn. Ymddangosodd ambell lythyr cyhoeddus gan Wallter at Garneddog yng ngholofn y 'Manion o'r Mynydd', ond gan nad oeddynt yn rhan o'r ohebiaeth bersonol, ni chyhoeddir hwy yma.[87]

Dull y golygu

Amcanwyd at gadw mor ffyddlon â phosibl at orgraff y llythyrau gwreiddiol heb ei safoni na'i moderneiddio er mwyn cadw'r blas cynhenid sydd arnynt. Y cyfan a wnaed oedd twtio a thacluso mymryn

85. Gw. Llawysgrif Bangor 5369, Cyfrol B, llythyrau rhifau 40 a 41, dyddiedig 23 Chwefror 1933 a 6 Gorffennaf 1934.

86. Gw. *Adroddiad Blynyddol Llyfrgell Genedlaethol Cymru 1932-1933* (Aberystwyth, 1933), t. 28; *Adroddiad Blynyddol Llyfrgell Genedlaethol Cymru 1933-1934* (Aberystwyth, 1934), t. 30; 'Papurau Carneddog' (cyfrol anghyhoeddedig yn Llyfrgell Genedlaethol Cymru, 1995), rhifau G989-98.

87. Fe welir yn llythyrau rhif 27 n. 114 a 40 n. 152, er enghraifft, i Wallter anfon llythyrau at Garneddog i'w cyhoeddi yn ei golofn yn yr *Herald Cymraeg*, ac yr oedd llythyrau Gwallter wedi ymddangos yn y golofn cyn dyddiad llythyr cyntaf yr ohebiaeth hon, gw. 'Manion o'r Mynydd', *Yr Herald Cymraeg*, 20 Ionawr 1925, t. 2.

yma ac acw er sicrhau cysondeb. Yr unig ymyrryd a wnaed â'r orgraff wrth olygu oedd ychwanegu'r acen grom yn ddi-feth, a hynny er mwyn eglurder a chysondeb. Yr oedd y ddau ohebwr yn hynod anghyson eu defnydd ohoni. Rhaid cofio mai gwerinwyr digoleg oedd Carneddog a Gwallter na chawsant nemor ddim hyfforddiant ffurfiol mewn iaith a gramadeg, ac nad oeddynt yn hyddysg yn yr orgraff newydd. Fe welir, er enghraifft, yn llythyr rhif 45 pa mor ddibynnol oedd Carn ar un o gyn-ddisgyblion John Morris-Jones i ddarllen dros ei waith cyn ei gyhoeddi a diweddaru'r orgraff.

Defnyddir print italig i ddynodi geiriau a danlinellwyd yn y gwreiddiol er mwyn dynodi pwyslais, teitlau cyhoeddiadau printiedig, a geiriau estron. Trowyd yr holl ddyfynodau dwbl a geir o bobtu i eiriau unigol yn y gwreiddiol yn rhai sengl. Ychwanegir gennyf rhwng bachau petryal unrhyw beth sydd ar goll mewn llythyr, boed yn llythyren, yn air, neu'n ofynnod. Pan fwrir amcan gyda pheth hyder pa bryd yr ysgrifennwyd llythyr sy'n ddiddyddiad yn y gwreiddiol, nodir hynny rhwng bachau petryal. Er mwyn sicrhau cysondeb, mabwysiadwyd dull unffurf gennyf o gofnodi dyddiadau'r llythyrau pan nodir hynny yn y llythyrau gwreiddiol, sef nodi dyddiad, mis a blwyddyn yn y drefn honno, er enghraifft, 3 Awst 1930. Mae dull y llythyrau gwreiddiol yn eithaf anghyson a blêr. Pan nodir pa ddiwrnod yn union oedd hi yn y gwreiddiol, fe gadwyd at hynny. Dynoda llinell hir ——— fwlch a adawyd gan y llythyrwr yn fwriadol, bwlch lle dylai rheg fod fel rheol. Cywirwyd rhai enghreifftiau amlwg o gamdeipio yn llythyrau Gwallter, megis: *Buchingham* > *Buckingham*; *Crossvile* > *Crosville*; *er gael* > *er cael*; *Issacc* > *Isaac*; *rag* > *rhag*; *Sandwitch* > *Sandwich*; *synied* > *syniad*; *yngyd* > *ynghyd*; *yng Ngymru* > *yng Nghymru*. Cadwyd y groes a ddefnyddiai Carneddog fel marc i dynnu sylw pan oedd am bwysleisio fod cynnwys llythyr yn gyfrinachol neu i dynnu sylw at gyfarwyddyd neu orchymyn arall.

Yn y troednodiadau amcanwyd at egluro ac esbonio pethau a all fod yn ddieithr i gynulleidfa gyfoes. Wrth gyfeirio at bobl, ceisiwyd nodi orau y medrid pwy oedd y rhai amlycaf, yn enwedig pan fo manylion gwybyddus amdanynt. Cynhwysir yn yr Atodiadau ddeunydd cefndirol a fydd yn goleuo tipyn ar ddyddiau olaf Gwallter a'r helynt ynghylch cyhoeddi ei gerdd olaf. Mae'r detholiad o gerddi Gwallter, ac un gerdd gan Garneddog, yn cael eu cynnwys er mwyn atgyfnerthu'r gyfeiriadaeth a chyfrannu at y darlun o'r gyfathrach rhwng y ddau lythyrwr.

Epilog

Dychwelwn at lun enwog Geoff Charles o Garneddog a Chatrin sy'n dal i lynu yn y cof. Beth a âi drwy feddyliau'r ddau wrth dremio dros erwau eu cynefin, tybed? Diau eu bod yn llawn hiraeth wrth ddwyn i gof brofiadau llon a lleddf eu bywyd gyda'i gilydd. Efallai hefyd fod teimlad o wacter mawr yn pwyso arnynt wrth orfod derbyn fod cyfnod yn eu hanes personol hwy wedi dod i ben, a bod cyfnod yn hanes y Gymru Gymraeg a adwaenent wedi dod i ben hefyd. Yn ôl yn 1945, ar derfyn yr Ail Ryfel Byd ac ar drothwy ail hanner y ganrif, hawdd y gellid haeru bod lens camera Geoff Charles wedi dal machlud diflanedig fyd.

Er bod pedwar ugain mlynedd dda rhyngom a chyfnod yr ohebiaeth hon, fe gawn fod y ddau gymeriad megis yn llefaru eto. Ym mhennill olaf cerdd 'Yr Hen Gantor' gan R. Williams Parry, rhoir geiriau yng ngenau Gwallter sy'n awgrymu ei fod yn awyddus i sicrhau anfarwoldeb iddo'i hun, neu o leiaf ofalu fod peth o gynnyrch ei awen yn gweld golau dydd. Mae llythyr ei chwaer a'r cais am gyhoeddi'r gerdd olaf yn dangos rhyw ymorol am weld y farddoniaeth yn goroesi. Go brin fod yr un sill o'i waith ef na Charneddog ar gof neb heddiw, dim mwy nag yw gwaith llu o feirdd gwerinol tebyg iddynt. Trwy gyfrwng epistolau difyr a diddan y ddau gyfaill down i flasu bywyd llengar gwerinwyr diwylliedig o'r cyfnod rhwng y rhyfeloedd pan oedd cymylau duon y Dirwasgiad yn prysur grynhoi. Dyma gyfle i ail-fyw diflanedig fyd yn wir.

Byrfoddau

Geiriau

d.d. dim dyddiad
gol. golygydd
gw. gweler
m. marw
n. nodyn
t. tudalen
tt. tudalennau

Llyfrau

BC(I), *Y Bywgraffiadur Cymreig hyd 1940* (Llundain, 1953)
BC(II), *Y Bywgraffiadur Cymreig 1951-1970* (Llundain, 1997)
Cyd, Meic Stephens gol., *Y Cydymaith i Lenyddiaeth Gymraeg* (Caerdydd, 1997)
CE, Carneddog, *Cerddi Eryri* (Dinbych, 1927)
OGG, Carneddog, *O Greigiau'r Grug* (Dinbych, 1931)

Arall

LlGC Llyfrgell Genedlaethol Cymru

Yr Ohebiaeth

1

Carneddi, Nantmor, Beddgelert
30 Rhagfyr 1926

Annwyl Gyfaill,

Wel, sut yr ydych ers cantoedd? Gobeithio eich bod yn weddol dda o ran eich iechyd. Bûm i yn lled symol yn ddiweddar oherwydd rhyw ddrwg ar fy nghalon. Aethum yn sâl wedi dod allan o gyngerdd ym Meddgelert, pan oedd 'Cwmni Telyn Barlwyd' yno.[1] Yr wyf dipyn yn well yn awr.

Prysur enbyd wyf bob nos yn sgrifennu llythyrau a chardiau post at brif lengarwyr Cymru i ofyn a roddant eu henwau fel Tanysgrifwyr at y Gyfrol newydd 'Cerddi'r Eryri'. Eich enw chwi yw y cyntaf ar fy rhestr. Rhyw 120 o enwau wyf wedi ei gael hyd heddiw. Gwaith rhyfedd iawn yw hel enwau fel hyn. Caf atebiad oddiwrth rhyw 7 o bob 15. Daw yn well ambell waith. Yr wyf yn treio fy ngoreu pigo allan y rhai mwyaf tebyg i gymryd y llyfr. Y pregethwyr yw y rhai salaf. (Preifat i chwi – rhag gwneud drwg i mi.)

Bûm yng Nghricieth am ddeuddydd a ches gryn 25 o enwau yno, a ches 8 o Bwllheli.

Gwan iawn yw rhif plwyf Beddgelert. Peth rhyfedd, ynte?

Yr wyf wedi gofyn prisiau amryw o'r prif gyhoeddwyr (neu argraffwyr), ac y maent i gyd yn ofnadwy o uchel. Yr wyf yn treio yn awr hefo Mr Evans, perchennog *Y Cymro*, etc., Dolgellau.[2] Bydd yn rhaid i mi gael *400* o enwau i fod yn ddigolledwr. Llyfr *3s/6c* hardd-wych fydd, yn cynnwys detholiad o'r Cerddi goreu. Ni fedraf rhoi hanner y Cerddi sy'n y '*Casgliad Mawr*'. Rhof hwnnw yn fy Ewyllys i'r Llyfrgell Genedlaethol.[3]

---

1. Arweinydd y côr telyn hwn o Danygrisiau, a enillodd wobr gyntaf yn Eisteddfod Genedlaethol Pwllheli yn 1925, oedd William Morris Williams (1883-1954), gw. *BC(II)*, tt. 244-5. Ceir pennill o gyfarchiad gan Garneddog i'r côr ar yr achlysur yn *OGG*, t. 62.
2. Y cyhoeddwr a'r golygydd, Evan William Evans (1860-1925), a sefydlodd Gwmni E. W. Evans o Ddolgellau. Dechreuodd argraffu ei newyddiadur ei hun, sef *Y Cymro*, yn 1914, gw. *BC(I)*, tt. 218-19. Â Tom Lloyd o'r cwmni y bu Carneddog yn gohebu, gw. LlGC 'Papurau Carneddog', C1.
3. Gw. Llawysgrif LlGC 7236E. Yr oedd cyfanswm o 304 o gerddi yn y casgliad gwreiddiol.

Soniasoch wrthyf yn y Port am Robert Williams (Robin Fawr o Fynytho), awdur 'Cerdd Bach y Saint', yr oedd gennych chwi rhyw enw arall arno.[4] Rhowch i mi bob peth a wyddoch am Robin Fawr o Fynytho. A wyddoch chwi am rhyw gerdd arall o'i waith? A gaf fi hi?

Os oes gennych rhyw gerdd go dda, gadewch i mi gael copi ohoni – a diolch calon, 'cerdd gartre', o waith rhywun. Anturiaeth enfawr yw treio cyhoeddi y gyfrol, ond gwn y bydd yn un ddoniol a diddorol dros ben.

Dyma fy apêl atoch – yn garedig, ar fy ngliniau – bendith arnoch, treiwch hel tipyn o enwau Tanysgrifwyr i mi at y gyfrol yn y parthau yna.

Bydd enwau'r Tanysgrifwyr ar ddiwedd y llyfr, yn ôl yr hen ddull Cymreig.

Treiwch Glyn Llyfnwy;[5] Arfonydd;[6] Sam Williams, Bryn Aerau; Hywel Cefni, Tal y Sarn;[7] J. R. Owen, Gyfelog;[8] David Owen, Siop Cae'r Gors; W. J. Gruffydd, Dorothea;[9] Owain Llyfnwy;[10] Llew Deulyn;[11] a rhai eraill yn y parthau yna.[12] Arbedai hynny lawer o stampiau i mi. Yr oeddwn yn prynu gwerth Coron o *stamps* ddoe.

4. Gw. *CE*, tt. 17-18. Yr oedd Cadwaladr Jones, Bach y Saint, yn un o hynafiaid Dr Owen E. Owen, Pen-y-bryn, Cricieth, a chofiai ef y gân yn cael ei chanu gan William Rowlands, gw. Guto Roberts, *Doctor Pen-y-bryn: Atgofion Owen E. Owen* (Pen-y-groes, 1985), t. 11.
5. William Jones (Glyn Llyfnwy), bardd gwlad o Ben-y-groes. Ceir ei enw ymhlith tanysgrifwyr *CE*, t. 220.
6. Thomas Henry Griffith (Arfonydd, 1863-1929), cyn-brifathro Ysgol Nebo, Sir Gaernarfon, a bardd.
7. Hywel Evan Jones (Hywel Cefni, 1855-1941), gwerthwr dillad a bardd gwlad. Ef oedd athro barddol R. Williams Parry, gw. Bedwyr Lewis Jones, *R. Williams Parry: Dawn Dweud* (Caerdydd, 1997), t. 24.
8. Ffermwr a bardd gwlad oedd J. R. Owen Gyfelog, Bwlchderwin, gw. O. Roger Owen, *O Ben Moel Derwin* (Pen-y-groes, 1981), tt. 69-72.
9. Prif stiward chwarel Dorothea yn Nhal-y-sarn oedd W. J. Griffith.
10. Owen W. Jones (Owain Llyfnwy, ?1872-1937) o Ben-y-groes. Gw. englyn Carneddog iddo pan oedd yn arweinydd Eisteddfod Beddgelert yn 1927 yn *OGG*, t. 66.
11. Isaac B. Williams (Llew Deulyn), o Nantlle. Ceir cerdd ganddo i Faladeulyn yn *CE*, t. 110. Yr oedd Llew Deulyn, a oedd yn oruchwyliwr chwarel Tŷ Mawr West, yn ddylanwad ar Fathonwy Hughes, gw. Mathonwy Hughes, *Bywyd yr Ucheldir*, Darlith Flynyddol Llyfrgell Penygroes, 1972-73 (Caernarfon, 1973), t. 30.
12. Gwelir llawer o'r enwau hyn ymhlith tanysgrifwyr y gyfrol, gw. *CE*, tt. 215-28.

Treiwch, Gwallter bach, eich goreu droswyf.

Gwyddoch chwi at bwy i fynd. Da cael enw pob un – *ond gwyliwch rai drwg am dalu* (preifat). Bûm yn golledwr mawr hefo *Gwaith Glaslyn*, oherwydd triciau brwnt drwg-dalwyr!

Cafodd y *Casgliad* ganmoliaeth mawr gan y diweddar Brifathro J. H. Davies, M.A. y beirniad, a gwyddai 'J. H.' beth oedd casglu Cerddi, a beth oedd eu gwerth.[13] Dywedai 'fod yn resyn na chyhoeddid detholiad o'r *Cerddi* hyn' etc.

Gwelais i chwi golli eich Tad dro yn ôl. Diau fod yr hen ŵr yn cofio llawer o 'hen gerddi cartre'.[14]

Cofion fil atoch, a '*Blwyddyn Newydd Dda*' i chwi – orlawn o bob dedwyddwch.

Yn bur,
Carneddog.

Bangor 5369, Cyfrol A, rhif 1

2

Y Felin, Llanllyfni
3 Ionawr 1927

Annwyl Gyfaill,

Yr eiddoch i law. Da gennyf ddeall eich bod yn bwriadu cyhoeddi eich casgliad o gerddi, os y cewch ddigon o danysgrifwyr. Byddai yn resyn i gasgliad fel yna beidio cael ei gyhoeddi. Cefais foddhad mawr wrth ei ddarllen, a phan y daw allan yn llyfr rwy'n sicr y caf yr un boddhad eto, a diolch yn fawr i chwi am roddi fy enw ar ben y rhestr am dano – gwnaf fy ngoreu i gael eraill i addo. Eisoes yr wyf wedi cael dau, sef Glyn Llyfnwy, a Mr Huw E. Jones, Post Office Tr. Llanllyfni, ac yr wyf bron yn sicr y bydd i Mr J. E. Thomas Penygroes

13. Cyn-Brifathro Coleg Prifysgol Aberystwyth oedd J. H. Davies (1871-1926), ac ef oedd beirniad y gystadleuaeth yn yr Eisteddfod Genedlaethol yn 1925. Arno, gw. *BC(I)*, tt. 129-9; *Cyd*, t. 177. Dyfynnir geiriau'r beirniad yn y Rhagymadrodd i *CE*, t. v.

14. Bu farw David Jones, tad Gwallter, ar 23 Hydref 1926, yn 81 mlwydd oed, ac yn ôl yr adroddiad yn *Y Dinesydd Cymreig*, 27 Hydref 1926, t. 8, yr oedd '. . . yn gymeriad hynod ar lawer cyfrif. Yr oedd ganddo gof eithriadol a stôr o hen hanesion a cherddi.'

gymryd un.[15] Mae'n debig eich bod wedi anfon at R. Williams Parry, os naddo gwnewch, hefyd Mr David Thomas, Y Betws, Bangor,[16] P. O. Jones, Swyddfa'r Dinesydd,[17] J. G. Jones, Ysgol feistr Llangefni, Myfyr Môn, Llangefni,[18] Dafydd Owen, Ty'n Pwll, Llandyfrydog.[19] Gyda golwg ar hen gerddi lleol oddiyma, yr wyf wedi codi llawer oddiar lafar gyda alawon, ac os caf hamdden yr wyf am drefnu y cyfryw alawon ynghyd â'r geiriau, ac y mae gennyf gasgliad o rigymau lleol, gan mwyaf ar ddiarhebion gwlad, ynghyd â nifer o gerddi R. Ellis y Clochydd ac eraill o rigymwyr yr ardal.[20] Bûm yn traethu arnynt yn ddiweddar mewn Cymdeithas Lenyddol, a chefais hwyl dda iawn medda nhw, a chyda llaw yr wyf yn barod i roddi y ddarlith hon i Gymdeithasau Llenyddol yn hynod o rad. Yr wyf wedi dewis amryw o gerddi goreu sydd gennyf, ynghyd â'r alawon a genid arnynt gynt, ac yn eu canu, a cheisiaf roddi synied am geinder yr alaw werin. Y maent oll heb eu cyhoeddi, h.y. yr alawon. Byddai yn bleser gennyf ddod i'r cyffiniau yna rhyw dro.

Gyda golwg ar 'Robin Fawr'. Ychydig wyf yn wybod am dano, ond mai brodor o Fynytho oedd, a ddaeth i weini i Fraich y Saint yn Eifionydd, ag yr oedd yn arfer rhigymu, a chanodd *folawd*? i'r amaethdy hwnnw, sydd yn eich casgliad. Bûm yn holi am ychwaneg o gerddi, ond ni chefais yr un, er nid wyf yn meddwl iddo ddihysbyddu ei ddawn yn y gân honno. Holaf eto. Yr oedd yn Eifionydd hen brydydd arall o'r enw 'Guto'r Fasged Wenn'. Pedlera y byddai yr hen go

15. John Evan Thomas (1884-1941), athro ysgol a bardd, ac un o gyfeillion pennaf Gwallter ac R. Williams Parry yn Nyffryn Nantlle, gw. y llun yn T. Emyr Pritchard gol., *Bro a Bywyd R. Williams Parry* (Cyhoeddiadau Barddas, 1998), rhif 47, t. 31. Ceir manylion amdano yn Y Bywgraffiadur Ar-lein.
16. David Thomas (1880-1967), sosialydd pybyr, athro ac awdur, gw. *BC(II)*, tt. 199-200; *Cyd*, t. 703. Gw. bellach ei gofiant gan ei wyres Angharad Tomos, *Hiraeth am Yfory: David Thomas a Mudiad Llafur Gogledd Cymru* (Llandysul, 2002).
17. Tad y diweddar Athro Bedwyr Lewis Jones oedd y newyddiadurwr Percy Ogwen Jones, a golygydd *Y Dinesydd Cymreig* rhwng 1924 a 1929.
18. Richard Rowlands (Myfyr Môn, 1875-1956), o Ros-meirch.
19. Dafydd Owen (Derwyn, m. 1936), Siop Ty'n-y-pwll, Llandyfrydog, Môn, siopwr, bardd a llenor o Fwlchderwin yn wreiddiol, gw. 'Mynegai Bywgraffyddol W. W. Price, Aberdâr' yn LlGC, cyfrol xx, t. 282.
20. Robert Ellis (m. 1872), bardd a chlochydd Eglwys Llanllyfni. Arno, gw. Dewi Jones, *Cynghanedd, Cerdd a Thelyn yn Arfon* (Llanrwst, 1998), tt. 78-89.

hwnnw o dŷ i dŷ, a chlywais fy mam yn dyweud iddo fod yn ymryson canu â Myrddin un tro ag iddo drechu yr hen Fyrddin yn deg.[21] Yr oedd o yn deall y cynganeddion ma'n debig. Byddai weithiau yn enill mewn cyfarfodydd llenyddol, a chafodd lawer cardod am ganu cerddi i weision ffermydd y fro, ond yn anffodus nid oes yr un honynt ar gael, hyd y gwn i, os nad oedd gan Myrddin rhai o honynt, a'u bod ymysg papurau yr hen begor hwnnw.

A ellwch roddi gwybod i mi am ddau fardd o'r ardal hon o'r enwau Wil Llwyd a Dewi Llyfni.[22] Canodd y cyntaf Folawd i Ddyffryn Nantlle, ond yr wyf wedi methu cael ond rhan o honni. Deallaf mai brodor o'r ardal hon oedd Hywel Gryffydd. Tybed?

Gobeithiaf fod eich calon wedi dod i drefn, a phob llwyddiant i chwi ar ddwyn y casgliad allan. Gwnaf fy ngoreu. Mae yma ddosbarth llenyddol a rhoddaf y mater o'i flaen y tro nesaf, ac yn sicr caf rai o honynt i roddi eu henwau. Fu i chwi drio Evan Thomas Bangor i'w argraffu i chwi[?][23] Yr oedd Ifor Williams yn ei gymeradwyo i mi rhyw dro fel un da a rhad. Y fo gyhoeddodd *Tŷ Dol* (Ibsen) a gyfieithodd Ifor.[24]

Blwyddyn Newydd Well i chwi, a gobeithiaf y cawn gwrdd cyn bo hir i gael sgwrs ac os na fyddwch yn smocio, mi wnaf fi hynny.

Cofion fflamboeth,
Yn gywir iawn,
Gwallter.

O.N. Cewch air eto mi fetiwn.

WS.

Papurau Carneddog G989

21. Myrddin Fardd (John Jones, 1836-1921), llenor a hynafiaethydd, gw. *BC(I)*, tt. 454-5; *Cyd*, t. 398.
22. William Griffith (Wil Llwyd, 1835-96), o Ben-y-groes. Cyhoeddai gerddi yn *Baner ac Amserau Cymru*, a chedwir rhai o'i bapurau yn Llawysgrif LlGC 23632C. Yr oedd bardd o'r enw Dafydd Llyfni yn ei flodau yn niwedd yr unfed ganrif ar bymtheg, gw. *BC(I)*, tt. 94-5.
23. Argraffydd yn Ffordd Sackville, Bangor.
24. *Tŷ Dol: Drama mewn Tair Act*, gan Henrick Ibsen o gyfieithiad Ifor Williams (Bangor, 1926).

3

'Cerddi'r Eryri'

Y Carneddi, Nantmor, Bedd Gelert
4 Ionawr 1927

Annwyl Gyfaill,

Daeth eich llythyr diddorol. Diolch o waelod calon gynnes i chwi am yr enwau Tanysgrifwyr a gefais gennych, ac am yr addewid o ragor.

Treiwch gael rhai i mi eto, Gwallter annwyl. Anfonaf at y rhai a nodwch.

Cefais enw y cyfaill Mr David Thomas, Bangor, heddiw.[25] Hen foi clên gynddeiriog. Bu yma yn ddiweddar.

Treiwch chwi y cyfaill Mr J. E. Thomas, droswyf fi, – a diolch. Hefyd, pob llengarwr tua'r parthau yna. Arbedwch *stamps* i mi. Anfonais 45 o geisiadau allan ddoe. Cefais 12 o enwau heddyw, ac enw Dr Tom H. Parry-Williams a'r teulu i gyd. Go dda, ynte?

Bûm trwy ardal Llanfrothen ddydd Sadwrn – fel y Bardd Crwst yn union, yn hel enwau.[26] Daeth Ioan Brothen hefo mi.[27] Cefais 12 o enwau, yr oedd yn dywyll bits arnaf yn cychwyn o'r Garreg, ac yn berffaith sobr, ond bu raid i mi gael benthyg lanter fawr, a daeth yr Ioan i'm danfon gryn ddwy filltir o ffordd. Dyna ramant hel enwau'r 'Llyfr Cerddi'!

Cefais *Estimate* o bris 'E. W. Evans, Ltd.' – Cwmni *Y Cymro*, Dolgellau, ddoe, a gwarchod pawb, y maent yn ofnadwy o uchel. Costia 1000 o gopies *£125*![28]

25. Hen daid Angharad Thomas fe ddichon, er mai'r unig ŵr o'r un enw sydd yn rhestr tanysgrifwyr *CE* yw David Thomas Tecwyn View, Penrhyndeudraeth.
26. Abel Jones y Bardd Crwst, baledwr, gw. *BC(I)*, t. 1053; *Cyd*, t. 378.
27. John Jones (Ioan Brothen, 1868-1940), bardd gwlad a drigai yn y Garreg Ganol, Llanfrothen. Arno, gw. *BC(I)*, tt. 455-6.
28. Ceir yr amcan bris mewn llythyr gan Tom Lloyd, dyddiedig 19 Ionawr 1927, yn 'Papurau Carneddog' (cyfrol anghyhoeddedig yn Llyfrgell Genedlaethol Cymru, 1995), C1.

Glywaist ti ffasiwn beth, Gwallter? Yr wyf am anfon at lawer o'r prif gyhoeddwyr eto. Ofnaf y *bydd raid* i mi gael 400 o enwau. Rhyw 160 wyf wedi ei gael hyd heddiw.

Clywais sôn am Wil Llwyd a Dewi Llyfni, ond brodor o Fedd Gelert oedd Hywel Gruffydd – o'm hen deulu i, wedi ei eni a'i fagu yn y Carneddi yma.[29] Mae gennyf lawer o'i gerddi yn y Casgliad.

Fachgen, clywais innau sôn am '*Guto'r Fasged Wen*'. Priodolir rhai o'r '*pilliau Cartre*' iddo. Pa bryd y bu farw, dywed?

Bydd gwaith mawr ar y pigo o'm 'Casgliad Mawr'. Wiw i mi roi rhai maith iawn, neu llenwant ormod ar y llyfr, a chadw cerddi doniol a da eraill allan.

Am y Ddarlith. Nid wyf ar bwyllgor y Gymdeithas Lenyddol yma yn awr. Wedi mynd yn rhy hen. Rhai ifanc, go ddibrofiad, sy'n trefnu ac yn llywodraethu ar bopeth yma yn awr. Nid oes ganddynt gronfa i dalu dim i neb. Dyna'r drwg.

Sâl iawn yw y cyrddau hyd yn hyn. Ni fûm ynddynt eto.

Nid oes 'Gymdeithas Lenyddol' ym Medd Gelert, ow!

Siaradaf â'r hogiau am eich Darlith, ond tipyn o bethau ysgafn a gwirion yw eu pethau. Caf weld beth ddywedant.

Yr wyf yn ffrindiau â'r oll ohonynt.

Wel, rhaid i mi bendroni llawer eto hefo'r busnes rhyfedd hel enwau yma. Busnes iawn i wario *stamps* – a llawer iawn yn ofer. Byddaf yn falch iawn os y llwyddwch i gael enwau i mi eto.

Cofion fil. Ar redeg, mae'n 10.30 yr hwyr yn awr, ac eisiau sgrifennu llawer o lythyrau eto. 'Blwyddyn Newydd ddedwydd Dda' i chwi, a'r plant!

Yn bur, mewn hwyl,
Carneddog.

Bangor 5369, Cyfrol A, rhif 2

29. Gw. *CE*, tt. 7-12.

4

Y Felin, Llanllyfni
7 Ionawr 1927

Annwyl Gyfaill,

Y mae'r Postman yn dod â phethau rhyfedd i'n tŷ ni weithiau. Rhyw gymysgfa fawr 'o drefn ac anhrefn'. Bil weithiau am beth na wn i ddim amdano, llythyrau oddiwrth wŷr ein colegau a hen ffrynds, ond y mwyaf diddorol ers tro oedd eich epistol chwi y bore 'ma. Efallai na ddylwn chwerthin wrth feddwl fy mod yn gweld llarp o ddyn hir-goes yn llamu ar draws rhosydd a mawnogydd Llanfrothen, a golwg arno fel un newydd ddianc o wylltedd Affric, a chwys mis Ionawr ar ei dalcen, ac yn sisial wrtho'i hun 'Cerddi'r Eryri' wedi llwyr anghofio fod

Y dydd yn fyr a'r nos yn hir,
A'r gwynt yn oer o'r Gogledd dir,
Heb loer na sêr ar glawr y ne,
A'i fwth ymhell mewn diffaeth le.

Pe buasai ganddo becyn ar ei war, a phastwn, fel pastwn lecsiwn tan ei law, a barf hir-llaes yn cael ei thorri gan y gwynt, ei gob yn garpiog, a phen ei drwyn yn du-lasu, a gwallt hir claerwyn, byddai y darlun yn berffaith. Duw a helpo hen lenor, ynte? Tybed a fydd gwaith fel a wnewch yn cael ei fendithio weithiau? Maddeuwch i mi am chwerthin tipyn bach, wrth synio am danoch yn gorfod cael lantar i groesi'r rhosydd, a miloedd o dylwyth teg Eryri yn dawnsio yn ei llewych, a phob tocyn brwyn yn troi yn drychioliaeth. Bobol annwyl. Ond i roi pen ar yr hwyl yna, nid wyf wedi cael cyfle eto i weld yr oll o'm ffrynds, ond peidiwch â phoeni dim, caf lawer eto cyn bo hir – anfonaf y rhai hyn i aros. Anfonais at liaws o gyfeillion yn eich enw. Typiais nifer o lythyrau fel y gallwn eu hanfon am ddima, ac anfonais at rai na allwn eu gweled o bosibl am hir iawn, ac fe ddaw ffrwyth o hynny cyn bo hir. Gallwn yn ddiogel ychwanegu at y rhestr amgaeedig, ond gwell i mi eu gweled yn bersonol. Peidiwch â digaloni yr hen bero.

'Guto'r Fasged Wen', ni wn brodor o ble oedd, na chwaith amser ei farw yn sicr. Efallai ei fod wedi mynd i gadw ers haner cant neu fwy o flynyddoedd. Byddai yn teithio, neu'n tithio o ddrws i ddrws yn y Rhoslan pan oedd fy mam yn ferch ifanc gartref, a'r pryd yr oedd Myrddin yn brentis o of hefo fy nhaid.[30] Dyma rigwm a wnaeth medda nhw,

Mae Myrddin yn fy meio,
Fy mod yn ffaelu spelio.
Er saled wyf am hynny,
Mi speliaf Lôn a Beudy.

Yr oedd Myrddin ar y pryd yn caru â Gwen merch Beudy'r Lôn, a chyfeiriad at hynny sydd yn y llinell olaf. Cam efallai fyddai tyngu gwerth Guto fel bardd wrth y rhigwm yna, ond fod iddo waith llawer gwell pan y byddai ar ei oreu. Byddai mae'n debig lawer o glerwyr yr oes yn galw yn yr efail, a chafwyd llawer o hwyl diniwed â hwy. Yr oedd y gof yn ŵr cyfarwydd â thynnu pobl i siarad, pa un bynnag a fyddai ganddynt rhywbeth i ddyweud ai peidio, ac mae'n debig mai pan heb ddim i ddyweud y byddent yn siarad fwyaf, a mwyaf yr hwyl ar adegau felly. Byddai gan fy mam lu o adgofion am yr amser dedwydd gynt, pan oedd pobol onest yn byw yng Nghymru. Rhodres y Sais heb le i roi ei ben i lawr. Gwladwyr plaen, yn siarad yn blaen â phawb, ac fel pe wrth fainc llys barn, 'Y gwir a dim ond y gwir'. Yr oedd yn yr ardal honno ar y pryd wŷr amlwg ym myd llên. Huw Tegai yn weinidog yn Rhoslan,[31] a chyfaredd y Du a'r Gwyn heb ballu yn ei ddylanwad. Cymdeithas Eifionydd heb ddarfod. Y papur newydd heb ddysgu dyweud cymaint o gelwyddau, a'r byd yn fwy o'r haner.

30. At Fyrddin Fardd y cyfeirir. Taid Gwallter ar ochr ei fam oedd 'Y Gof Mawr', sef William Jones o Ros-lan. Gw. hefyd lythyr rhif 40 isod, lle cyfeiria Gwallter at ei ach.
31. Hugh Hughes (Huw Tegai, 1801-64), gweinidog, bardd, a llenor, gw. *BC(I)*, t. 365.

Mae'n debig y byddwch chwithau yn cael testyn chwerthin am ben fy llith innau, oni thawaf. Rwyf fel Spot, ci Daniel Owen,[32] yn rhedeg i bob man ond yn mynd i unman, a rhag ofn y bydd angen lantar arnaf i orffen, tawaf y mynud yma, gyda dymuno pob llwydd i chwi gyda'r gwaith o gasglu enwau.

Cyn tewi mi garwn wybod, pwy a feddyliwch wrth 'Y Plant' yn eich cofion?

Yr eiddoch yn gywir,
Cofion fflamboeth,
Gwallter *Llyfni* nid Llyfnwy.

Papurau Carneddog G990

5

X Llosger y llythyr hwn.

Carneddi, Nantmor, Bedd Gelert
31 Ionawr 1927

Annwyl Gyfaill,

Methaf â pheidio anfon gair atoch. Gobeithio nad oes dim arnoch – gwaeledd, neu rhyw dramgwydd. Gwn fy mod yn sgrifennu llawer o bethau yn frysiog a byrbwyll, ond yn treio fy ngoreu fod yn ddoeth i beidio â rhoi unrhyw dramgwydd i neb. Jôc noeth, yn wir, oedd y cellwair am *y plant. Sâl ydoedd*, a gresyn i mi ysmalio.

Maddeuwch i mi, 'rhen ffrind, os y darfu y cellwair hwnnw 'eich taflu'. Rhyw ofn sydd arnaf, wrth eich gweld mor hir yn ateb, ond hwyrach mai sâl ydych, ac 'ar y fan 'ma' – gwell gennyf i chwi (neu chdi) fod yn sâl, nac wedi digio wrthyf!

Wel, gobeithio'r goreu, ie wir.

Go symol yw fy iechyd i, fachgen. Mae rhyw wendid rhyfedd a chas iawn ar fy nghalon. Mae yn crynu yn arw, ac y mae *pob dim* yn

32. Gw. Daniel Owen, *Y Dreflan: Ei Phobl a'i Phethau* (Wrecsam, 1881), tt. 26-7: 'Pan fydd Spot yn dyfod gyda mi i roi tro, ni bydd efe byth yn cerdded nac yn rhedeg yn unionsyth; na, bydd weithiau yr ochr yma, ac weithiau yr ochr acw; weithiau yn rhedeg i lawr y groesffordd, bryd arall yn myned dros y clawdd; edrycha yn syn at un peth a chyfartha at y peth arall; ond gofala yn wastad am ddyfod yn ei ol.'

effeithio arnaf. Cartrefol wyf, ac yn llechu i mewn, rhag gwg yr ystormydd gerwin, ar yr hen aelwyd yma, ym min y mynydd. Er gwendid calon, ac ystormydd, yr wyf wrthi yn sgrifennu mwy nac erioed.

Yr wyf wedi sgrifennu ugeiniau lawer o Bostiau Cards a llythyrau yn ystod y tair wythnos ddiweddaf at hen gyfeillion, a llengarwyr y wlad, i ofyn am eu henwau fel Tanysgrifwyr at gyhoeddi 'Cerddi'r Eryri'. Mae degau yn *ddistaw* – a llawer iawn yn ateb – y rhai annhebycaf yn aml iawn. Mae mintai o hen ffrindiau ffyddlon (fel *Gwallter*) yn gwneud eu goreu i mi, ac wedi llwyddo yn no dda – sef Brothen,[33] a Mr Josiah Williams o Bwllheli; Cynan; Mr J. G. Thomas [...] Wil Oerddwr (yn Sir Ddinbych, ond y mae Wil dan y *Ffliw* ers tua mis, – Coblyn o dro);[34] Mr Gwilym R. Roberts, Stiniog, ac eraill.[35]

Wel, wedi pob ymdrech, y mae gennyf ordors am *300 copies* hyd heddyw. Nid yw rhif y Tanysgrifwyr yn agos i hynny, ond y mae *rhai* yn cymryd *llawer.*

Rhof enwau fy holl gymwynaswyr yn barchus, gyda diolch brwd, yn y '*Rhagair*'.

Mae Dr Tom Parry-Williams, a Chanwy, wedi addo edrych dros y *proofs* hefo mi, ond credaf mai cymryd *Canwy* (y Graig, Bangor) a wnaf.[36] Mae yn fwy hwylus i mi na Thom Parri.

X (*Preifat hollol i chwi yn awr*) Yr wyf wedi cael prisiau dwy ffirm am eu hargraffu, sef '*E. W. Evans, Ltd*', Dolgellau; a '*Gee & Son*', Dinbych.Y mae gwahaniaeth ofnadwy rhyngddynt. '*Gee & Son*' yw'r

33. Hugh T. Williams (Brothen), o Bwllheli. Ceir rhai o'i lythyrau at Garneddog yn LlGC 'Papurau Carneddog', G1812-15.
34. William Francis Hughes (Wil Oerddwr, 1879-1966), bardd, a chefnder T. H. Parry-Williams. Cadwyd llythyr, dyddiedig 13 Ionawr 1927, a anfonwyd gan 'Willie Oerddwr' at Garneddog o gartref ei deulu yn Sir Ddinbych, yn sôn am danysgrifwyr i *CE* ac am y ffliw yn 'Papurau Carneddog', G2075.
35. Enwir yr holl gymwynaswyr a'i cynorthwyodd yn y Rhagair i *CE*, t. vi.
36. Canwy oedd y Parch. J. H. Williams, cyn-weinidog Capel y Graig, Bangor. Iddo ef y canodd R. Williams Parry y soned 'Y Barchus, Arswydus Swydd', yn *Cerddi'r Gaeaf* (Dinbych, 1952), t. 80. Ceir englyn ganddo i'r Carneddi ar ôl treulio diwrnod yno unwaith, gw. *OGG*, t. 15. T. H. Parry-Williams a ddewiswyd fel darllenydd proflenni yn y diwedd, a hynny ar gyngor Canwy ei hun, gw. y llythyr a ysgrifennodd at Garn yn trafod y mater, 1 Chwefror 1927, LlGC 'Papurau Carneddog', G1885. Ceir y llythyr a anfonodd Parry-Williams at Garneddog, dyddiedig 24 Chwefror 1927, i dderbyn y gwahoddiad i ddarllen y proflenni yn LlGC 'Papurau Carneddog', G1943.

rhataf, o lawer.[37] Gwelaf, oddiwrth y prisiau yn awr, faint o enwau raid i mi gael. Pe y cawn 200 eto, mentrwn ar unwaith gychwyn. *Aberthwn dipyn o arian fy hun, a rhown fy holl bres stamps, a fy llafur am ddim*! Hen dro na fedrwn gael *200* eto!

Mae y rhestr sydd gennyf yn darllen fel rhamant, fachgen. Enwau o bob man – o Awstralia, yr Amerig, trefi Lloegr, ac o bobman trwy Wyllt walia. Bydd yn rhaid i mi roi'r enwau ar ddiwedd y gyfrol, *wedi addo wrth lawer. Aiff hynny â 6 tudalen.*

Peth arall, *rhaid* i mi ei roi mewn *Cas Caled* hardd, neu gwrthoda llawer ef. Mae y Llyfrgelloedd Sir i gyd wedi cymryd copiau (ond Sir Feirionydd) a rhaid iddynt *gael* y llyfrau wedi *eu casio*. Pe y cyhoeddwn ef mewn Cas papur, medrwn ei gyhoeddi ar *400*, – ond, *ni chaf*. Rhaid ei gael mewn *clawr caled*.

Go fflat ydwyf, wrth weld cymaint yn peidio â fy ateb – er fod parch at eu rhyddid. *Free Trade* ydyw hi yn y wlad hon, ynte? Hen Dori rhonc ydwyf fi, *Hen Geidwadwr*! Wiw i ti ddechreu ffraeo â mi ar fater y *politics* yma, Gwallter.

Gyfaill annwyl, treia dy oreu gael tipyn o enwau i mi eto. Peth garw yw gweld y bobl ein hunain. Mae'n well ganwaith na thrwy lythyr. Gwan iawn yw hi o ardaloedd Bedd Gelert. *Ofnant i mi wneud fy ffortiwn*! Edliwia rhai fy mod yn gwneud arian oddiwrth gyhoeddi llyfrau – tra y collais o £13 i £15 ynglŷn â *Gwaith Glaslyn*! (Mae'n wir – ond *preifat i chwi*.)

Cofion fil.

Peidiwch â bod 'yn ddiarth'. 'Tro bob carreg' er fy mwyn, yr hen ffrind. Mae'n resyn i mi stopio yn awr. Mae llawer yn marw o hyd o'r Tanysgrifwyr, wedi colli 3 neu 4 yn awr – yr Hen Byrs y Ffridd wedi mynd.[38] Un o'r rhai cyntaf i roi ei enw i mi.

Yn bur,
Carneddog.

37. Ceir copi o'r cytundeb rhwng Carneddog a Gwasg Gee, dyddiedig 10 Mawrth 1927, yn LlGC 'Papurau Carneddog', C1.

38. Gwelir ei enw, Mr Pierce Morgan Pierce, Ffridd, Rhyd-ddu, mewn print trwm yn y rhestr o danysgrifwyr y gyfrol, gw. *CE*, t. 223, a cheir cerdd ganddo *ibid.*, t. 87, ynghyd â'r nodyn canlynol: 'Gwladgarwr cywir, medrus a llengar. Marw Ionawr 16 1927. Oed 36.' Yr oedd yn un o aelodau cynnar Plaid Genedlaethol Cymru, gw. y deyrnged iddo yn y 'Manion o'r Mynydd', *Yr Herald Cymraeg*, 8 Chwefror 1927, t. 2.

X Llosgwch y llythyr hwn.
Cofiwch wneud. C.

Bangor 5369, Cyfrol A, rhif 3

6

Y Felin, Llanllyfni
d.d. [1 Chwefror 1927]

Annwyl Garneddog,

Brysiaf i ateb eich llythyr ddaeth i law y bore 'ma, fel ac i'ch sicrhau nad wyf mor groen deneu ac y buaswn yn *pwdu* am air doniol. Na mae genyf groen fel Hipopotamus, ac mae yn rhaid i chwi wneud rhyw ddrwg diawledig i mi ddigio'n bwt. Ond dyna fo, popeth yn iawn. Wedi bod dipyn bach yn brysur yr wyf, ac yn disgwyl cael 'chwaneg o enwau am y cerddi, ac os nad wyf yn camsynied bydd gennyf nifer o enwau eto cyn bo hir, ond i gychwyn dyma ddau, Mr Robert Williams 25 New Street Seacombe, Cheshire. Mr Percy O. Jones Swyddfa'r Dinesydd, Caernarfon.[39]

Peidiwch â thorri'ch calon, mi fyddai'n well i chi dorri'ch coes na hynny. Yn wir mae cyhoeddi llyfr Cymraeg yn gryn fentar heddiw, ond y gwir am dani ydyw y dylai Cymdeithas yr Eisteddfod sydd â chymain arian yn ei choffrau gynorthwyo, trwy gyfranu swm sylweddol at y draul, a thrwy hynny gyfiawnhau peth ar ei bodolaeth. Bu i mi siarad i'r cyfeiriad yna ym Mhwllheli, ond Duw a'm helpo, yr oedd yr eisteddfod honno fel y rhelyw ormod yng ngafael y Cyngor Tref i mi lwyddo. A deud y gwir i chwi yn gyfrinachol, dyna sydd wrth wraidd y mudiad wyf fi a'r Athro W. J. Gruffydd yn geisio gychwyn yng Nghaergybi eleni.[40] Y mae'n ddigon hawdd i Syr

39. Ceir eu henwau ymhlith tanysgrifwyr *CE*.
40. W. J. Gruffydd (1881-1954), yr Athro, y bardd a'r beirniad, gw. *BC(II)*, tt. 66-8.; *Cyd*, tt. 293-4. Efô a wyntyllodd y syniad o sefydlu'r Eisteddfod Fach yn wreiddiol, a hynny yn Nodiadau'r Golygydd yn *Y Llenor*, v (Haf, 1926), t. 68. Erbyn y rhifyn nesaf o'r *Llenor*, v (Hydref, 1926), t. 130, cyhoeddai fod Mr Walter S. Jones o Lanllyfni wedi ymgymryd â threfnu cyfarfod i drafod y mater ymhellach yn Eisteddfod Genedlaethol Caergybi yn 1927, ond ni ddaeth dim o'r cynllun. Gw. y drafodaeth yn Bleddyn Owen Huws, 'Pennod yn Hanes Cyhoeddi Llyfrau Cymraeg rhwng y Ddau Ryfel Byd', *Y Llyfr yng Nghymru/Welsh Book Studies*, 4 (2001), tt. 59-60.

Vincent a Syr John Morris glebar wythnos yr eisteddfod – dau sydd mewn bywoliaeth fras, ond beth am yr athrylith dlawd?[41] Ia, a beth hefyd fyddai hanes llenyddiaeth Cymru pe wedi dibynnu ar y gwŷr boldyn hyn? Os Ceidwadwr wyt ti Carneddog, rwyf fi yn prysur fynd yn Bolshie, ac awydd mynd i rai o'r cynhadleddau bondigrybwyll a gynhelir hyd y wlad a'u damio nhwy yn *whole-sale*. 'Llawer a ddichon taer weddi', ond credaf fod mwy o rym mewn rhegi tipyn. Sôn am ddiwylliant Cymreig wir. Faint y mae'r geriach diawl yn falio os y caent hwy £50 o bresant, am waith sydd â'i ran gynntaf yn elfenol iawn, a llawer o honno eisioes wedi ymddangos gan ŵr arall, a'i werthu yn llawer rhatach na 12/6 y copi? Dro'n ôl gofynai rhyw fwtgi yn y *Western Mail*, ai tybed fy mod i yn iawn wrth ddyweud na bu Cymdeithas yr Eisteddfod o un gwerth i lên awen a chân Cymru? Ychydig iawn a wyddai y *brawd llwyd* hwnnw am hanes llên ei wlad, a phwy oedd ei chymwynaswyr. Y mae gennyf ysgrif ar hyn i ymddangos yn fuan, ac yr wyf yn honno yn rhoddi cip olwg i'r bobl ar beth sydd yn mynd ymlaen yn ein gwlad yn enw Cenedligrwydd a phethau rhyfedd felly.[42]

Y mae'n wir ddrwg gennyf eich bod yn cwyno. Gobeithio eich bod yn well. Y mae'r tywydd wedi bod yn arw iawn, ac yn hawdd cael anwyd, ond trwy drugaredd yr wyf fi eleni hyd yn hyn wedi cadw yn go lew. Mae'n debig i chwi glywed y bu agos iawn i mi fynd dros y domen y llynedd. Bûm yn fy ngwely am wythnosau, ac yn llusgo wedyn am fisoedd. Crwydrais lawer i'r De a lleoedd eraill i geisio

41. Syr Evan Vincent Evans (1851-1934), Ysgrifennydd Cymdeithas yr Eisteddfod Genedlaethol a golygydd ei chyhoeddiadau, a chyfrifydd llwyddiannus yn Llundain, gw. *BC(I)*, t. 217; *Cyd*, t. 245; Syr John Morris-Jones (1864-1929), Athro Cymraeg Coleg y Brifysgol ym Mangor a beirniad eisteddfodol, gw. *BC(I)*, tt. 1060-1; *Cyd*, tt. 521-2.

42. Ymddangosodd yr ysgrif ganddo yn ei golofn 'Cainc y Delyn' dan y ffugenw 'Largo' yn *Y Dinesydd Cymreig*, 16 Chwefror 1927, t. 3. Ynddi, yr oedd yn adleisio'r sylwadau sydd ganddo yn ei lythyrau at Carn: 'Ofer sôn am ddiwylliant Cymreig os nad ydym am roddi y lle blaenaf i hynny yn ein heisteddfodau cenedlaethol. Gogwydd yr Eisteddfod Genedlaethol ydyw mynd ormod i afael y cynghorau tref a'u cyffelyb . . . Nid sefydliad i wneud elw ddylai yr eisteddfod fod, ond meithrinfa i awen a chân, a phopeth goreu a berthyn i ni fel cenedl.'

adferiad, a chefais yn weddol, ac erbyn hyn yr wyf eto gystal ac y bûm er pan [ddeuthum] adref o'r fyddin, ond rhaid i mi fod yn hynod o ofalus rhag cael anwyd.

Mae yn y Llan yma ddosbarth Cymraeg tan olygyddiaeth J. E. Thomas, Penygroes, ac yr wyf am roddi eich hachos gerbron henno.[43] Amgauaf y ffurf-len wyf yn ei rhoddi yn eu llaw. Beth feddyliwch o hyn?[44]

Dymunnaf i chwi wellhad, a llwyddiant mawr yn eich hymdrech gyda'r cerddi. Teimlaf rhywfodd ei bod yn ddyledswydd arnaf wneud fy ngoreu i chwi allu eu dwyn allan, am mai y fi barodd i chwi drafferthu cymaint â hwy am wobr mor fychan.

Cofion cu,
Yn gywir iawn,
Gwallter.

LlGC 9659D

7

Y Felin, Llanllyfni
2 Chwefror 1927

Annwyl Gyfaill Carneddog,

Yn ôl fy addewid bu i mi roddi yr achos gerbron y dosbarth neithiwr ac fel y gwelwch oddiwrth y nifer enwau ddarfod i mi gael

43. Gw. y bywgraffiad i J. E. Thomas gan Wallter yn Llawysgrif Bangor 5363, 'Beirdd Dyffryn Nantlleu', lle dywedir iddo gael ei eni yn y Rhos, Llanfaglan, ond i'w rieni symud wedyn i Ben-y-groes. Rhoir y geirda hwn iddo gan Wallter: 'Cydnabyddir ef yn awdurdod ar y Gymraeg, ac mae wedi bod yn athro Cymraeg ac Economeg tan yr W.E.A. a Choleg y Brifysgol yn Llanllyfni a Phenygroes'. Symudodd o Ben-y-groes i fynd yn brifathro ar Ysgol Penmachno.

44. Yn LlGC 'Papurau Carneddog', C2, ceir copi o lythyr teipiedig i'w anfon at ddarpar danysgrifwyr, a chan nad oedd gan Garneddog deipiadur, tybiaf mai hwnnw oedd y llythyr a'r ffurflen y cyfeirir ati yma.

llwyddiant. Yr oeddynt oll yn addaw dan y dybiaeth fy mod i yn mynd i wneud fy fortiwn ar y job. Eh. Nid wyf wedi cael cyfle eto i weld Arfonydd, ond fe ddaw yn y man.[45] Yn ychwanegol at yr enwau ar y ffurf-leni y mae a ganlyn: Mr O. W. Jones (Owain Llyfnwy), Mr D. R. Jones, Bryn Llwyni, Penygroes. Daeth Mr Williams Parry yma wrth basio i Bortmadoc neithiwr, ac yn ôl ei arfer radlon addawodd yn union.[46] Tybed na fyddai yn eithaf peth i chwi wneud yn hysbus yn eich colofn a newyddiaduron eraill eich bwriad, a gwadd llen-garwyr i anfon eu henwau i chwi felly?

Rwyf wedi sgrifennu nifer o straeon antur byrion, ar gyfer plant yr ysgolion, a chyn bo hir byddaf finnau yn ceisio cael hwnnw drwy y wasg, ynghyd â 'Hunangofiant Amaethwr', ond ofnaf na bydd hwnnw wrth fodd y frawdoliaeth honno, ond pa waeth am hynny ynte?[47] Ni bydd i mi geisio gwerthu y cyfryw fy hunan, ond ei werthu i gyhoeddwr, ac iddo wneud a fynno ac a all o honno.

Nid wyf yn siŵr iawn na fyddaf yn mynd ar daith yr wythnos nesaf trwy siroedd y Gogledd, a bydd i mi, os yn mynd, wneud fy ngoreu i chwi a phawb a feddyliaf a gymer ddiddordeb mewn llenyddiaeth

45. Roedd Arfonydd a Gwallter yn gyfeillion. Gan ŵyr Arfonydd, sef Dr Tom Dulyn Thomas, y cefais yr hanesyn hwn mewn llythyr ataf 5 Ebrill 2000: 'Cofio fy Nhad (Elias Thomas, Nebo) yn dweud fel y byddai Taid yn eistedd yn ei gongol bron ar ben tanllwyth o dân. Roedd yn arferiad ganddo ddal procer yn ei law a phrocio'r tân yn gyson. Fe bechodd Walter Coecia un noson pan ddywedodd "Ga i'r procar yna ar eich ôl chi Griffith?" Nid oedd fy Nhaid yn un am ddal dig. Dyn annwyl, caredig.' Gw. hefyd sylwadau cyn-ddisgybl iddo, Mathonwy Hughes, *Bywyd yr Ucheldir*, tt. 11-14.

46. Arferai Gwallter ar un adeg fynd yn gwmni i R. Williams Parry ar ei daith i Borthmadog i gynnal dosbarthiadau nos, gw. yr hanes a adroddir yn Gwilym R. Jones, *Rhodd Enbyd* (Y Bala, 1983), tt. 62-3.

47. Ymhlith papurau Gwallter yn Archifdy Prifysgol Bangor ceir casgliad o 36 o straeon i blant mewn teipysgrif, ''O Bell ag Agos' Casgliad o Hanesion Byrion i Blant gan Gwallter S. Jones', gw. Llawysgrif Bangor 5349. Ceir 'Hunangofiant Amaethwr' yn Llawysgrif Bangor 5361, ond gofynnodd mewn llythyr, dyddiedig 10 Ionawr 1928, i W. J. Gruffydd fwrw golwg arno er mwyn gweld a fyddai'n addas ar gyfer *Y Llenor*, gw. LlGC 'Papurau W. J. Gruffydd', rhif 519. Ysgrifennwyd y gwaith ar gyfer cystadleuaeth y cafodd y wobr gyntaf amdani o dan feirniadaeth y Parch. Dewi Williams.

Gymreig. Maddeuwch epistol byr y tro hwn – y mae gennyf lot o waith eisiau ei wneud cyn y nos.

Cofion fflamboeth,
Yn gywir iawn,
Gwallter.

LlGC 9659D

8

Y Felin, Llanllyfni, Penygroes S[orting]O[ffice]
18 Mawrth 1927

Annwyl Gyfaill,

Dylaswn fod wedi cydnabod derbyniad eich *P[ost] C[ard]* cyn hyn ond yn anffodus nid wyf wedi bod cystal fy iechyd ag arfer, a seibiant yn ddyledus i mi, neu fynd i fwy o wendid, ac am hynny yr oeddwn yn ysgrifennu mor lleiad ac allwn ac ar yr un pryd gadw fy ysgrifau wythnosol i fynd.[48] Gwelais eich nodiad yn yr *Herald* ynghylch y cerddi, a hyderaf iddo ateb y diben.[49] Credaf fy mod wedi lloffa yn lled lwyr y ffordd yma, oni ddaw un ar siawns.

Y mae gennyf lythyr yn *Y Genedl* yr wythnos nesaf ynglŷn â chyhoeddi llyfrau a'r anhawster i wneud hynny i rai tlodion fel y ni, ac y mae pris y rhai a gyhoeddir allan o reswm.[50] Dywedai y *Daily Post* yr wythnos hon am lyfr a'i bris yn 7/6. Gwerth y papur oedd 3c yna yr oedd 7/3 yn mynd i logellau y cyhoeddwyr a'r awdur, ac rwy'n sicr mai 'chydig oedd rhan yr olaf. Nodaf un enghraifft, *Y Llong Lo*, 2/ a chaiff y llyfrwerthydd 9c o broffid ar bob llyfr.[51] Gwelwch fod

48. Cyfeirio a wneir yma at yr ysgrifau 'Cainc y Delyn' a gyfrannai i'r *Dinesydd Cymreig* dan y ffugenw 'Largo'.
49. Yr oedd gan Garneddog ymholiad ynghylch rhai o'r cerddi yn *CE* yn y 'Manion o'r Mynydd', *Yr Herald Cymraeg*, 1 Mawrth 1927, t. 2.
50. Gw. *Y Genedl Gymreig*, 21 Mawrth 1927, t. 5.
51. William Rowland, *Y Llong Lo: Ystori i Blant* (Wrecsam, 1924).

gwerthu llyfrau yn talu'n well na'u gwneud, a phwy yn ei synwyr a gyhoedda lyfr a bod yn golledwr[?] Mae'n deg i'r argraffydd gael cyflog am ei lafur, ond nid budr elwa fel ag y gwneir. Ni raid wrth sylwedydd craff i weld mai llafur â llawer iawn o gariad y tu ôl iddo fydd cyhoeddi 'Cerddi'r Eryri'. Posibl i chwi gael boddhad wrth eu casglu, ond yn sicr ni chawsoch y degwm o'r hyn a ddylech ei gael fel gwobr, ac fe ŵyr pob dyn call hynny, a gŵyr cystal â hynny y byddai eu colli yn golled genedlaethol, ac am y rheswm hynny, fe ddylai Cymdeithas yr Eisteddfod, a'r pwyllgor lleol ddod ymlaen i'ch cynorthwyo yn arianol, a defnyddio peth o'u cyllid i roddi llyfrau fel hyn o fewn cyrraedd llogell y dyn cyffredin. Nid wyf yn awgrymu fod y llyfr yn rhy ddrud, ac nad oes ynddo werth llawer mwy na 3/6, ond rhaid cofio na all pawb fforddio hynny am lyfr yn aml. Yr hyn sydd arnom ei eisiau ydyw gwerin oleuedig, a'r unig leoedd y gallwn droi iddynt am gymorth i sicrhau hynny ydyw ein sefydliadau Cenedlaethol. Rhaid mynd â'r pethau hyn allan o law y Cynghorau Tref etc., os ydym am weld llwyddiant llenyddol yng Nghymru. Byddai yn dda gennyf pe byddech yn cymryd y mater i fyny, a'i wyntyllu o hyn i eisteddfod Caergybi, pryd y bwriedir cael cyfarfod cyhoeddus i drafod materion cyffelyb. Rhoddai hynny symbyliad i'r rhai sydd yn codi yr achos yno, a hyder fod y wlad yn eu cefnogi. Gwn yn eithaf da y byddaf yn curro fy mhen yn y pared yn hir, ond os caf y gefnogaeth a dybiaf a haeddaf, fe lwyddaf. Eisoes y mae nifer fawr o brif lenorion y genedl yn cydolygu â mi, ac wedi addo eu cymorth.

Gwelwch fy mod yn mynd ar draws hen ddefod sydd gysegredig yng ngolwg llawer ond rhaid i ddefodau gwag gilio er cael llwybr clir i'r genedl dyfu. Caf symbyliad weithiau yng ngwaith ambell i ysgol bob dydd yn deffro o newydd ynglŷn â'r iaith ac yn mynych alw am lyfrau Cymraeg, ac wrth i'r lliaws gurro ar y drws y mae gobaith yr agorir cyn bo hir. Ond rhaid curro eto'n drymach, y mae cwsg y ceidwad yn drwm. Dowch i gurro Carneddog, a chofiwch gurro'n drwm.

Cefais gopi o *Caniadau'r Allt* ac y maent yn ddiddorol iawn, er a siarad yn gyffredinol, nid ydynt cystal â *Maes a Môr*.[52] Buan y delo

52. Eliseus Williams (Eifion Wyn, 1867-1926), bardd ac awdur *Telynegion Maes a Môr* (Caernarfon, 1906), a *Caniadau'r Allt* (Llundain, 1927).

ei gynhyrchion caeth allan. I mi yr oedd Eifion Wynn yn well yn y caeth, ond ffansi ydyw hynny mae'n debig.

Hyderaf eich bod mewn iechyd go lew, ac yn cael hwyl ar hel enwau o hyd. Holir yma pryd y daw allan. Gobeithio na fydd yn hir.

Anfonwch air pan y cewch gyfle, a bydd yn dderbyniol iawn.

Cofion cu,
Yn gywir iawn,
Gwallter.

Papurau Carneddog G991

9

Carneddi, Nantmor, Bedd Gelert
11 Awst 1927

Annwyl Gyfaill,

Daeth eich epistol diddorol, a chododd dipyn ar fy nghalon. Yr ydwyf, fel pawb y ffordd yma, ar ôl yn arw iawn hefo'r gwair. Gresyn i'r tywydd droi, neu buaswn i ymhell iawn ymlaen, yn Eisteddfod Caergybi i ti, wir, y cena. Gorfu i mi fod adre i weithio yn fy nghrys o ben bore hyd y tywyllnos, a chefais lond un tŷ gwair o wair da. Mae dau gae mawr wedi cael ei dorri i'r glaw. Hen dro. Y gwair mwyaf. A fyddi di yn gweddio weithiau, Gwallter?

Be gebyst wyt ti yn ei wneud yn y Felin yna 'rŵan? Dylet fod yn Sir Fôn yn helpu'r gweision i godi gwair, gael i ti gael eu fôts! Llongyfarchiad, yr hen ffrind ar dy ddyrchafiad.[53] Nis gwn yn iawn beth ydwyf fi yrŵan – Tori, ynte Cenedlaetholwr? Nid wyf yn Lebor. Paid â fy fflamio, neu tagaf di!

53. Penodwyd Gwallter yn drefnydd y Blaid Lafur ym Môn ym mis Mehefin 1927. Ceir yr hysbysiad canlynol yn *Y Genedl Gymreig*, 27 Mehefin 1927, t. 7: 'Llongyfarchwn Walter S. Jones (Gwallter Llyfnwy) ar ei ddewisiad yn drefnydd Plaid Lafur Sir Fôn.'

Fachgen, yr wyf yr un fath yn union â thi hefo'r farddoniaeth ddiweddar. Y gwir yw, nid yw y werin yn darllen dim o waith y beirdd ifanc hyn. Mae'n sicr fod Mr Caradog Prichard yn fachgen galluog iawn, ond diau na ddaw ei 'gân fawr' byth yn boblogaidd gan y werinos (*Preifat i ti*).[54] Bachgen clên ydyw.

Clywais un arall yn dweyd mai Eisteddfod go sych ydoedd un Caergybi. Ni chafodd hwnnw hwyl yn yr Orsedd na'r Pafiliwn. Clywais ganmol yr hen Fryfdir am arwain.[55] Yr oedd fy meddwl yno, er fy holl brysurdeb hefo'r gwair. Diolch i mi aros adref. Cefais dâl da am aros – sef tunelli o wair da. Go dda, ynte? Gwn am lawer ffrind wedi colli yno.

Wel, gair am *Gerddi Eryri*. Araf ofnadwy yw 'Gee & Son' hefo'r printio, er i mi erfyn o hyd. Ni ches *broofs* ers tair wythnos yn awr. Mae Tom Parry, Rhyd Ddu, yn fy helpu. Mae ganddynt lawer iawn o wallau. Y drwg yw mai swyddfa fechan ydyw, ond yr oedd eu pris yn is o £25 na swyddfa'r *Cymro*, (Evans) Dolgellau. Gobeithio yr ânt ymlaen yn awr. Yr wyf yn dal i grefu bob wythnos. Mae'r Cerddi yn ddoniol iawn.

Maddeu fy sgribl brysiog, Gwallter bach. Mae'n dechreu heulo. Rhaid i mi redeg i droi y gwair.

Cofion fil,
Yn bur,
Carneddog.

Bangor 5369, Cyfrol A, rhif 4

54. Caradog Prichard oedd enillydd Coron Eisteddfod Genedlaethol Caergybi gyda'i bryddest 'Y Briodas'.
55. Humphrey Jones (Bryfdir, 1867-1947), bardd ac arweinydd eisteddfodau a aned yng Nghwm Croesor ond a dreuliodd y rhan fwyaf o'i oes ym Mlaenau Ffestiniog, gw. Y Bywgraffiadur Ar-lein; *Cyd*, t. 393.

10

Carneddi, Nantmor, Bedd Gelert
24 Tachwedd 1927

Annwyl Gyfaill,

Sut yr wyt ers talm? Ni chefais atebiad i'm llythyr o'r blaen. Gobeithio nad wyt wedi 'llyncu mul'.

Wel, Gwallter annwyl, mae'n mynd yn galed arnaf hefo rhannu llyfrau *Cerddi Eryri.* Cefais air o Ddinbych y bydd y copiau yn barod yn fuan. Yr wyf yn anfon at lawer o hen gyfeillion heno i ofyn am eu help a'u cyfarwyddyd, sut i'w rhannu mewn gwahanol leoedd. Peth cas yw eu hanfon drwy'r post i bawb yn y lleoedd y mae llawer o enwau. Mae llawer iawn tua'r ardaloedd yna, wedi i ti eu cael i mi, a rhai wedi anfon eu hunain.

Yn awr, dyma fy apêl. (Paid â dwrdio am fy hyfdra mawr). A fuaset ti ddim yn rhannu y llyfrau i bobl Pen y Groes, Llanllyfni, a'r criw agosaf yna? Rhoddaf y llyfr i ti am wneud.

Rhaid i mi fod yn ofalus, fachgen, gan fod fy mil dros gan punt. Mae gwaith enfawr o fy mlaen. Bendith arnat, Gwallter bach, rho help a chyfarwyddyd i mi.

Mae Mr D. J. Harris, Bryncir, am rannu rhai'r ardaloedd hynny i mi. O. Llew Owain yng Nghaernarfon, J. G. Thomas, yng Nghwm y Glo, Ariander yn Llanberis – etc.[56]

Rhaid i mi fynd i lawer o leoedd fy hun. Go symol ydyw fy iechyd. Rhyw anhwyldeb cas ar fy nghalon, a hithau'n oer. A wnei di? Anfon air, yn wir.

Medrwn anfon y parsel (a rhestr o'r enwau) hefo'r Crosville (neu'r Motor Mawr) o Dre Madog, neu o Gaernarfon, i ti. Nis gwn sut i wneud. Dywed ti.

Mae pawb yna yn ddieithr i mi, ond tydi a Glyn Llyfnwy.

Cofia ateb, da chdi. Mae dy enw yn y llyfr.

Cofion fil,
Yn bur,
Carneddog.

56. Enwir y bobl hyn ymhlith y cymwynaswyr yn *CE*, t. vi.

Ôl-nodiad: – Sut mae'r Blaid Lafur ym Môn? Tori yw Carn! C.

Bangor 5369, Cyfrol A, rhif 5

11

Y Felin, Llanllyfni, Penygroes, S[orting] O[ffice]
26 Tachwedd 1927

Annwyl Gyfaill,

Howld on rŵan. Cyhuddiad i'm herbyn na wnes ateb eich llythyr diwethaf. Ni byddaf fyth yn peidio, ac os na wnes y tro hwnnw, rhaid fy mod wedi haner mynd o ngho, ond tae fater am hynny dyma fi yn ateb hwn yn ddi-oed. A dyweud y gwir, yr oeddwn wedi mynd i feddwl fod ingian brintio Dinbych wedi malu, a bod 'Cerddi'r Eryri' yn sgribliwns mân ymhob man. Eisiau i mi fynd yn rhanwr llyfrau. Gallwn feddwl fod hynny eisoes wedi ei benderfynnu oddiwrth y llythyr a gefais pa ddiwrnod. Dyma fo. Anfonwch y domen i mi a gwyddoch na fydd i mi adael hen gyfaill yn ei adfyd am bris yn y byd. Gellwch eu hanfon hefo'r Crosville o Dremadoc. Gofalaf fod pawb yn eu cael, a'r arian i chwithau. Na sonier am dalu. Buaswn yn dod yna i'w nhôl ond fel y mae'r tywydd yn oer, a finnau heb ormod o amser ar fy llaw, wedi fy myned yn drefnydd y Monwysiaid.

Gwelais lun o Bob Owen yn *Y Llenor* diwethaf.[57] Un da iawn gallwn feddwl. Welsoch chwi lyfr Saunders Lewis ar Bantycelyn, os naddo triwch ei gael mae'n werth ei ddarllen.[58] Rhydd syniad newydd, a goleu clir ar athrylith Williams. Mae o yn ddrud, h.y. mae pris mawr o 6/ arno, braidd o gyrraedd pobl dlodion fel fi, ond yn ffodus cefais un yn anrheg gan fy nghyfaill Mr Bob Williams Parry.

Rwyf wrthi rŵan yn darllen llythyrau y Morisiaid (J. H. Davies).[59] Tri o rai 'smala oedd y rheini ynte.Yn pesychu, rhegi, a mellditihio

57. Cyfeirio a wneir at ysgrif bortread J. Ellis Williams o Bob Owen, Croesor, yn *Y Llenor*, vi (Hydref, 1927), tt. 172-80.
58. Saunders Lewis, *Williams Pantycelyn* (Llundain, 1927).
59. J. H. Davies, *The Letters of Lewis, Richard, William and John Morris of Anglesey (Morrisiaid Môn) 1728-65* (dwy gyfrol, Aberystwyth, 1907).

pob dyn byw, a'r hen Ronwy druan yn gythral meddw, ac yn cnoi baco fel ingian, a dwy ffos felen o bobtu ei geg. Golwg pur ddifrifol ar offeiriad, ond mynnai yr hen Shankland mai deud celwydd yr oeddynt.[60] Wn i ddim, ond tae fater, ni bydd nag ennill na cholled i mi na Charneddog prun.

Rhaid i mi derfynnu y cowdal yma, gan hyderu y daw eich calon yn well. Mae'r hen aeaf cythral yma wedi dod, â min ar ei gledd, a bydd bellach â'i bigiad o hyd ag o hyd yng nghorff dyn gwan. Ond rhaid bodloni i'r drefn, fyddwn ni ddim yma'n hir.

Anfonwch y llyfrau pan y mynnoch, ond cofiwch am anfon gair i ddyweud pryd y byddwch yn eu hanfon, fel y gallaf eu disgwyl.

Yn gywir iawn,
Cofion fflamboeth,
Gwallter.

Papurau Carneddog G992

12

Carneddi, Nantmor, Bedd Gelert
16 Ionawr 1928

Annwyl hen Gyfaill,

Wel, mae 350 *copies* o *Gerddi Eryri* wedi eu hanfon i Swyddfa'r Herald, Caernarfon, er mwyn hwylustod i'w dosbarthu i Gaernarfon, Llanberis, Cwm y Glo, Bangor, Sir Fôn, etc. Ond ow! yr wyf yn wael o dan Anwydwst tost. Bûm yn fy ngwely am rai dyddiau, ond symol iawn wyf eto. Wiw i mi fentro allan. Mae'r bachgen yn cwyno hefyd, felly y mae'n ddrwg iawn arnom.

Yr oeddwn i fynd i fyny i Gaernarfon heddyw i'w pacio yn fân barseli i wahanol leoedd, ond ni fedraf fi na'r bachgen fynd. Gresyn, ynte? Beth wyf wedi ei wneud (yn lle aros i mi fendio) ond gofyn i

60. Gw. T. Shankland, 'Dau Canmlwyddiant Geni Goronwy Owen', *Y Geninen*, xli (1923), tt. 34-49. Cyhoeddodd T. Shankland syniadau tebyg hefyd yn ei ysgrif 'Cymdeithas y Cymmrodorion a Goronwy Owen', *Y Llenor*, iii (Gaeaf, 1924), tt. 226-31.

Wms y Manager eu pacio i mi (yn ôl fy nghyfarwyddyd) i bob man.[61] Aiff parsel i Llanberis i Ariander Hughes, parsel Cwm y Glo i'm hen ffrind, J. G. Thomas, parsel Bangor i Deiniol Fychan. Parsel Bryncir i Mr D. J. Harris, parsel Llanllyfni, etc., i Gwallter, etc., etc. Mae pawb am wneud *eu goreu* i mi.

Daw y parsel yna, yn cynnwys 30 o gopiau, nawn, neu gyda'r hwyr, ddydd Mawrth, (Ionawr 17) hefo'r Motor i Lanllyfni. Treia ei wylio, Gwallter annwyl. Gwyddost ti adeg y Motor.

X Yr wyf fi yn talu i'r Motor.

Bendith arnat, dosbartha y llyfrau i mi. Mae'n antur ofnadwy, fachgen. Codant *extra* am bob dim. Hen dro i'r gwallau print gwirion lithro. Methaf fi a Thom Parry â deall y peth.[62] Y mae'n anesboniadwy i ni. Ni ddarfu iddynt gywiro'r *proofs* ar ein hôl. Mae'n rhaid mai Cymry gwael enbyd oedd y printars. Ni ddeallent yr iaith o gwbl. Gwnaethant wallau o'r newydd o hyd. Gresyn. Bûm yn ffraeo â hwynt, yn nacau rhoi slip i gywiro. Eu *gorfodi* i wneud. Gobeithio ei bod yn y llyfr. Dinystriwyd y llyfr gan y Cnafon blêr. Gobeithio y cewch eich plesio yn y llyfr, er hynny. Nid ein bai ni ydoedd y gwallau.

A yw yr enwau yn iawn? Mae Y Llythyrdy, Llanllyfni, yn *wrong*, onid yw?

Nis gwn sut y llithrodd. Gwna dy oreu i mi, Gwallter bach, a gobeithio y bydd popeth yn iawn. Maddau fy sgribl. Yn methu ysgrifennu yn iawn. Llawer iawn o waith heddyw, i anfon i bawb.

Cofion fil,
Byth yn bur,
Carneddog.

'Blwyddyn Newydd Dda', a phob bendithion i ti. C.

Bangor 5369, Cyfrol A, rhif 6

61. W. G. Williams, rheolwr papurau'r *Herald* yng Nghaernarfon.
62. Ysgrifennodd Carneddog at Wasg Gee i gwyno am y camgymeriadau, a cheir llythyr, dyddiedig 9 Rhagfyr 1927, gan J. C. Jones ar ran y Wasg yn edliw na chywirwyd llawer o'r camgymeriadau gan Garneddog ar y proflenni, gw. LlGC 'Papurau Carneddog', C1. Cadwyd llythyrau T. H. Parry-Williams ynghylch y proflenni yn LlGC 'Papurau Carneddog', G1936-48.

13

Y Felin, Llanllyfni, Penygroes S[orting] O[ffice]
18 Ionawr 1928

Annwyl Garneddog,

Yr eiddoch i law. Blin iawn gennyf ddeall eich bod yn cwyno. Adferiad buan yw fy nymuniad. Y mae'r gaeaf wedi bod yn wir galed, ac anodd ei ddal. O drugaredd yr wyf fi wedi bod yn weddol, ond cefais rhyw un waloc gan fy hen elyn yr wythnos diwethaf, ond erbyn hyn yn rhodio'n rhydd.

Ni ddaeth y Cerddi i law hyd yn hyn, ond bydd i mi gael sgwrs ar y *phone* hefo Mr Williams y p'nawn yma. Na phoenwch ddim am danynt, bydd popeth yn dda cyn belled ag y mae parsel Llanllyfni yn y cwestiwn, a daw'r arian yng nghyflawnder yr amser.

Ofnaf nas gallaf eu dosbarthu yr wythnos hon i gyd, gan fod yn rhaid i mi fynd i Langefni yfory, a Chaer gybi Sant ddydd Gwener. Yr wyf dros fy mhen a'm clustiau ym myd *politics* yrŵan, a byd ar y d——l ydyw hefyd. Ys gwn i a fuasai yr hen Job yn dal heb regi[?][63] Os gallai, mi gurrwn ei gefn. Mae gan bobl rhyw ddawn i beidio ateb llythyrau, a phobl gas felldigedig yw y rheiny. Pechod yw yn fy ngolwg i, a phechod anodd iawn ei faddeu. Ond gadawn bethau fel'na.

Gofidus fod gwallau yn yr argraffiad o'r Cerddi, ond 'does mo'r help. Gwerthir yr oll, a daw y byd i'w le felly.

Mae yma hen gonno braf wedi dod i siarad â mi rŵan, felly tawaf, a rhof fy nghân yn fy nghwd dros dro.

Brysiwch fendio, a phob hwyl.

Yn gywir,
Cofion fflamboeth,
Gwallter.

LlGC 9659D

63. Cyfeiriad at Job a'i dreialon yn yr Hen Destament.

14

Y Felin, Llanllyfni, Penygroes S[orting] Office]
21 Ionawr 1928

Annwyl Garneddog,

Y Cerddi i law, ac yr wyf wedi bwrw bras olwg drostynt. Y mae'r olwg allannol yn hynod o ddeniadol. Gadawsoch allan nifer o gerddi ac yr oeddwn yn meddwl y byddant i mewn, y rhai hynaf a digrifaf. Peidiwch â meddwl wrth hyn nad wyf wedi fy mhoddhau, na diolchaf o galon i chwi am fyned i'r draul o'u cyhoeddi, ac yn sicr y mae ar y genedl ddyled i chwi am yr holl lafur ydych wedi ei roddi am gymaint o flynyddoedd. Bydded i chwi hoedl a hoen i bara, a brysied y dydd pan y gwêl Cymru ei chymwynaswyr gwir.

Y mae un peth yn y 'Rhagair' y caraf alw eich sylw ato, sef geiriau y Beirniad, lle y dywed fod y casgliad yn teilyngu gwobr llawer mwy na'r a gynhygid gan y pwyllgor. Nid am fod arnaf eisiau i'r byd wybod mai y fi roddodd y wobr fach honno, ond teg fyddai i'r byd wybod ddarfod i mi pan yn cynnig y wobr, ofyn i'r pwyllgor llên ychwanegu ati, am nad allwn i roddi mwy, ond iddynt wrthod, ac hefyd gwrthododd y pwyllgor Gweithiol, ac yr wyf yn sicr na bu iddynt roddi yr un ddima at y draul er iddynt gael eu miloedd, ac yn ôl a welaf ychydig o gymorth a gawsoch gan yr aelodau er eu cyhoeddi. Damia y bobl hyn. Y mae fy amynnedd i wedi pallu'n llwyr, wrth weld dynion cymharol dlawd yn gwasanaethu eu gwlad, a cheisio gwella, diddori, a diwyllio y genedl, a rhyw swbachiaid diawl yn claf-oirio hyd lwyfannau. Damia nhw eto.

Af y prynhawn yma â'r nifer i Benygroes, a'r gweddill i Lanllyfni a Thalysarn yr wythnos nesaf. Fel y dywedais yr wyf yn brysur gyda materion politicaidd yrŵan, ond nid rhy brysur i wneud cymwynas â chwi pe byddai ganmil mwy. Yr wyf yn rhoddi paragraff am ein 'Cymwynaswyr' yn *Y Dinesydd*, a buaswn yn falch iawn o gael rhoddi eich llun, ac ychydig eiriau am danoch ynddo.[64] Anfonwch y 'bloc' i'r swyddfa, a bydd i minnau 'sgrifennu gair. Cofiwch rŵan.

64. Yr oedd Gwallter eisoes wedi cynnwys pwt am gyhoeddi *CE* yn *Y Dinesydd Cymreig*, 1 Chwefror 1928, t. 3.

Esgusodwch air byrr, blêr fel hwn am y tro.

Hyderaf eich bod yn well, ac y cawn weld ein gilydd cyn bo hir i roi y byd yn ei le am funud.

Yn gywir a diolchgar,
Cofion cu,
Gwallter.

LlGC 7237D

15

Carneddi, Nantmor, Bedd Gelert
20 Mawrth 1928

Annwyl hen Gyfaill,

Symol iawn wyf, yn llechu wrth y tân. Ni fûm cyn saled ers talm, fachgen.

Mae cryndod y galon yn ddrwg iawn arnaf. Methaf â sgrifennu yn dda. Mae niwl ar fy llygaid. *Yn breifat i ti*. Yr wyf wedi cynhyrfu yn arw heddyw. Ces lythyr 'rhyfedd ac ofnadwy' oddiwrth Deiniol Fychan.[65] Dywed mai 29 *copies* a gafodd yn lle 39. Mae 'Pobl yr Herald' yn mynd ar eu llw iddynt anfon 39 iddo. Dywed Deiniol ei hun pan gafodd y parsel, mai 39 oedd ynddo, a hyny dair gwaith, mewn dau lythyr. Dywed yn awr mai 29 gafodd, a phob esgusion, brol iddo'i hun, a llwon. Gresyn i mi gyboli ag ef. Cafodd 'bobol

65. Evan Morgan (Deiniol Fychan, 1854-1933), llyfrwerthwr ym Mangor a phregethwr gyda'r Annibynwyr. Yr oedd yn adnabyddus fel beirniad ac arweinydd eisteddfodau. Ef oedd awdur y gyfrol *Ymweliad Nain â Lerpwl a Straeon Eraill* (Caernarfon, 1903). Ceir ysgrif ganddo ac ynddi fanylion bywgraffyddol dan y teitl 'Atgofion Adroddwr' yn y *Geninen* (Ionawr, 1922), tt. 32-5, a cheir ysgrif goffa iddo yn *Y Tyst*, 7 Medi 1933. Cadwyd y llythyr sy'n dweud iddo dderbyn 29 copi yn lle 39 yn LlGC 'Papurau Carneddog', G1104/1.

fawr' Bangor i gyd, ac y mae wedi cymysgu'r rhestr enwau fel y mynno. Dyma'r peth rhyfeddaf eto ynglŷn â gwerthiant y Cerddi. (Cadw y cwbl i ti dy hun am dipyn bach, cei glywed y cwbl eto.) Yr wyf yn anfon ei holl lythyrau yn awr (wedi eu registro) i Wms. 'yr *Herald*'. Hwy sydd wrth fy nghefn, oddiyno yr anfonwyd hwynt. Creadur ofnadwy yw Deiniol. Wedi synnu. Ffrind mawr ag ef.

(*Llen*)

Wel, Gwallter bach, gair hynod i chdi yn awr. *Paid â dychryn*. Gwrando 'rŵan ar ramant – yn 'Rhestr y Tanysgrifwyr' ceir enw *Mr Robert Williams, 25, New Street, Seacombe, Cheshire*. Cafodd lyfr o Swyddfa'r 'Herald', (fel eraill) ddechreu Ionawr. Ni ddaeth y llyfr yn ôl, ac ni ddaeth gair nac arian byth oddiwrth Mr Robert Wms. Anfonais lythyr caredig ato rhyw fis yn ôl i'w atgoffa, ond ni ddaeth dim oddiwrtho. Yr wythnos ddiweddaf, anfonais lythyr eto i'w atgoffa. Dywedais y fforffetiwn y 5½ *postage*, ac iddo anfon dim ond 3s/6c (ni charwn ofyn am y llyfr yn ôl). Ni ddaeth dim oddiwrtho. Rhoddais ar yr amlen, 'If not delivered, please send it to *Carneddog*, *Bedd Gelert*'. Ni ddaeth y llythyr yn ôl i'r Carneddi eto, felly, mae'n *rhaid* ei fod wedi ei gael. Yr wyf wedi gwario gryn swllt o stampiau hefo'r ———! Holais Ariander Hughes, Llanberis, J. G. Thomas, ('Jo') Cwm y Glo, Josiah Wms. a Brothen, Pwllheli, i ofyn ai hwy roddodd ei enw i mi, ond nid oedd *yr un* yn gwybod dim am dano.

Ddoe, pan oedd Hywel yn troi llond bocs o lythyrau, a llawer oddiwrthyt ti, dyma fo yn gweld enw *Mr Robert Wms, 25, New Street, Seacombe, Cheshire* fel *yr enw cyntaf a roddaist ti i mi*. (Mae o fy mlaen yn awr) ac enw Mr Percy O. Jones, Swyddfa'r Dinesydd, Caernarfon, ar ei ôl. Pwy yw y gwalch? A yw yn fyw? Mae'n *rhaid* ei fod. Yn awr, Walter annwyl, gwna gymwynas cownslar â mi. Anfon ato, a myn gael yr arian i mi. Cei dynnu pres y *stamps* o'r bil. Mae llawer wedi gwneud fel hyn i mi hefo 'adar duon' eraill, ac wedi llwyddo. Ni wnaiff fy ateb i. Y drwg yw, mae wedi cael y llyfr – *am ddim*!! Nid yw hyn yn fusnes o gwbl. Pwy gebyst ydyw, dywed? Gwna dy oreu i mi hefog ef, Walter bach, a chei fy mendithion, os y llwyddi i gael y pres ganddo.

Eisiau ysgriblio lot o bethau eto, ag oen llywaeth yn gorwedd wrth fy ochr. O ie, diolch i ti am y 'darlun' yn *Y Dinesydd*.[66] Ofnadwy. Chwarddant yn Stiniog.

Cofion fil,
Carneddog.

Bangor 5369, Cyfrol A, rhif 7

16

Y Felin, Llanllyfni
21 Mawrth 1928

Annwyl Gyfaill,

Blin iawn gennyf ddeall eich bod yn cwyno fel yna, ond hyderaf y byddwch yn well cyn y cewch hyn o lith.

Mae fy nghydymdeimlad â chwi yn yr achos a nodwch yn eich llythyr am y D.F. yr hen sgerbwd diawl iddo fo. Triniais gorff Glyn Llyfnwy a chefais dri a chwech o'i groen wedyn. Dyna i ti dynu mêl o nyth brân. Y mae gennyf rai eto heb eu cael, ond na phoenwch fe ddônt.

Am y brych o Seacombe, yr wyf yn anfon ato fo heddiw, a gellwch fod yn siŵr y bydd gennyf dri a chwech i chwi o fan honno hefyd. Bydd i mi anfon y gweddill cyn bo hir, neu deuaf â nhw yna os caf hamdden a thywydd. Rwyf finnau fel ci ffair. *Politics* i frecwast, *Politics* i ginio, brechdan driog i de, a *Pholitics* i swper, a chyn bo hir byddaf yn mynd o gwmpas yn *Political Sandwich.*

Rhoddais dro yng nghorn gwddf *politics* ddydd Llun er mynd i gladdu fy hen gyfaill William Morgan y Cenin, un o Seintiau'r Dyddiau Diweddaf, a mynd yn sgil ei gynhebrwng am dro i ardal fy mab-

66. Cyfeirio a wneir at golofn Gwallter (dan y ffugenw 'Largo') yn *Y Dinesydd Cymreig*, 29 Chwefror 1928, t. 6, 'Ein Cymwynaswyr'. Yr oedd y golofn yn rhan o gyfres, a'r ysgrif bortread ddigon cellweirus hon ar Garneddog oedd y seithfed. Dywed am ei gyfaill: 'Y mae'n ddewr fel llew, yn wyllt fel cacwn ac yn ddiniwed fel y golomen ac yn ffyddlon fel y ci . . .'.

oed. Cewch weld yr hanes, ynghyd â rhyw flodyn gwyw a geisia[is] blannu ar ei fedd yn y *Genedl*.[67] Wyddoch chi, bydd rhywbeth debig i hiraeth yn dod arnaf ar ôl bod am daith fel yna yn Eifionydd. Mae'n wir fy mod yn y gymdogaeth Sodomaidd yma ers blynyddoedd, ond y mae fy nghalon wedi glynnu yn Eifionydd, a phe digwyddai ffawd roddi imi ddigon o arian i retirio gwnawn hynny yn Eifionydd. Mae mwy o fiwsig i mi yn si tawel Dwyfach nag yn y London Symphony, a blodau grug y Foel yn dlysach na gerddi Buckingham Palace. Duw a'm helpo i yn gorfod byw yn nrysni byd rhodresgar, a phob hen garictor wedi mynd i ffordd yr holl ddaear.

Ddoe mewn sgwrs â Morgan Humphreys addewais sgrifennu rhyw ychydig am hen garictors Eifionydd pan ddaw hamdden, ond y mae'r *politics* ——— yma yn mynd â phob munud.[68]

Ofnaf fod rhyw lith ddisut fel hyn yn eich blino, ac mai gwell i mi roddi'm cân yn fy nghwd, a thrio sgrifennu'r drecsiwn.

Peidiwch poeni hefo'r Cerddi, daw pethau'n well yn y man – y llwynogod a ddelir y geifr a gyfrifir, a chewch weld wedyn y bydd gweddill da o ddefaid yn aros. Y mae amryw wedi bod yn gofyn i mi am gopiau, ac yr wyf yn cadw'r enwau'n ofalus, fel pan ddelo rhai eto o'r wasg y bydd gennyf archeb dda am danynt. Brysiwch fendio, a chofiwch fi at Mrs Carneddog, a'i siarsio gadw digon o fara a gwds te erbyn i mi ddod yna eto. Rhowch air drosof o ddymuniadau i Howel, a fy mendith i chwi i gyd.

Yn gywir,
Cofion fflamboeth,
Gwallter.

LlGC 7237D

67. Cyhoeddwyd teyrnged gan Wallter i William Morgan Williams, Y Cennin, yn Eifionydd, yn *Y Genedl Gymreig*, 26 Mawrth 1928, t. 4, lle y dywed hyn amdano: '. . . er na chafodd William Morgan gyfleusterau addysg ym more ei oes, eto yr oedd yn ŵr o ddiwylliant eang, y diwylliant hwnnw na chyfrennid mohono mewn ysgol na choleg, ond coleg anian.'

68. Edward Morgan Humphreys (1882-1955), y newyddiadurwr a'r llenor, a golygydd *Y Genedl Gymreig* hyd at 1930, gw. *BC(II)*, tt. 80-1; *Cyd*, tt. 347-8.

17

Y Felin, Llanllyfni
11 Hydref 1928

Annwyl Gyfaill,

Gwelais yn yr *Herald* heddiw eich bod yn sôn am un o'r enw 'Llyfni' a gafodd ddigon o ddewrder i gyhoeddi llyfr, ac mai brodor o Lanllyfni yw.[69] Ni wyddwn o'r blaen i ni yma fagu dewrion. Buaswn yn falch o wybod mwy o'i hanes, ac hefyd sut i gael gafael ar ei lyfr cerddi, er nad oes (yn ôl eich rhestr chwi) yr un o hen ganeuon Llanllyfni ynddo, eto byddai golwg arno yn fwynhad i mi. Ceisiaf y dyddiau hyn rhoddi hanes y plwyf wrth ei gilydd yn weddol drefnus. Yr wyf wedi bod dros fy mhen mewn hen gofnodion llwydion llychlyd, ag arogl corff arnynt, ond er wedi dod o hyd i lawer o bethau hwylus, anodd iawn ydyw cael gan y rhai a wyddant neu sydd ganddynt hen gofnodion eu rhoddi i fyny i waith fel hyn. Tybed a oes gennych chwi rhywbeth a deifl oleuni ar ddechreuad gwaith copr Drws-y-coed[?] Gwelaf oddiwrth hen gofnodion ei fod mewn bri mawr yn 1746 hyd tua 1779, ond nid oes gennyf fanylion pellach yn ôl na hynny. Cofier yr wyf yn fy nghyfyngu fy hun i blwyf Llanllyfni, ac hyd y gallaf ni chroesaf i Landwrog ond ar fy ngwaetha. Posibl y ceir peth o'r gwaith yn y *Llan*, newyddiadur yr Eglwys.

A ydych yn meddwl fod yma rhyw fath ar eglwys cyn i'r hen Sant weld ei ffordd hyd yma tua channol y bumed ganrif?[70] Y tebyg yw fod y Prydeiniaid yn Gristionogion? cyn oes y Saint, ond a oedd iddynt fath ar synagogau, neu leoedd i addoli? A wyddoch chwi am rhyw lyfr ar hen grefyddwyr Cymru a'u crefydd? Tybed a oes gan Bob Owen air i ddweud ar fater fel hwn?[71] Carwn wybod pa help a all o

69. Soniai Carneddog yn y 'Manion o'r Mynydd', *Yr Herald Cymraeg*, 9 Hydref 1928, t. 2, am lyfr a dderbyniodd gan ei gyfaill, sef T. H. Williams (Llyfni), pensaer o Utica, talaith Efrog Newydd, 'Brodor medrus, llengar, cerddgar, a gwladgarol, o Lanllyfni . . .'. Gw. llythyr rhif 18 n. 80 isod.

70. Sant Rhedyw, nawddsant eglwys Llanllyfni. Ceir teipysgrif wedi ei rhwymo o dan y teitl 'Hanes Llanllyfni' ymhlith papurau Gwallter, gw. Llawysgrif Bangor 5362.

71. Bob Owen, Croesor (1885-1962), yr hanesydd a'r llyfrbryf diarhebol, gw. *BC(II)*, tt. 154-5; *Cyd*, t. 560.

roi i mi ynglŷn ag addysg fore y lle yma. Hyd yn hyn nid wyf wedi gallu olrhain ysgol o fath yn y byd yn y lle yn gynharach na thua dechreu'r ddeunawfed ganrif. Caf nodiad am un John Jerman athro Ysgol Gymraeg yn 1767.[72] Caf fod yma liaws o Delynorion tua'r un adeg, ac yr oedd yn byw yn y Felin yma Delynores o'r enw Mari Jones, a'i gŵr yn ganwr penillion go dda, ond efallai yn well melinydd tua'r un adeg.[73]

Gresyn na chawsech weld y domen fachgen, mae yn rhyfeddol. Bwriadais ddod yna ymhell cyn hyn am dro, ond y mae arnaf ofn fod odfa ola'r haf wedi mynd heibio, ac na chaf gyfle eto hyd oni ddelo gwenau Gwanwyn. Pe bawn wedi gwybod am ffair y Bedd buaswn wedi dod y pryd hynny. Rwy'n gythral am ffair.

Prin mae debyg y gellid disgwyl i hen Fethodist mawr fel y chwi i wastraffu eich ceiniog neu ddwy ar bapur fel y *Llan*, felly ni chewch weld fy nhipyn truth am yr hen le yma, ond rhag ofn y carrech ei weld anfonaf i chwi pryd y bydd y bennod gyntaf yn dod allan.[74]

Posibl eich bod yn gwybod am farw un o hen drigolion y Garn, ond wedi dod i fyw ers tro i Du Draw i'r Afon yr ardal hon, sef Mrs Humphra Roberts Ffridd Erwig gynt, yn 68 mlwydd oed. Gedy saith o blant a phriod. Cleddir heddiw yn Nhaiduon. Angladd gwadd, y Parch. T. M. Reed y Garn yn gwasanaethu.[75]

Os bydd i chwi ddod o hyd i rhywbeth fydd o gymorth i mi i orffen hanes y plwyf yma, byddaf wir ddiolchgar am dano yn no fuan.

Cyflwynwch fy nghofion yn garedig at y wraig, a Howell. Hyderaf eu bod yn dda eu hiechyd, a'ch bod chwithau yn weddol fel fy hunan. Efallai y caf eich gweled yn y Port rhyw dro.

72. Gw. Gwynfryn Richards, *A Fynn Esgyn, Mynn Ysgol: Datblygiad Addysg yn Nyffryn Nantlle*, Darlith Flynyddol Llyfrgell Penygroes, 1979-80 (Caernarfon, 1980), tt. 8-9.
73. Yn Llawysgrif Bangor 5363 dywed Gwallter fod Mari Jones y Felin, Llanllyfni, a briododd ag Efan Jones y melinydd yn 1749, yn delynores a oedd yn enedigol o'r plwyf.
74. Rhwng 14 Chwefror 1930 a 6 Mehefin 1930 yn *Y Llan a'r Dywysogaeth*, sef newyddiadur yr Eglwys yng Nghymru, yr ymddangosodd cyfres o un ysgrif ar ddeg gan Wallter ar hanes plwyf Llanllyfni o dan y pennawd 'Clirio'r Awyr'.
75. Ymddangosodd hanes ei chladdu yn 'Newyddion y Garn a'r Cylch' yn *Yr Herald Cymraeg*, 23 Hydref 1928, t. 5.

Rhof bellach fy nghân yn fy nghwd, a thawaf gydac anfon fy nghofion cywiraf atoch, a dymuno pob hwyl.

Yn gywir,
Gwallter.

LlGC 7237D

18

Cyfrinachol

Carneddi, Nantmor, Bedd Gelert
24 Hydref 1928

Annwyl Gyfaill,

Wel, 'rwy'n sicr fod Gwallter wyllt yn fy fflamio am fod mor hir yn ateb ei Epistol. Daeth ar amser drwg ofnadwy yn fy hanes.

Gwrandawa ar reswm, a hynny fel Cristion – er na fuost ar gyfyl capel ers 30 mlynedd! Anfonaist gryn 20 o gwestiynau pwysig, fel pe buaswn yn Broffeswr, neu Ddewin, a gofynaist am i mi eu hateb ar ganol helbul fawr hel y defaid, ac anfon 'y defaid cadw' i lawr gwlad Eifionydd – i 'Langybi lân', i bori'r gaeaf.[76] Bu raid i mi a Hywel fynd i rhywle bob dydd i hel, a gwylychu at ein croen. Felly y bu hi heddyw. Aiff y mamogiaid i Fwlch Plwm, Llanfrothen yfory. Ond yr wyf fi a Hywel wedi cael yr anwyd yn ofnadwy, ac aiff Wil Jones, Cwmcaeth, â hwynt yn ein lle.

Rhaid i ni gymeryd llefrith poeth a phwys o bupur ynddo wrth fynd i'r gwely heno. Dim chwisgi, brandi, rum, etc., i ni! Dyna i ti batrwm o grefyddwyr, machgian i!

Maddeu i mi, da chdi, am beidio mynd i'r parlwr i chwilota fy hen bapurau heno, gan fy mod yn sâl fel ci, ydwyf, yn wir.

76. Cofiai John Roberts Williams weld Carneddog yn gyrru defaid ar y lôn yn Llangybi pan oedd yn blentyn ysgol, ac yn Lôn-las, Llangybi, yr oedd defaid y Carneddi yn gaeafu, gw. y sgwrs radio 'A Place of Stones' yn John Roberts Williams, *O Wythnos i Wythnos* (Pen-y-groes, 1987), t. 118.

Paid â chyboli hefo dy hen seintiau, etc. Meddwl am y pethau presennol, pethau o fudd. Yr wyt yn ffwndro. Wyt yn wir. Dylai dy fath di bregethu Efengyl Crist, *ond nid* yn ôl dysgeidiaeth Tom Nefyn.[77] Beidio bod Bob Owen yn clywed, dywed?[78]

Wel, ni fedraf ateb dy gwestiynau. Maent yn rhy galed i mi. Hyn a wnaf – cadwaf at fy ngair, a *rhaid* i ti ddod yma yn fuan, am 'noson lawen'. Mae'r wraig a Hywel hefyd yn dy wadd.

Mae Dic wedi bod adref am fis o Coventry, ac y mae wedi bod yn paentio y tŷ, etc., yn barod i dderbyn 'pobol fawr'.[79]

Bydd y gwartheg a'r ferlan i mewn nos yfory, a chaf amser i ymgomio gyda'r nos, ac i lenydda a sgrifennu tan berfeddion o'r nos. Mae gennyf waith pwysig ar droed, sef treio ar Farwnad at y Nadolig.

Hel fy ngwaith barddonol i lunio llyfr swllt – awgrym Mr E. Morgan Humphreys, M.A.

Cei glywed a gweld y cwbl pan ddeui yma. Dyna fy nghyffes i ti yn blaen.

Pa bryd y medri di ddod yma? Anfon air, gael i ni aerio dy wely yn sicr, rhag ofn i Walter fynd i orffwys i Erw Llan Llyfni cyn gorffen ei waith.

Ni byddaf byth yn gweld *Y Llan*. 'Rwy'n ffrind â degau o hen Bersoniaid – rhai clên festiffol.

Cei gopi o 'Ganeuon Gwerin', Llyfni, yn anrheg gennyf.[80] Gwyddost yn iawn pwy ydyw, y cythraul drwg. Hen *foy* iawn. Anfonais ddarlun crand o 'Fedd y Ci', (*Gelert's Grove*) yn anrheg iddo.

Cawn hwyl pan ddeui yma.

77. Thomas Williams (Tom Nefyn, 1895-1958), a gyhoeddodd *Y ffordd yr edrychaf ar bethau* yn 1928 yn dilyn y gwrthwynebiad iddo fel gweinidog ar eglwys Ebeneser, y Tymbl. Yr oedd ei ddysgeidiaeth yn dra beiddgar ac anghonfensiynol y dwthwn hwnnw. Arno, gw. *BC(II)*, tt. 240-1; *Cyd*. t. 789.
78. Cyfeiriad sydd yma at y ffrae fawr a fu rhwng Bob Owen, Croesor, a Charneddog yn sgil helynt Tom Nefyn, gw. Bleddyn Owen Huws, 'Bob Owen y Blagardiwr', *Y Casglwr*, rhif 75 (Haf, 2002), t. 5.
79. Richard Morris Griffith (1897-1960), mab hynaf Carneddog oedd Dic, a gafodd waith fel peiriannydd yn Coventry ar ôl dychwelyd o'r fyddin yn 1918.
80. T. H. Williams (Llyfni), *Casgliad o ganeuon gwerin, Cymru ac America; a collection of American and Welsh folk-songs for field days, picnics, and banquets, etc*. (Utica, New York, 1928).

Anfon air bach yn fuan, a gweddia lawer.
A fuost ti yn diolch am dy fwyd eleni?

Cofion fil,
Yn bur,
Carneddog.

Bangor 5369, Cyfrol A, rhif 8

19

Y Felin, Llanllyfni
2 Tachwedd 1928

Annwyl Gyfaill,

Yn ddiweddar cefais afael ar lyfr Robert Ellis, hen glochydd Llanllyfni, ac fel y gwyddoch bu i mi 'sgrifennu peth arno i'r *Genedl* dro'n ôl, ac yr wyf wedi addo rhoddi darlith ar yr hen frawd yng Nghymdeithas y tair Eglwys yn ystod y tymor hwn. A siarad o ddifri rŵan, gwrando dithau. Po fwyaf a ddarllenaf arno, mwyaf yn y byd a welaf yn ei waith – y mae iddo rai llinellau anfarwol; a phan yn ei orau cân yn odidog ryfeddol, a gresynaf fod ei waith mor brin. Tybed a fuasai ei lyfr, pe yr ail argreffid yn cael ei werthu'n weddol? Cynnwys gerddi digrif, molawdau, englynion, emynau, a charolau campus. Tybed a oes gan ei wyres sydd yn byw yn rhywle ym Mryncrug ychwaneg o'i waith? A fuasech mor garedig ag anfon ati i ofyn trosof, ac i minnau wedyn gael barn Mri R. Williams Parry a J. E. Thomas ar y gwaith?

Buddiol fyddai cael barn un o'i berthynasau, ond nis gwn am yr un ond honno y soniasoch chwi am dani wrthyf. Anfonwch air iddi â diolch.

Efallai y deuaf y ffordd yna cyn diwedd yr wythnos nesaf, os iach a byw, a'r tywydd mewn trefn. Mae'n debyg ei bod yn oer felldigedig yna a'r eira ar yr Wyddfa, ond gwn fod congl glyd yn y Carneddi, a digon o dân i 'dwmno, a mwyn hedd dy annedd yna.

Parhaf i chwilio hanes yr hen Seintiau, ac efallai y byddaf finnau'n Sant rhyw dro. Rhowch wybod i mi beth fydd yr hogan honno o Fryncrug yn ddweud cyn bo hir.

Cofion cynnes at bawb,
Yn gywir,
Gwallter.

LlGC 7237D

20

Y Felin, Llanllyfni
12 Tachwedd 1928

F'annwyl Gyfaill,

Anfonaf y legins yn ôl rhag ofn y bydd arnoch eu heisiau ar y tywydd mawr yma.

Cadwasant fi yn sych fel y garthen y Sadwrn, neu buaswn yn wlyb iawn wrth stagro drwy y dŵr i lawr yr ochr yna.

Anfonaf lythyr hwy cyn bo hir, rhaid i mi frysio heddiw i ddal y Post.

Hyderaf eich bod oll yn iawn, ac i Carneddog gael hwyl wrth wrando Cynan ddoe.

Yn gywir iawn,
Cofion cu, a diolch ganwaith,
Gwallter.

LlGC 7237D

21

Y Felin, Llanllyfni
19 Tachwedd 1928

Annwyl Gyfaill a theulu,

Peidiwch chwi â meddwl mai ddoe (ddydd Sul) yr ysgrifenais i y llythyr hwn, nage wir, yr oeddwn yn rhy sâl i wneud dim o'r fath beth ddoe, ond yr wyf yn well heddiw, er mae'n debyg na fydd i mi fynd rhyw lawer o'r tŷ am rai dyddiau. Sut hwyl sy arnoch chwi?

Pe buasai'r tywydd yn ffafriol y Sadwrn o'r blaen, ac i ninnau fod wedi mynd i ffau Bob Owen, ni fuasai adref, a buasem ninnau wedi cael siwrnai seithyg. Cefais air oddiwrtho pa ddiwrnod.

Anfonais yr englynion i Canwy, a fy mendith hefo nhw, a waeth i mi roi y pennillion hyn ar gyfer Penmorfa yn y llythyr hwn na pheidio, gan y byddwch yn sicr o wybod pwy a'u piau, ond gwn na fydd i hynny beri i chwi wneud cam â'r un cystadleuwr a all fod yn well na mi.[81] Onibai fod gennyf ffydd yn eich dynoliaeth ni buaswn yn anfon o gwbl.

Yr wyf wedi penderfynnu dwyn allan gyfrol o delynegion, a darnau i blant. Ei bris fydd swllt. Argreffir yn Swyddfa'r Dinesydd, a disgwyliaf y bydd allan erbyn y Calan. Faint o gopiau allaf anfon i'r Carneddi? I ddilyn hwn bydd gennyf gyfres o straeon i blant, llyfr swllt arall, yna casgliad o gerddi, englynion, carolau, a rhigymau wedi eu casglu yn y gymdogaeth hon, cyfrol swllt.

Gyda golwg ar eich llyfr swllt chwi, awgrymaf i chwi anfon am eu pris o Swyddfa'r Dinesydd, ac yr wyf bron yn sicr y bydd iddynt fod yn rhatach, ac yn well na Gee. Triwch nhw. Nid wyf fi yn rhoddi clawr caled ar y llyfr, ac nid papur yw 'chwaith, rhywbeth gwell na phapur heb fod yn lledr, gyda darlun ar y wyneb yr un ag oedd ar wyneb y llyfr cyntaf a argraffwyd yn y Gymraeg.

Y mae'r tywydd wedi troi fel na bydd obaith i mi gael mynd i grwydro rhyw lawer hyd ddechreu'r Gwanwyn, os y caf fyw hyd

81. Yr oedd J. H. Williams (Canwy) yn feirniad y cystadlaethau barddonol yn Eisteddfod Flynyddol Beddgelert ar ddydd Nadolig 1928, a Charneddog yn feirniad y cystadlaethau barddonol yn Eisteddfod Penmorfa, eto ar ddydd Nadolig 1928.

hynny. Swatiwch chwithau yn y gongol yng Ngharneddi nes delo tywydd braf.

Hyderaf i chwi gael y legins yn ddiogel, ac y caf air cyn bo hir i ddweud hynny.

Maddeuwch lythyr byrr y tro hwn gan nad wyf yn teimlo hanner da. 'Yr ysbryd sydd barod ond y cnawd sydd wan'.[82]

Cofion cynnes iawn atoch oll,
Yn gywir,
Gwallter.

LlGC 9659D

22

Y Felin, Llanllyfni
29 Tachwedd 1928

Annwyl Garneddog,

Diolch yn fawr am yr epistol a 'sgrifennwyd ar y Sul. Yn gyntaf oll, rhowch eich calon yn ei lle. Gellwch fod yn berffaith dawel na fu i chwi frifo dim ar fy nheimladau, ond yn hytrach i'r gwrthwyneb. Dyddiau hapus iawn a dreuliais yna, ac onibai y byddwn yn beiddgar gymryd mantais ar eich caredigrwydd chwi a Mrs Gruffydd a Hywel buaswn yn gwadd fy hunnan yna eto, a dweud y gwir os caf fywyd tan yr haf, 'rwy'n sicr o ddod.

Darllenwch hwn yn uchel, ac yn bwysleisiol i *Catrin* a Hywel.

NID GŴR HAWDD EI DDIGIO NA'I DRAMGWYDDO Â MANION HWYLIOG RHWNG DIFRI A CHWARAE YDYW GWALLTER, OND UN A YSTYRIAI EI HUN YN DDIGON YSTWYTH I DDERBYN POB GAIR DONIOL AM EI WERTH. Ond dyna ben ar hwna.

Gadewch i mi 'sgrifennu fel dyn o fusnes rŵan. Cymellwyd fi droion i gyhoeddi cyfrol fechan o delynegion a darnau bychain i blant, ond nid un o 842 o dudalennau 'chwaith. Clywais ddywedud gan y rhai gynt, 'Os am brofi beth yw gwir edifeirwch cyhoeddwch

82. Gw. Mathew 26.41.

lyfr Cymraeg', a bu i hynny fy nghadw rhag anturio, ond wedi sgwrs â chyfeillion penderfynnais gael y profiad hwnnw, a ffwrdd â mi i ddechreu ar y gwaith o gasglu ynghyd y defnyddiau. Y lle cyntaf i fynd iddo oedd Swyddfa y Dinesydd, ac yng nghwrs pethau gofynais a fuasent hwy yn ymgymeryd â chyhoeddi peth felly, ac os y buasent faint fyddai y pris am fil o gopiau mewn rhwymiad gwell na rhwymiad papur heb fod yn groen llo. Synnais yn fawr glywed y pris. Gweler hwnnw ar ddalen arall.

Pan y cewch gyfle, neu i chwi fynd yn bwrpasol i lawr i Gaernarfon a galw yn y Swyddfa, ac ond i chwi ddweud pa ddiwrnod deuaf yno i'ch cyfarfod, ac yna cewch ddewis yr amlen, a siarad yn gall â'r bobl yno. Gwelwch oddiwrth y ffigyrau nad yw y pris yn fawr, ac na phair ofn i neb sydd â chalon a thipyn o garreg ynddi.

Nos Fawrth yr oeddwn yn dweud tipyn am yr Hen Glochydd Robert Ellis o Lanllyfni wrth aelodau Cymdeithas Lenyddol y tair Eglwys, ac yn wir cefais hwyl anfarwol.[83] Chlywaist ti 'rioed fwy o amen y tu allan i gyfarfod gweddi yng nghannol y diwygiad, bu agos iddi fynd yn orfoledd pan oeddwn yn darllen rhai o'i garolau lle 'roedd yr hen fardd wedi rhoddi ffrwyn i'w ddychymyg. Darllenais hi i fy nghyfaill J. E. Thomas cyn mynd, a dyma ddywedodd y gŵr hwnnw: 'Ar bob cyfrif anfon hi i'r Athro W. J. Gruffydd i'w chyhoeddi yn *Y Llenor*'.[84]

Efallai mai felly fydd cyn bo hir, ond ar hyn o bryd yr wyf braidd yn brysur. 1af: Rwyf wrthi yn ceisio 'sgrifennu Rhamant 'Aeres y Pantdu'.[85] 2il: Ysgrif feirniadol ar ail Gerddi Crwys. 3ydd: Llunio telyneg 'Y Medelwr' ynghyd ag englyn, ac wrth gwrs baratoi y llyfryn i'r wasg. Ond disgwyliaf gael yspeidiau i drin gweithiau yr Hen Glochydd yn awr ac yn y man.

Pe bawn yn byw mewn unigedd buasai gennyf siawns, ond mewn lle fel hwn, er bod yr olwyn wedi peidio â throi, daw mil a mwy yma

83. Rhoddwyd hanes darlith Gwallter yn 'Llith Dyffryn Nantlle' yn *Yr Herald Cymraeg*, 4 Rhagfyr 1928, t. 5.
84. Cyhoeddwyd ei ysgrif 'Robert Ellis y Clochydd' yn *Y Llenor*, ix (Gwanwyn, 1930), tt. 47-55.
85. Cadwyd y stori deipiedig am aeres y Pant-du (14 tt.) yn Llawysgrif Bangor 5359.

i falu. Welsoch chwi 'rioed fath le ac sydd yn y Felin weithiau. Yn oes Morus Robert ceid rhynion yma, ond heddiw [e]isin sil a geir.[86]

Y mae yr anfarwol Bob Owen yn dod yma i draethu ar Forgan John Rhys ym mis Ionawr, ac y mae yma fwy na fy hunan yn edrych ymlaen at y wledd gymysg honno.[87]

Wedi anfon y penillion 'Bydd dyner o'r Aderyn' a mynd ati i'w hail godi i fy llyfr, gwelais yn union fel y gwelsoch chwithau ond penderfynnais eu gadael fel yr oeddynt, ond gan i chwi eu hanfon yn ôl wedi newid y rhan olaf, credais na fyddai yn rhyw ddiawledig o job i'w hail godi a'u hanfon yr eilwaith. Gwelwch i mi roddi dim ond dau bennill am y credaf ei fod fel hyn yn ddarn gweddol gyfa.

Rhyfeddaf fyth os y caiff wobr oddiar y darn bach arall, ond y chwi sydd i benderfynnu hynny, ac nid y fi. Diolch yn fawr am hwn. Atebaf eich llythyr ar bapur arall.

[Ar ddalen ar wahân]

Pris mil o gopiau gydag amlen dda: –	£11-5-0	52 Tudalen
Eto: –	£20-0-0	98 " "

Cofier nad yw yr ail bris yna am 98 tudalen ond amcangyfrif o fy eiddo i. Posibl iawn mai llai fyddai pe y gwelech y bobl iawn.

Peidiwch â dangos hwn i neb, dyna'r pam yr wyf yn ei roddi ar y ddalen hon.

Cofion cynnes,
Yn gywir,
Gwallter.

LlGC 9659D

86. Morris Roberts (Eos Llyfnwy, 1797-1876), melinydd Llanllyfni a phrydydd.
87. Ysgrifennodd Bob Owen draethawd ar 'Morgan John Rhys a'i Amserau' ar gyfer cystadleuaeth yn Eisteddfod Genedlaethol Treorci yn 1928, ond ni chafodd y wobr gyntaf amdano. Dr Thomas Richards oedd y beirniad, a rhoes feirniadaeth gignoeth ar y traethawd, gw. Geraint H. Jenkins, *'Doc Tom' Thomas Richards* (Caerdydd, 1999), tt. 124-5. Cedwir y traethawd gwreiddiol yn Llawysgrif LlGC 10990C. Ceir englyn gan Garneddog i Bob Owen a'i ddarlith yn *OGG*, t. 67.

23

X *Llosga hwn* Carneddi, Nantmor, Bedd Gelert
2 Ionawr 1929

Annwyl Gyfaill,

Yn eistedd wrth danllwyth o dân coed yn sgrifennu rhyw naw neu ddeg o lythyrau at hen gyfeillion. Yng nghyntaf peth, dymunaf i ti 'Flwyddyn Newydd Dda', a mil ohonynt, a'r rheiny yn orlawn o bob bendithion. Mae'n resyn gadael *hen Sant* fel Gwallter heb fendithion.

Sgrifennais lythyr maith i ti rhyw dri diwrnod cyn y Nadolig, ond pwysai yr hen wraig yma, a Dic, arnaf i beidio â'i anfon i ti, a rhoddais ef yn y tân. Gwyddost y rheswm, a gwell bod yn glir.

Yr oedd saith o ddarnau adrodd gwirioneddol dda ym Mhen Morfa.[88] Cefais gryn dasg i'w barnu. Credaf i mi wneud cyfiawnder â phawb. Colli wnaeth Miss Evans, Cwmcloch, a rhai eraill, sy'n hen gyfeillion i mi.

Enillais ar yr Englyn ym Medd Gelert, ond nid ar yr un o'r ddau a deipiaist ti.[89] Gwnes un arall ar y funud ddiweddaf, ac aethum i'r Ysgol, er mwyn i Mr Wms (bachgen o Dal y Sarn) ei gopio i mi. Er fy nirfawr syndod, barnodd Canwy hwnnw yn oreu. Cei weled fy Englynion yn yr *Herald* nesaf.[90] Curais Mr Tom Lloyd (Llwyd Eryri) ac eraill.[91] Cyd-fuddugol fûm ar y Penhillion Coffa gyda rhai Miss Evans, Cwmcloch. Rhai cyffredin iawn yw rhai Miss Evans, ond yn bur deimladwy a hiraethus – fel gwaith merch. Caiff pawb eu gweled yn fuan gan eu bod am eu hargraffu, *a thawaf.*

Ces eithaf hwyl wrth lywyddu [...] gyda fy ymfflamychiadau, yr Englynion-annerch, a'r Ganig i 'Fedd Gelert'. Cei eu gweld yr wythnos nesaf.

88. Enillodd Gwallter y wobr gydradd gyntaf am gyfansoddi darn adrodd i blant o dan 12 oed, yn ôl yr adroddiad ar Eisteddfod Penmorfa yn *Yr Herald Cymraeg*, 1 Ionawr 1929, t. 8.
89. Cyhoeddwyd adroddiad Carneddog ar Eisteddfod Beddgelert yn *Yr Herald Cymraeg*, 1 Ionawr 1929, t. 8.
90. Ymddangosodd yr englynion yn y 'Manion o'r Mynydd', *Yr Herald Cymraeg*, 8 Ionawr 1929, ac fe'u cyhoeddwyd yn *OGG*, t. 21.
91. Tom Lloyd (Llwyd Eryri) o Benrhyndeudraeth. Gw. hefyd lythyr rhif 74 isod.

Gwelais dy enw yn beirniadu mewn rhyw gwrdd yna. Da iawn.[92]

Fachgen, ces lawer iawn o Gyfarchiadau y Nadolig a'r Calan yma – fwy nag arfer. Daeth rhai o Awstralia, Canada, yr Amerig, etc. Y mae y fath serch edmyglawn wedi cyffwrdd â thannau fy nghalon ryfedd.

Nid wyf wedi gwneud dim â Foyle's ynglŷn â *Cherddi Eryri*.[93] Yr wyf yn casglu 'Cerddi Cartre' o bob ardal, ac wedi llwyddo yn dda. Hwyrach y gwnaiff Foyle's brynu y llyfr yma, ond un sâl ofnadwy am bris ydyw. Caf weld rhywdro eto.

Nid wyf wedi gwneud cynnwys y llyfr arall i fyny eto. Am neidio ati. Caf siarad â thi eto ynglŷn â'r *Dinesydd*.

Mae dipyn yn rhatach na 'Gee & Son', ond caraf gael y print yn fân, i roi llawer ynddo. Hoffaf brin mân a chlir fel sydd yng *Ngherddi Eryri*. Yr wyf wedi cael pris Gee & Son.

A yw dy lyfr di yn no agos i fod yn barod? Ofnaf mai un bychan ydyw, os yw dan 60 o dudalennau. Maent yn edrych ar faint llyfr, yn gymaint â'r hyn sydd ynddo. Ai 1/-s ydyw? Wiw i Hywel gymryd llawer i'w gwerthu i ti – (Waeth i ti heb na fflamio) gan fod degau o'r hogiau allan o waith yn ardaloedd 'y Bedd' yma ers talm. Dyna'r gwir yn blaen. Methais â gwerthu yr un o'r Gân newydd 'Stars', o waith Mr G. W. Francis, (Foyle's) 2/-s.[94] Cymerais i un i'w rhoi *yn anrheg Nadolig*. Nid wyf gerddor, na Hywel.

Gwylia dramgwyddo. Mae'r gwaith o werthu llyfrau yn un caled ac anodd iawn y ffordd yma, ac y mae hynny yn fy nigaloni ynglŷn â'r llyfr nesaf. Wfftia rhai at fy nigywilydd-dra. Caf weld eto beth a wnaf.

---

92. Ceir adroddiad yn 'Llith Dyffryn Nantlle' yn *Yr Herald Cymraeg*, 1 Ionawr 1929, ar gyfarfod cystadleuol yn Neuadd Goffa Pen-y-groes pan oedd Gwallter yn beirniadu'r cystadlaethau canu.

93. Mae'n amlwg i Garneddog gynnig gwerthu *CE* i Gwmni Foyle's, Llundain, mor gynnar â mis Mai 1928, oherwydd ceir llythyr, dyddiedig 16 Mai 1928, gan John Hughes, rheolwr y cwmni, yn ymateb i gais Carn am bris ailargraffu, gw. LlGC 'Papurau Carneddog', C1. Erbyn mis Medi 1928 yr oedd Carneddog yn dweud mewn llythyr at John William Jones fod gormod o rwystrau ynghylch hawlfraint y cerddi iddo allu gwerthu'r llyfr i Foyle's, gw. LlGC 'Papurau J. W. Jones', rhif 3892.

94. *Stars: words & music by G. W. Francis*; arranged by O. W. Francis, Foyle's Welsh Depôt (Llundain, 1928).

Gwelais Bob Owen noson y Nadolig. Yr oedd ym Medd Gelert. Cariodd fi i Namor yn ei fotor.

Sut yr wyt ti, Walter bach, ar y tywydd oer yma? Yr wyf fi yn gampus. Mae gennyf wyneb coch fel tafarnwr y 'King's Head'![95] Bûm yn y Port ddoe ynglŷn â'r Trethiant Newydd.[96] Gormes ofnadwy, fachgen. Diolch nad oes gennyt dai! Maent yn gyrru pawb yn *Folsiefics* (A wyf wedi ei sbelio yn iawn, dywed?). Beirniad mawr Pen Morfa yn gofyn am help!

Wel, hen ffrind doniol a dawnus, a'r arch-leborun ffyrnig ac ——— (Dyfeisia be' sy'n odli hefo ffyrnig!), rhaid i ti ddod am dro i'r Carneddi eto. Yr ydym eill tri yn dy wadd. Cei ddigon o *ham & eggs*, ond dim cwrw – ac felly yn y blaen, ac yn ôl! Cei wely clyd, a phob croeso, a chei glywed y Ddyllhuan yn ochain 'Annwyd 'y nhraed! Annwyd 'y nhraed! Be na i? W! W! Be na i?' yn y coed yng nghefn y tŷ yma. Maent yn swnio yn enbyd y munud yma. Pwar ffrinds!

Yr ydym fel teulu yn cofio atat yn wresog. Gair bach yn ôl pan gei gyfle.

Yn bur,
Carneddog.

Bangor 5369, Cyfrol A, rhif 9

24

Y Felin, Llanllyfni
5 Ionawr 1929

F'annwyl Gyfaill,

A hi onid deg o'r gloch y dydd y derbynniais lythyr o'r Carneddi wele fi yn ei ateb, a phwy a wad nad wyf yn Gristion gloew. Prysuraf

95. Arferai tafarn o'r enw hwn fod ym mhentref Llanllyfni, gw. Marian Elias gol., *I Chicago'n Bymtheg Oed: Hunangofiant Ellen G. Evans, Llanllyfni* (Caernarfon, 1981), t. 8.

96. Trefnwyd cyfarfod cyhoeddus ym Meddgelert i gefnogi protest y Cyngor Plwyf yn erbyn yr hyn a ystyrid yn annhegwch arolwg y Cyngor Sir o brisiau tai ar gyfer pennu'r dreth leol, a rhoddwyd sylw i hyn mewn dau adroddiad yn y 'Manion o'r Mynydd' yn *Yr Herald Cymraeg* ar 1 Ionawr 1929 ac ar 8 Ionawr 1929.

ei ateb er cael dymunno o waelod calon gynnes Flwyddyn Newydd Dda i Garneddog a'i deulu dedwydd a charedig.

Bydd yn gythral o row ar Dic am wneud i ti losgi y LLYTHYR HIR cyn y Nadolig a 'sgrifennwyd i mi, ond ni ddwedaf air wrth y wraig rhag ofn.

Cefais 3/ Penmorfa yn saff a mi gwariais nhw yr un noson am ——. Gwelais hanes cyfarfod y Bedd, a da iawn oedd gennyf ddeall am y llwydd ddaeth i'th ran. Oedd yno lawer o englynion? Bydd yn dda iawn gennyf weld cynhyrchion Beddgelert, a phriodol iawn fyddai cael beirniadaeth Beddgelert a Phenmorfa yn yr *Herald*. Gwna fwy o les na llenwi'r 'Manion'. Dyro i ni y feirniadaeth.

Eithaf tawel y treuliais y Nadolig, ac yn ôl fy hen arfer eis at fy nghyfaill J. E. Thomas i gael te prynhawn. Daeth yn ddrycin, a hwyliais adref i lechu wrth dân y Felin.

Gyda golwg ar y llyfr, yr wyf wedi ei gasglu ynghyd, ond rhaid iddo fynd tan lygaid barcutaidd J. E. Thomas cyn ei argraffu. Y mae Mr Tom Parry B.A., Caerdydd wedi addo 'sgrifennu Rhagair iddo.[97] Bu y gŵr da hwnnw a chyfaill arall yma ddydd Iau yn cael te, sgwrs a smoc, ond dim ———.

Heddiw cyferfydd y frawdoliaeth yn 'Hooson' Caerseiont pryd y ceir trafodaeth ar wahanol bethau yn gymysg â the a chacenau.[98] Yno bydd yr Hybarch Williams Parry.

'Rwyf wedi penderfynnu dwyn tri llyfr allan: 1af, Telynegion a chaneuon o eiddo fy hun. 2il, Cyfres o straeon anturieuthus ar gyfer bechgyn ysgol. 3ydd, Casgliad o englynion, cerddi, rhigymau, a hen benillion a gesglais yn yr ardal hon. Bydd y tri oddeutu 60 tudalen,

97. Ceir llythyr diddyddiad gan Domas Parry yn ymateb yn gadarnhaol i gais ar iddo ysgrifennu rhagair i gyfrol o gerddi yn Llawysgrif Bangor 5369B, rhif 68. Mewn llythyr arall, *ibid.*, rhif 69, mae'n diolch i Wallter am ei ysgrifau yn *Y Dinesydd Cymreig*, ac yn ei annog i gyhoeddi detholiad ohonynt: 'Hwyl ichwi ar farddoni a phopeth. O ie, peth arall. Onid peth doeth fuasai casglu ynghyd rai o'r ysgrifau ar gerddoriaeth a ymddengys yn y Dinesydd a'u cyhoeddi'n llyfr? Y maent yn wych, a buasent yn werthfawr iawn gyda'i gilydd . . .'. Gw. hefyd lythyr rhif 43 isod lle cyfeirir at Dom Parry.

98. Hooson's Café a arferai fod ar y Maes yng Nghaernarfon.

a'u pris yn 1/.[99] Nid wyf yn meddwl y gellir yn rhesymol ddisgwyl i bobl brynu llyfrau drud. Y mae cymaint o lyfrau drudfawr ar y farchnad na all y gweithiwr fforddio eu cael, a chredaf pe y gellid dwyn cyfresi o lyfrau rhad drwy'r wasg y byddai mwy o ddarllen ar y Gymraeg.

Duwch fachgen, tybed a fu i mi agor hen friw wrth sôn am Glefyd Stiniog? 'Roedd yna rhyw dinc o hiraeth yn ateb Eos Alltwen.[100] Os y gwnes mae'n wir ddrwg gennyf. Wyddwn i am neb oedd wedi marw o honno ond brawd fy nhad.

Pwy oedd y Bob Owen a welaist yn y Bedd a chanddo fotor? Rhaid ei fod o yn ŵr bonheddig taclus o rhywle, ac yn hen foi clên. Tybed ai Bob Owen yr arch chwilotwr ydoedd wedi llogi motor, a cheisio troi allan fel gŵr bonheddig?

Da iawn gennyf ddeall y'th fod yn *dda* dy iechyd. Buaswn yn licio gweld yr wyneb coch yna. Mae'n rhywbeth gweld wyneb tebyg i ŵr ——— mewn lle mor bell oddiwrtho â Nantmor. Go dda ynte?

Nid wyf wedi cael dim o ofidiau yr ad-drethu yma eto, ond yr oeddwn yn amau y byddid, wrth dynnu y dreth oddiar y tir, yn ei gosod ar ryw ysgwydd arall, ac y troiai yn fantais i dirfeddianwyr fel y gwelid yn eu hateb i gais Undeb yr Amaethwyr am ostyngiad yn y rhenti. Ni welaf fod i ni un siawns am ronyn o chwarae teg tra byddo y Ceidwadwyr wrth y llyw, ac fe ddylai gwŷr o ddeall wybod bellach nad oes wahaniaeth rhwng y Tori a'r Rhyddfrydwr ond ei enw. Ond pam sôn am bolitics?

Diolch yn fawr iawn iawn am y gwadd i ddod i'r Carneddi eto, ond yn wir i un â chorffyn mor fregus â mi rhaid fydd aros nes y lliniaro'r hin, neu efallai mai yng nghwmni'r Saint y byddaf cyn pryd, am nad oes yna ddim c———.

Yr oeddwn wedi arfaethu mynd i weld y cyfaill Bob Owen heddiw, ond daeth peth rhwystr, ac felly gohiriwyd hyd y Sadwrn nesaf. Mae

99. Gw. Llawysgrifau Bangor rhifau 5344, 5349, a 5350.

100. William Parry (Eos Alltwen) o Benmorfa. Ymatebodd Eos Alltwen i lythyr gan Wallter a gyhoeddwyd yn y 'Manion o'r Mynydd', *Yr Herald Cymraeg*, 11 Rhagfyr 1928, t. 2, lle dywedid y gallai'r Eos roi mwy o hanes am 'Glefyd Stiniog'. Cyhoeddwyd llythyr yn cynnwys ymateb yr Eos yn y 'Manion o'r Mynydd' ar 1 Ionawr 1929, lle cyfeiriai at y 'clefyd anaele' y bu farw ei frawd ohono.

yn oer erwinol yma heddiw, a'r gwynt oddiar y mynyddoedd claerwyn yn mynd hyd fy esgyrn. Fachgen mae'n anodd 'molchi na dim.

Yr oeddwn wedi addo canu un o Garolau'r Hen Glochydd yn y Llan yma'r Nadolig, ond ni fynnai ffawd, a chefais anwyd trwm, ac aeth y llais yngholl fel nad oedd wiw meddwl. Hen dro, ynte? Buasai hynny yn rhoi tipyn o glwt arnaf am beidio mynd yno'r Sul, a chawswn hawl y 'BYD' i fynd i'r nefoedd.

Beth am yr ysgrif ar gyflwr beddau'r enwogion yn ein Llannau?[101]

Llunia englyn i 'Gwm Dulyn' i mi. Cwm ydyw yng nghesail y Garnedd Goch a llyn ar ei waelod o'r hwn y diodir trigolion Dyffryn Nantlle. Cwm unig, tawel a phell, a chreigiau ysgythrog o'i gylch.

Dyma destunnau barddonol Nebo. Englyn, 'Y Chwarelwr' Gwobr 5/. Darn cyfaddas i'w adrodd i blentyn dan 15 oed wobr 10/. Beirniad Parch. W. Phillips, B.A. Gwyndy, Eglwysbach, Talycafn.[102] Os yn cystadlu teipiaf yr oll, a chynrychiolaf di yno.[103] Y cyfansoddiadau i fod yn llaw eu priodol feirniaid cyn Chwefror 23.

Mae hwn wedi mynd yn llythyr maith iawn, a byddi wedi blino ymhell cyn dod at ei ddiwedd, am hynny rhoddaf fy nghân yn fy nghwd yrŵan, gyda[g] anfon fy niolch, dymuniadau, a chofion caredig atoch yna i gyd. Cofiwch fi at Dic er nas gwelais erioed.

Yn gywir iawn,
Cofion fflamboeth,
Gwallter.

LlGC 7237D

101. Ymatebodd Gwallter i'r sylw a roes Carneddog i gyflwr beddau rhai o enwogion Cymru mewn llythyr, dyddiedig 14 Mai 1929, yn y 'Manion o'r Mynydd', *Yr Herald Cymraeg*, 21 Mai 1929, t. 2.
102. Gweinidog gyda'r Methodistiaid oedd y Parch. W. Phillips, a wasanaethai ym Meddgelert rhwng 1922 a 1928, ac yn Eglwys-bach, Tal-y-cafn, rhwng 1928 a 1938, gw. 'Mynegai Bywgraffyddol W. W. Price, Aberdâr' yn LlGC, cyfrol xxii, t. 60. Gw. sylwadau Gwallter amdano yn llythyr rhif 29 isod.
103. Nid yw enw Carneddog yn ymddangos fel cystadleuydd yn yr adroddiad ar Eisteddfod Nebo yn *Yr Herald Cymraeg*, 12 Mawrth 1929, t. 5.

25

X *Llosga hwn* C. Carneddi, Nantmor, Bedd Gelert
Nos Fercher, d.d. [Ionawr 1929]

Annwyl Gyfaill,

Newydd gyrraedd adref o'r capel, wedi bod i lawr yn gwrando ar bregeth sâl odiaeth, a hithau yn farug oer. (Preifat yw hyn i ti.) Ces fy siomi yn arw. Pregeth ar 'Ddirwest a phurdeb' oedd i fod, ond ni soniodd y pregethwr air am 'Ddirwest na Phurdeb' o'r dechreu i'r diwedd. Nis gwn beth oedd ei amcan. (*Llen*) (Y *Parch. J. Smith, Caeathro, ydoedd.*)

Yr ydym ni yn lled dda ein hiechyd. Sut yr wyt ti, Walter bach?

Preifat i ti eto.

Synnais fod pobl Nebo wedi gofyn i un fel y Parch. W. Phillips B.A., Eglwys Bach i feirniadu'r Englyn, etc. Nis gŵyr ddim am Englyn na Thelyneg. Gwelais ei waith pan oedd ym Medd Gelert. Un annoeth ydyw. Gallaf brofi hynny ynglŷn â *Cherddi Eryri*. Mae ei lythyrau gwirion gennyf.[104] Bron nad ysgrifennaf ar y mater, sef dewis un na chyfansoddodd Englyn erioed i feirniadu Englynion!

Wel, mae'n 11 o'r gloch y nos yn awr, fachgen, ac y mae'n noson oer iawn, er fod yma danllwyth o dân coed, a'r gath yn cysgu ar ben y popty haearn, yn y gwres! Meddyliaf am danat, tra Ddyllhuan yn swnio heno eto. Dyllhuan. *Tyllhuan* Walter yw!

Chwarddaf yn harti wrth dy weld o fy mlaen yn awr, yn dy siwt lwyd grand, yn edrych fel proffeswr economics!

Dacia, rhaid i mi fynd at fy nhestun heb ymdroi gormod hefo rhagymadroddi. Yr oeddwn i lawr heddyw yn yr Ysgol (ganol dydd) hefo Ned Davies, y Canwr, ac H. O. Wms, yr Ysgolfeistr.[105] Maent ar Bwyllgor Eisteddfod y Cymrodyr, a gynhelir yn Neuadd y Plwyf, Bedd Gelert, tua Gŵyl Dewi. Mae arnynt eisieu Beirniad Cerddorol *yn no*

104. Gw. LlGC 'Papurau Carneddog', G1313-14.
105. Hwynt hwy oedd ysgrifenyddion yr Eisteddfod. Prifathro ysgol Nanmor oedd H. O. Williams.

rad. Perasant fi i anfon atat *i ofyn a ddeuet ti am ddim*. Edrychais yn rhyfedd arnynt, ar Ned, yn enwedig.

Yn breifat i ti. Mae'n gywilydd iddynt ofyn i mi anfon atat *i wneud am ddim*. Ond yn awr, hen ffrind, gwrando, treia ddod yn no rad – cyn rated byth ag y medri. Rhaid iddynt gael gwybod cyn ddydd Sadwrn nesaf. Mae y Pwyllgor Mawr yn eistedd ym Medd Gelert i benderfynu pethau.

Cofia hyn, cei ddod yma i aros dros y Sul. Byddaf fi a Hywel yn yr Eisteddfod, a chei ddod i lawr hefo ni. Cei bob croeso yma. Mae Catrin yn dy wadd. *Labour* ofnadwy ydyw, wedi i Walter ei hargyhoeddi.

X Yn ddistaw hollol i ti. Gwylia sôn dim wrth neb.

Ni fydd Catrin byth yn mynd i'r Capel. Ni fu i lawr drwy'r giât haearn, ar derfyn y Carneddi, ers blynyddoedd. *Gwnâi wraig iawn i Walter*!

(*Hyn i gyd i ti. Bydd yn ddoeth.*)

Wel, yn ôl at y testun mawr eto. *Rho bris rhad* iddynt. Cei fwyd yn y pentref am ddim, neu cei ddod *yma cyn mynd*, a chei fwyd iawn. Yna cei fynd i'r Bedd hefo mi a Hywel, a dod i lawr yma wedyn. Cei wely clyd, a digon o fwyd – a gwên a hwyl. Ysgrifenna yn fyr a chall i 'Mr. H. O. Williams, Glan Afon, Bedd Gelert, Sir Gaernarfon' *ar unwaith*. Gwna fel y caiff ei ddarllen yn y pwyllgor nos Sadwrn. Gwelaf Mr Wms a Ned Davies yfory eto.

Bydd yn Eisteddfod boblogaidd. Popeth yn agored i'r plwyf hwn. Y fi fynnodd ei chael felly i ddatblygu talentau lleol. Cyfarfod mawr yn dechreu 5 o'r gloch tan 9 neu 10 o'r nos ydyw. Felly yr oedd y llyncdd.

Maddeu fy ysgribl blêr. Mae'r cwbl 'ar redeg'. Cei lythyr eto. Anfon air bach i minnau hefyd. Cofia wneud yn rhad. Bydd yn anrhydedd i ti.

Cofion fyrdd,
Yn bur,
Carneddog.

[Ar gefn y tudalen olaf]

Pwysig. Wedi sgrifennu, dywed Hywel mai tua'r Pasg y bydd yr Eisteddfod. Cei glywed eto.

Cofia losgi hwn, rhag i neb ei weld ar dy ôl.

Ond, O! Walter bach *bydd fyw gan mlynedd eto*!

C.

Mr Elias Thomas, o Nebo, oedd yma y llynedd fel B[eirnia]d Cerddorol, ac Arfonydd yn arweinydd.[106]

C.

Bangor 5369, Cyfrol B, rhif 36

26

Y Felin, Llanllyfni
18 Ionawr 1929

F'annwyl Gyfaill, a theulu,

Yr eiddot i law y bore 'ma. Tosturiaf wrthyt am y siomiant a gefaist yn y capel, ond dyna sy i gael am fynd i leoedd felly. Da gennyf ddeall eich bod yn iach yna, ac yr wyf finnau yn eithaf, er y gallwn fod yn well. Noson go symol a gefais nos Fercher, ond yn iawn heddiw, hynny yw, yn ddiboen.

Gwnes dy gais ynglŷn ag Eisteddfod y Cymrodyr, sef anfon telerau mor resymol ac y gall undyn wneud, sef dod am DDIM. Dyna i ti Gristion!!! Diolch am y gwahoddiad yna i fwrw Sul. Deuaf, ond paid ti â gofyn i mi fynd i'r capel, os na bydd yno rhywun fel Cynan yn pregethu, a bydd un waith yn ddigon i hwnnw hefyd. Mae Catrin yn llawer callach na'i gŵr.

Ni wyddwn pan yn sôn am Eisteddfod Nebo mai Phillips Beddgelert oedd eu beirniad, ac os na ŵyr ddim am y gwaith, rhesymol iawn fyddai codi'r llen ar ei hanes. Y mae gormod o'r geriach yna yn mynd o gylch y wlad i feirniadu na wyddant ddim am y gwaith. Rho sgwrfa dda yn yr *Herald*, a chei gymorth Gwallter wedyn.

Y Sul diweddaf bûm hefo yr arch-chwilotwr Bob Owen yng Nghroesor, a chefais groeso mawr. Hen foi clên ydi Bob, ac yn wir

106. Elias Thomas (1891-1970), prifathro Ysgol y Cyngor, Nebo, Sir Gaernarfon. Yr oedd yn fab-yng-nghyfraith i Arfonydd (gw. llythyr rhif 1 n. 6 isod).

hogan ddymynnol yw ei wraig hefyd. Garedig dros ben. Fy mendith iddynt. Bûm yn chwilota yn ei 'dragwyddol' lyfrgell am hanes Llanllyfni ymhell yn ôl, a chefais gryn oleuni ar gyfnod oedd yn dywyll iawn i mi, ond nid wyf wedi cael y cwbl o lawer, a rhaid fydd i mi fynd yno eto.

Bu Bob Owen yma yn darlithio ar Morgan John Rhys nos Fawrth diwethaf, a chafodd hwyl dda iawn, ac yn ôl pob tebyg y caiff ddod eto cyn diwedd y tymor.[107] Bwriada ddod â llyfr allan o waith Owen y Garddwr, neu Owen Cawrdaf.[108] Y mae ganddo wmbredd o'i waith yn englynion, cywyddau, cerddi a chaneuon; rai yn dda iawn.

Araf iawn y mae hanes Llanllyfni yn mynd ymlaen hefo mi, ac nid wyf yn meddwl y bydd iddo weled goleu dydd yng ngholofnau'r *Llan*. Rhaid aros enyd wrtho.

Bydd raid i mi gael siwt newydd i ddod i Feddgelert, er bod yn fwy o swel na neb fydd yno. Watsia di dy hun y tro nesa y gweli Wallter.

Gaeaf eithaf gerwin ydym wedi ei gael, a da fod tân o goed i'w gael ymhenau'r mynyddoedd, a glo Fflint i minnau.

Cofia fi'n gynnes at y wraig a Hywel, ac os gweli'r Fodryb islaw'r Bont cofia fi ati. Am danat ti 'Ti wyddost beth ddywed fy nghalon'. Rhaid i mi dynnu pen ar y mwdwl yma, neu byddi wedi colli hynny o ras a feddi. Gwelais Eos Alltwen ddydd Llun. Hen foi clên, ynte[?]

Anfon air pan gei gyfle. Lle mae'r llyfr arni?

Cofion fflamboeth,
a chywir,
Gwallter.

LlGC 7237D

107. Cafwyd adroddiad yn 'Llith Dyffryn Nantlle' yn *Yr Herald Cymraeg*, 22 Ionawr 1929, t. 5, am ddarlith Bob Owen i aelodau'r dosbarth nos Cymraeg yn Llanllyfni, ac yr oedd Gwallter yn cael ei enwi fel un o'r ddau o aelodau'r dosbarth a wnaeth y diolchiadau.

108. Hyd y gellir gweld, nid oes dim o waith 'Owen y Garddwr' yn LlGC 'Papurau Bob Owen Croesor', ond y mae 'Llyfr Owen Morus y Garddwr, Caer, 1765' ar gael yn Llawysgrif LlGC 16049E. Y tebyg yw mai John Owen (Siôn Cawrdaf, 1792-1874) a olygid yma, sef y bardd a'r garddwr o Redynog Isaf ym mhlwyf Aber-erch, gw. Myrddin Fardd, *Enwogion Sir Gaernarfon* (Caernarfon, 1922), tt. 281-4.

27

X Llosga hwn X

Carneddi, Nantmor, Bedd Gelert
20 Chwefror 1929

Annwyl Gyfaill,

Wyt ti'n fyw, Walter bach, ar ôl y fath dymestl?[109] Maddau i mi am aros cyhyd heb anfon gair atat. Bûm i a Hywel yn brysur ofnadwy bob hwyrnos yn pastio *cuttings*. Mae yma lond bocsus yn aros eto. Hefyd, bûm yn llawn gwaith hefo'r sgrifennu yma.

Nid yw ysgrifau Bob Owen yn effeithio dim arnaf fi – yn hytrach daw yma fwy o hyd.[110] Nid oes arnaf ronyn o wenwyn at Bob.

Gwarchod pawb! yr oedd yn oer yma 'y noson fawr' a fu. Yr oedd eira i ben y tŷ, ond ni ddaeth dim i mewn, gan fod yma dŷ go glyd. Yr oedd llond y beudy o eira, a'r gwartheg yn methu deall beth oedd ar fod! Bûm i a Hywel wrthi yn cau bob twll hefo rhedyn, rhag ofn i ni gael colled. Ow! y defaid druain bach! *Un* oen gwan drengodd i mi. Mae'r lluwchfeydd yn domenydd enfawr o gwmpas yma, ond mae'n toddi heddyw – a diolch am hynny.

Yr ydym ni fel teulu yn no dda, a diolch i 'Arglwydd Dduw Rhagluniaeth' (Yr wyt ti yn credu fod Duw yn bod, onid wyt ti, Walter?) am ein cadw drwy'r storm enbyd.

Fachgen, dyma fi wedi cellwair hefo chdi, heb i'r wraig wybod. Dau bartner!

---

109. Cafwyd storm fawr o eira ym mis Chwefror 1929. Am atgofion am yr eira mawr, gw. T. Alun Williams, *Atgofion Uncle Tomos* (Caernarfon, d.d.), tt. 132-6. Ceir adroddiad hefyd am effaith y lluwchfeydd yn ardal Beddgelert yn y 'Manion o'r Mynydd', *Yr Herald Cymraeg*, 26 Chwefror 1929, t. 2.

110. Ar 7 Ionawr 1930, t. 3, yr ymddangosodd y gyntaf o golofnau Bob Owen, Croesor, yn *Y Genedl Gymreig* o dan y pennawd 'Lloffion Bob Owen – Helyntion Doe a Heddiw' ar y dechrau, ac wedi hynny 'Lloffion Bob Owen'. Yn ogystal â thrafod hen hanes, cynhwysai newyddion lleol o Groesor a Llanfrothen, cerddi gan feirdd yr ardal, a chyfrannai llawer o ohebwyr rheolaidd colofn Carneddog yn *Yr Herald Cymraeg* iddi hefyd.

Wel, 'Walter S. Jones, *ysw* (Gwallter Llyfni)' (fel y mae ar daflen Eisteddfod B[edd] G[elert]) daw'r adeg i ti ddod i'r Carneddi yn fuan eto.

Gobeithio na roir di i orwedd ym mhriddell Erw'r Felin Gerrig am un can mlynedd eto, beth bynnag![111]

Bydd yno waith mawr i ti. Bydd prelim. Paid â beirniadu yn rhy hir. *Gwylia ddigio*. Gwnei well busnes o lawer. Gwn am bobl B[edd] G[elert]. Un go hir yw dy bartner Cynfi hefo'r adrodd.[112] Hen foi clên a galluog hefyd.

'Rwy'n methu sgrifennu, fachgen. Ces bapur sâl y tro hwn gan bobl 'yr Herald'. Mae'r inc yn rhedeg. Oni fuasai yn gwneud hefo pensal las, dywed? Rhaid i mi brynu un y cyfle cyntaf.

Anghofiais ofyn, sut yr wyt ti? Gobeithio dy fod yn no dda. Cymer ofal, gael i ti ddod *i'r Bedd*! Trwy ba ffordd y deui di? A ddeui di yma nos Wener? Mae yma bob croeso i ti. Cei aros yma dros y Sul – hefo Catrin!!! Af innau i'r Capel i addoli.

Cewch chwithau ddarllen – Conan Doyle, Oliver Lodge, etc.[113] Mae yma ddigon o *ham & eggs* i ti. Gwylia ddod â *photel gwrw* hefo chdi. Cofia, yr wyf fi yn *frawd duwiol*.

Rhoddais dy bwt yn y 'Manion'.[114] Hwyrach y daw ateb. Nis gwn i fawr am Hywel Eryri. Onid un o Glynnog ydoedd?

Cawn siarad miloedd o bethau pan ddeui yma.

Heb orffen llunio copi'r llyfr byth. Ple mae dy lyfr di arni hi bellach?

Yr ydym ni eill tri yn no dda. Cryndod y galon yw y peth casaf sydd arnaf. Marw yn sydyn a wnaf. Yn gweithio gormod, rhwng pob peth.

---

111. O ran enwad, Bedyddwyr oedd teulu Gwallter, a chapel y Bedyddwyr yn Llanllyfni oedd ac yw Capel y Felin Gerrig.
112. T. Cynfi Jones (Cynfi), o Borthmadog, prifathro Ysgol y Cyngor Pren-teg.
113. Arthur I. Conan Doyle (1859-1930), llenor a chreawdwr y cymeriad ffuglen Sherlock Holmes, ac Oliver William Foster Lodge (1878-1955), bardd ac awdur.
114. Anfonodd Gwallter lythyr, dyddiedig 2 Chwefror 1929, i'w gyhoeddi yn y 'Manion o'r Mynydd' yn gofyn am wybodaeth am Hywel Eryri ymhlith pethau eraill, a chyhoeddwyd y llythyr yn *Yr Herald Cymraeg*, 19 Chwefror 1929, t. 2.

Byddi yma gyda ni yn no fuan. Cadwaf 'y Manion' tan hynny. Cofion fil, oddiwrthym fel teulu dedwydd.

Yn bur,
Dy ffrind cywir,
Carneddog.

Bangor 5369, Cyfrol A, rhif 10

28

Y Felin, Llanllyfni
23 Chwefror 1929

F'annwyl Gyfaill Duwiol,

Diolch i ti am yr epistol a ddaeth i law y bore 'ma, ac fel y gwyddost bellach mai fy arfer ydyw ateb (neu drio) pob llythyr pan y'i caf.

Cyn dyfod o'th lythyr yr oeddwn yn ofni'th fod o dan eira, fel llwdn blwydd – yn wir ni buaswn yn synnu pe clywswn fod holl drigolion bro'r Eryri tan gladd, gan faint y dymestl a ysgubai tros y wlad. Ni welais yn fy nydd y fath ystorm, ond diolch i wareiddiad cefais wylio'r eira yn chwyrnellu drwy ffenestr fy mwth heb achos mynd allan at fuwch, dafad na mochyn.

Mae 'Lloffion Ddoe' Bob Owen yn dda iawn, a gwerthfawr, ond nid yr un yw eich dull o 'sgrifennu. Gwyddost am y gwahaniaeth hwnnw sydd rhwng 'Torth Frith' a 'Phwdin Nadolig', gwneir y ddau o'r un defnyddiau, ond pobir un a berwir y llall, ac yn rhyfedd iawn ceir gwahaniaeth. Rhyw wahaniaeth felly sydd rhwng dy 'Fanion' di a 'Lloffion' B. Owen.

Da gennyf ddeall na chefaist fawr golled drwy'r ystorm, ond cofia o hyn allan, mai cyn yr ystorm y mae topio, a chau tyllau.

Deallaf fod testunnau'r Bedd o'r wasg. Pam na fuaswn i yn cael un? Wedi bod yn y Bedd, y tebyg yw y byddaf yn mynd i Aberystwyth am rhyw bythefnos, ag yna i Gaerdydd, a Chasnewydd, ond cawn weld.

Pwy yw y pero sydd yn beirniadu'r adrodd, Cynfi ydi o? Gelli fod yn dawel na byddaf yn hir yn beirniadu, er y gallaf ddweud ychydig o eiriau cyffredinol pan y codaf y tro cyntaf, ond wedyn byrr ie, byrr iawn.

Deuaf â phensal las i ti pan ddof yna (*sky blue*).

Pam yr wyt ti'n holi ffordd y deuaf yna? Oes arnat ti ofn i mi alw yn y Goat a lleoedd felly y sgrwb i ti? Ha, ha, ha.

Diolch lawer am dy wahoddiad yna nos Wener, ond paid â'm disgwyl y noson honno. Weldi di rŵan, caf fotor bore Sadwrn oddiyma i Ddrwscoed yna cerdded drosodd i Rhyd-ddu, a chaf fotor oddiyno wedyn i'r Bedd. Taith ddifyr os y bydd yn braf, os na fydd, af drwy Gaernarfon, a chyrhaeddaf y Bedd 2.30. Fydd hynny ddigon buan dywed? Os na fydd rho wybod.

'Rwyf bron â chael fy llyfr yn barod i'r wasg, bydd allan yn gynnar yn y Gwanwyn. 'Rwyf wedi bod yn brysur hefo rhyw fanion ar gyfer un neu ddwy o gystadleuthau. Wnest ti englyn i'r Chwarelwr? Ceisiais lunio englyn i 'Gwm Dulyn', a dyma fo. Beth am dano? 'Rwyf yn ei anfon i gystadleuaeth.

O gwm unig y mynydd – a'i gawg dwfn,
   Er gwg du tragywydd,
Dŵr glân rhad a dreigla'n rhydd;
Dawn briod yw i'n broydd.

Rhaid i mi roi fy nghân yn fy nghwd rhag ofn i mi dy flino ar fore dydd Llun, a thithau'n myfyrio'n ddwys efallai, ar y gwirioneddau a glywaist ar y Sul. Wyt ti'n cofio hanes y criw hynny ers talwm yn chwilio am yr Arch, a 'Clywsom am dani yn Ephrata, ni a'i cawsom ym meysydd y coed'.[115] Bydd wych fy nghyfaill, a chofia fi'n gynnes at y wraig a Hywel, caf eu gweld toc. Cofion fyrdd i tithau.

Yn gywir,
Gwallter.

LlGC 7237D

115. Gw. Salm 132.6.

29

Y Felin, Llanllyfni
19 Mawrth 1929

F'annwyl Gyfaill,

Diolch am Bostcard. Blin gennyf ddeall am eich gwaeledd yna. Cythral o beth yw y *Flu*. Cefais innau annwyd trwm, a bûm yn eitha sâl am spel, ond yr wyf yn iawn rŵan, er nad yw wedi llwyr gilio.

Credaf mai trwy Gaernarfon y bydd gorau i mi ddod i'r Bedd y Sadwrn, a chyrraedd rhyw dro wedi dau.

Cefais restr o'r testunnau gan y Scŵl 'na, ac yn wir y mae yn rhestr dda iawn, ond ei bod braidd yn hir. Bydd yno waith mawr, ac anodd fydd gorffen a chyrraedd y Carneddi cyn i'r ceiliog ganu fachgen, ond cei weld y bydd fy meirniadaethau i fel cathod Isle of Man.

Bûm yn eisteddfod Nebo lle 'roedd rhyw Mr Philips (fu tua'r Bedd 'na rhyw dro), yn beirniadu'r adrodd &. O bobol annwyl. Lle mae o wedi bod dwad? Corff y farwolaeth. Y beirniad mwyaf trychinebus a glywais yn fy oes. Ŵyr o beth yw englyn? Cefais ddwy wobr yma nos Sadwrn, y naill ar englyn i Gwm Dulyn a'r llall am ramant 'Aeres y Pantdu'. Deuaf â honno hefo mi y Sadwrn i ti gael ei chlywed.

Diolch yn fawr am y gwahoddiad yna dros y Sul. Ie wir gobeithio y bydd yn braf. Byddai tywydd fel yr ydym wedi ei gael yn ddymunol iawn i mi weld heirddion olygfeydd Eryri.

Cymer di ofal rhag cael anwyd ar ben yr hen un, gan fod perygl mawr yn hynny, a llawer o'r herwydd yn mynd i ffordd yr holl ddaear.

Cadwaf bob newydd hyd y'th welaf.

Cofia fi'n gynnes at y wraig a Hywel.

Bydd wych,
Cofion cywir,
Gwallter.

Nodiad: Gelli roddi'r englyn i Gwm Dulyn yn y 'Manion' os yn dewis.[116]

LlGC 7237D

116. Cyhoeddwyd yr englyn a geir yn y llythyr blaenorol yn y 'Manion o'r Mynydd', *Yr Herald Cymraeg*, 2 Ebrill 1929, t. 2.

30

Y Felin, Llanllyfni
Dydd Llun, d.d. [Mawrth 1929]

F'annwyl Gyfaill a Theulu,

Cyrhaeddais yn ddiogel erbyn te. Bu bron i mi golli'r motor cyn cyrraedd y bont, ond y fi oedd y cyntaf, a chefais rhyw ddeng munud yng Nghaernarfon.

Anghofiais fy nghetyn, hen dro ynte? Hefyd anghofiais y llythyr a gynhwysai'r englyn a olyga goron i mi. Wnei di ei bostio yfory neu drenydd er iddo gyrraedd y beirniad mewn pryd? Diolch yn fawr.

Dywed wrth y Sgŵl 'na am drefnu dau gyfarfod i'w heisteddfod y tro nesaf fel ag i'r beirniad gael gwell chwarae teg, yn gystal â'r plant.[117] Awgrymaf rhoddi cystadleuthau mewn darllen cerddoriaeth yn ddifyfyr i un, ac i bedwar neu fwy o leisiau, hefyd waith ysgrifen, e.e. cyfansoddi traethawd neu ysgrif fer ar fardd, llenor neu gerddor Cymreig, a chyfansoddi alaw ar bennill bychan, neu rhyw destun o werth arall.

Bydd yn bleser gennyf eu cynorthwyo mewn unrhyw fodd a allaf, ond iddynt hwy gydsynio i hyrwyddo a diwyllio plant y cylchoedd, ac y deuaf yna eto yn rhad i'w gwasanaethu o bydd yr amcan yn deilwng. Cefais fy moddhau yn rhagorol yn yr eisteddfod a phopeth, a dymunaf ar i ti gyflwyno fy niolch iddynt am eu croeso i mi, ac yn arbennig i deulu'r Carneddi am eu caredigrwydd a'u lletygarwch.

Dyma i ti stamp i roi ar y llythyr pwysig a gynnwys yr englyn.

Yn gywir iawn,
Cofion cu,
Gwallter.

LlGC 7237D

117. Ymddangosodd adroddiad ar Eisteddfod y Cymrodyr, Beddgelert, a gynhaliwyd ar nos Sadwrn, 23 Mawrth 1929, yn y 'Manion o'r Mynydd', *Yr Herald Cymraeg*, 2 Ebrill 1929, t. 2. Gwallter oedd y beirniad cerdd, ac mae Carneddog yn ei adroddiad yn cyhoeddi'r awgrym a wna Gwallter yn y llythyr hwn, a'r awgrymiadau yn llythyr rhif 32 isod, ynghylch cynnal dau gyfarfod y tro nesaf, a chael cystadlaethau'r plant yn y prynhawn.

31

X *Cymer ofal*, mae'r cetyn yn ddau ddarn. C.

Carneddi, Nantmor, Bedd Gelert
25 Mawrth 1929

Annwyl Gyfaill,

Da gennyf i ti gyrraedd adref yn ddiogel.

A ddarfu i ti sgothi llawer? Be gyth. oedd arnat ti a Hywel fore ddoe? Walter yn gadael ei getyn, a'i bowdwr coluddion, yn y tŷ, a Hywel yn gadael ei bwrs ar y ford, cyn cychwyn i Lanfrothen.

Caf swllt gan Ragluniaeth y Nef. Dyna i ti anrheg, machgen i? Mae'r Englyn wedi mynd i'r beirniad. Aeth Hywel ag ef i Lanfrothen ddoe.

Englyn go dda. Cei Goron, neu Gam. Gwelaf Wms y Sgŵl. Siaradaf ag ef *yn ddoeth*. Canmol y beirniaid *i gyd* a wnes i. Dyna'r peth goreu. Yr wyf yn ffrind mawr â Chynfi. Mae pawb *yn rhoi arno*, fachgen. Gresyn hefyd. Cest ti hwyl dda. Dyn busnes – llond ei ddillad newydd crand!

Yr wyt yn no lawn – cerddor, bardd, hynafiaethydd – a Christion!

Trengodd dau oen neithiwr. Hen dro.

Bobol annwyl! mae'n braf heddyw.

Dyma'r cetyn a'r powdwr yn y tin yma, Tin '*Wincarnies*'!![118]

Daeth tomen fawr o bethau yma heddyw. Mae Englyn 'Cwm Dulyn' yn mynd i'r *Meuryn* yn awr![119]

Brysia yma eto i wneud *tŷ cachu* i ni, Saer Coed![120] Gŵr Bynheddig!

---

118. Sef *wincarnis* yn Saesneg, gwin tonic. Am sylwadau ar Garneddog fel dirwestwr, gw. Dyfed Evans gol., *Bywyd Bob Owen* (Nant Peris, 1978), t. 90.
119. Robert John Rowlands (Meuryn, 1880-1967), golygydd *Yr Herald Cymraeg*, gw. *BC(II)*, t. 184; *Cyd*, t. 637.
120. Mae'n ymddangos i Gwallter adeiladu tŷ bach allanol yn y Carneddi. Cyfeirir ato gan Ruth Janette Ruck wrth sôn am y lle pan brynodd ei rhieni y ffarm yn 1945, gw. *Place of Stones* (London, 1961), t. 29: 'In the garden there was a sentry-box privy which none of us cared to approach.'

Mewn hwyl dda, ond yn dy fflamio hefo dy getyn a dy bowdwr! Cofion fil oddiwrthym eill tri.

Yn bur,
Carneddog.

Bangor 5369, Cyfrol A, rhif 11

32

Y Felin, Llanllyfni
27 Mawrth 1929

F'annwyl Gyfaill,

Nid rhyfedd i ti fy fflamio creadur anghofus fel wyf, ond go debyg ydyw Hywel hefyd gallwn feddwl. Diolch yn fawr am anfon y cetyn. 'Rwyf yn cael smôc y rŵan.

Diolch hefyd am anfon yr englyn. Adroddais o wrth J. E. Thomas, a R. Williams Parry neithiwr, ac yr oedd y ddau yn ei frolio, ond meddai Parry, buasai y ddwy linnell olaf yn well fel hyn:

A'i anwel sain hwylus sydd
Yn siarad dros y Werydd.[121]

'Rwyf yn anfon Dadl i Blant, a chwech o ddarnau cymwys i blant i'r un beirniad heddiw gan eu bendithio.

Clywais eu bod wedi dewis beirniad i Eisteddfod Nadolig y Bedd, ac hefyd i Benmorfa. Bachog iawn ynte? ond ni fyddi di waeth o drio puls Eos Alltwen, cfallai nad ydynt.

Gwnest yn iawn roddi geirda i feirniaid y Sadwrn. Beirniad da oedd Cynfi, ond ei fod braidd yn hir yn dweud ei stori, ond fel yna y mae 'heb ei fai heb ei eni'.

Gwnei waith buddiol o siarad yn ddoeth â'r Sgŵl 'na ynghylch yr Eisteddfod.

Fy hunan yr wyf yn awyddus iawn am weld codi safon yr Eisteddfodau bychain, a gwneud popeth a allaf i hyrwyddo y mudiad yn ei

121. Gw. llythyr rhif 35 n. 136 isod.

flaen. Colled anadferadwy i ddiwylliant Cymru fyddai colli y cyfarfodydd hyn, ac os rhoddwyd i mi dalent a all fod o wasanaeth yn y cyfeiriad hwn, dyledswydd arnaf ydyw ei harfer er budd eraill llai ffodus, a dyna'r pam yr wyf yn barod i gynorthwyo mewn rhyw fodd y pwyllgorau hynny sydd â'u hamcan i ddiwyllio yn hytrach na gwneud arian. Rhaid wrth arian mae'n wir, ond 'gwell dysg na golud' a gwn yn dda na ellir cario y gwaith ymlaen heb arian, ac mai calondid i bob pwyllgor ydyw cael tipyn o honynt wrth gefn.

Cais i'r pwyllgor wneud eu trefniadau yn gynharach, fel ac iddynt hwy gael mwy o hamdden i ddewis testunnau, ac i'r cystadleuwyr gael mwy o amser i baratoi. Pe buaswn yn adolygu cystadleuthau nos Sadwrn dyna fuaswn yn ddweud, fod rhy fychan o baratoad wedi bod, a thrwy hynny nid oedd gan y cystadleuwyr yr ymddiriedaeth honno ynddynt eu hunain fel ag i roddi eu gorau yn eu gwaith. Afraid disgwyl i gôr nag arall gymhwyso eu hunain i gystadlu mewn byr amser, ac yn sicr dyna un o wendidau amlycaf ein heisteddfodau heddiw. Ar ddalen arall rhoddaf rai o'r pethau garwn ddwyn i sylw y pwyllgor, a chei dithau eu trosglwyddo iddynt am eu gwerth. Bydd gennyf leinsiens motor beic cyn bo hir a deuaf yna am dro rhyw b'nawn braf.[122]

Y mae'r tywydd yn hyfryd dros ben heddiw eto, ag anodd cadw wrth y Teipar a'r haul yn gwenu, ond rhaid gwneud, mae gennyf lot o waith. Blin gennyf ddeall am dranc dy ŵyn, ond daw pethau'n well hefo'r tywydd.

Cofia fi'n gynnes at y teulu. Amgeuaf gludiad y cetyn.

Yn bur,
Cofion cynnes,
Gwallter.

122. Cyfeiriad yw hwn at y beic modur a brynodd gan R. Williams Parry, gw. Gwilym R. Jones, *Rhodd Enbyd*, t. 63: 'Fe werthodd [RWP] fotor-beic, y "Sun" enwog, i Wallter Llyfnwy. Ychydig iawn oedd o'n ei wybod am beiriannau, ond fe luniodd restr o wendidau'r motor-beic i Wallter ac ar ben y rhestr yr oedd y geiriau 'Diffygion ar yr *Haul*' – ond rhaid mai diffygion dychmygol oedd y rheini, a dweud y gwir, achos fe aeth yr hen fotor-beic fel bom am flynyddoedd.'

[Ar ddalen ar wahân]

AWGRYMIADAU

1) Trefniadau cynharach. Dylai y testunnau fod allan o leiaf bedwar mis cyn yr eisteddfod.
2) Cadw yr un rheol ac oedd gyda rhifau 12 i 16.
3) Rhoddi dau ddosbarth i ganu gyda'r delyn, hynny yw, rhai o dan 21 oed, a rhai dros hynny. Anheg ydyw rhoddi plant i gystadlu â rhai mewn oed, ac ni ellir fforddio eu gadael allan o'r gystadleuaeth ddiddorol a buddiol hon.
4) Ychwanegu cystadleuthau darllen cerddoriaeth byrfyfyr, dyweder
   (a) I un ddarllen darn ysgrifenedig, neu oddiar y Modulator, cyfyngedig i rai o 8 oed i 14 oed.
   (b) I bedwar rhodder darn byrfyfyr ysgrifenedig.
5) Dewis i'r plant lleiaf ddarnau allan o *Huw a Beti* neu rhyw lyfr cyffelyb.[123] Deallaf fod gan Mrs Thomas lyfr newydd o ganeuon i blant.
   Ni chredaf fod ein halawon gwerin cyhoeddiedig yn gymwys iawn i blant ifanc, hynny yw, gellir eu cymhwysach.
6) Ffurfio dau ddosbarth o 14 oed i 16 oed yn ddau ryw, genethod a bechgyn. Mae'r bechgyn dan anfantais yn herwydd cyflwr eu lleisiau yn yr oedran.
7) Cadw y pedwarawd, a'r parti 16, gan ofalu peidio dewis darnau rhy anodd na rhy newydd, oni fyddo'r newydd yn ddarn melodaidd a chanadwy, ac o fewn cyrraedd cantorion lleol, ar yr un pryd geisio peidio dewis yr hen gyfarwydd.
8) Enwi'r unawdau yn y cystadleuthau i rai mewn oed hyd y gellir, neu yntau roddi rheol, na chaniateir canu yr un gân ag a ganwyd gan yr un cystadleuydd yn yr eisteddfodau blaenorol, hynny yw, na chaniateir i'r sawl a ganodd 'Telynau'r Saint' (W. O. Jones)[124] ganu honno y tro nesaf eto.

123. Lizzie Morris Thomas, *Huw a Beti: llyfr o ganeuon ac adroddiadau i blant bach* (Liverpool, 1925). Cyhoeddwyd gan yr un awdures *Y Plentyn a'r Wennol: llyfr o ganeuon ac adroddiadau i blant bach* (Wrecsam, 1924).

124. 'Telynau'r Saint: geiriau Cymraeg gan Bryfdir; English Words by J. N. Crowther (Glanceri); music by W. O. Jones' (Swansea, *c.*1919).

9) Dewis darn syml, heb fod o gylch eang i barti o feibion. Cadw o fewn cylch o F i'r bass isaf, ag A flat i'r tenor uwchaf, a'r un modd gyda'r côr cymysg.
10) Ychwanegu 'ysgrif neu draethawd byr' ar rhyw gerddor, llenor neu fardd Cymreig i rai tan 21 oed.
11) Cyfansoddi alaw ar rhyw bennill Cymraeg i rai tan 21 oed.
12) Cynnal dau gyfarfod er i'r beirniaid a'r cystadleuwyr gael gwell chwarae teg.
13) Sicrhau prydlondeb yn y rhagbrawfion, er i'r beirniaid gael clywed y rhan helaethaf o'r darnau.

LlGC 7237D

33

Llosga hwn.

Carneddi, Nantmor, Bedd Gelert
21 Mai 1929

Annwyl hen Gyfaill,

Diolch byth am dy lythyr.[125] Ar fin anfon yna i ofyn 'Be gyth sydd ar Walter?'. Y wraig a Hywel yn dweyd fy mod wedi cellwair gormod hefo ti.

Gwrando 'rŵan, fel Cristion – Chest ti'r un llythyr wrthyf rhyw dair wythnos yn ôl? Dywed y gwir. Anfonais un i ti ar ffrwst a rhoddwyd ef i'r eneth sy'n cario y post. Yn ddistaw i ti, mae'n colli llythyrau o hyd. Cafodd Hywel ddau o'r caeau yma. Ni charaf wneud drwg iddi. Mae'n hogan neis, a'i mam yn wael. Ni soniais ddim am y peth wrthi.

Go symol yw Hywel o hyd, yn methu cysgu. Yn gweithio fel ——— ac yn blino yn arw bob nos.

125. Cyhoeddwyd llythyr gan Wallter, dyddiedig 14 Mai 1929, yn y 'Manion o'r Mynydd', *Yr Herald Cymraeg*, ar 21 Mai 1929, t. 2, yn galw am lanhau a thacluso beddau rhai enwogion fel y Parch. John Jones Tal-y-sarn, er mwyn i blant Cymru gael parchu cewri'r gorffennol a dysgu mwy am eu hanes. Gw. hefyd y cyfeiriad at yr 'epistol blêr' yn llythyr rhif 40 isod.

Gwelais hanes mawr y Person yna. Sydyn, ynte?[126] Hen foneddwr go lew, meddir.

A wyt ti wrthi hefo'r Etholiad?

Pryd y doi di yma eto? Cei wely clyd, a digon o fwyd, a chei ddigon o le i weddio o dan y clogwyni yma, a'r gog yn amenio i ti. Wyt ti yn no lew 'rŵan?

Maddeu fy sgribl. Da gynddeiriog gennyf na ddigiaist. Cas gennyf dorri â hen ffrindiau. Poenaf yn enbyd.

Cofion fil,
Ar ffrwst,
Carneddog.

Bangor 5369, Cyfrol A, rhif 15

34

Y Felin, Llanllyfni
22 Mai 1929

Annwyl Gyfaill Mwyn, a theulu,

Diolch am dy lythyr heddiw. Y munud yma y deuais adref o Fôn dirion dir. Yn wir, yn wir y meddaf i ti, ni chefais lythyr oddiwrthyt er ys gwn i pa hyd o'r blaen.

Gofyni i mi wrando arnat fel Cristion. Yn enw'r Duwiau, sut y gallaf wrando ond fel Cristion? Oni wyddost ti fy mod yn mynd o amgylch gan wneuthur daioni? A phwy ond Cristion fydd yn ateb llythyr ei gyfaill gyda'r troad. Er nad oes yn dy lythyr ond un gofyniad, ac yr wyf wedi ateb hwnnw, efallai mai diddorol fydd i ti wybod beth wyf yn ei wneud ar hyn o bryd. I ddechreu, bûm yng Ngŵyl

126. Parch. E. D. Lloyd, rheithor eglwys Llanllyfni, a fu farw mewn ysbyty yn Lerpwl, gw. 'Llith Dyffryn Nantlle', *Yr Herald Cymraeg*, 14 Mai 1929, t. 2. Yr oedd Gwallter a'r rheithor wedi bwriadu cyhoeddi casgliad o hen garolau, 'ond bu farw'r Rheithor cyn i ni gael dechrau ar y gwaith', meddai Gwallter yn Llawysgrif Bangor 5342.

Harlech ddydd Llun, a gwelais yno yr amryddawn Bob Owen, y wraig a Nanw.[127] Y tri yn iach a siriol, ac yn eu mwynhau eu hunain yng nghanu godidog y côr anferth ei rif. Y tywydd yn fendigedig, ac am a wn i na fûm i yn nes i'r nefoedd na byddaf byth eto. Ddoe (ddydd Mawrth) heliais fy nhraed hyd i Fodedyrn ym Môn i'r Eisteddfod, a chefais wledd o wrando meibion a merched yr Ynys yn morio canu.[128] Eisteddfod dda iawn. John Owen, Bodffordd, Môn, enillodd y gadair am awdl i'r 'Ysgubor'. Deuais adref heddiw, a rhaid i mi fynd i Nebo heno i siarad, a nos yforu af i Ddeiniolen a Dinorwig gyda'r un gwaith. Pregethu efengyl 'Bywyd gwell' i'r bobl. Dyna i ti waith Cristion.

Blin gennyf ddeall mai cwyno y mae Hywel. Tybed rŵan na fyddai newid awyr yn lles iddo? Anfon o i lan y môr yn rhywle am bythefnos neu fis. Nis gwn yn wir pryd y caf y pleser o ddod yna eto, gan fy mod wedi penderfynnu buldio 'hut' i fynd ar lan y môr ger Clynnog am yr haf yma, ond efallai y daw cyfle wedi'r lecsiwn i ddod am ddiwrnod, ond nid i aros noson. Diolch yn fawr am y gwahoddiad cynnes.

Byddaf yn gweld ambell un o dueddau'r Bedd yn fynych, ac yn wir y mae yr oll yn rhoddi geirda i mi fel beirniad. Mae hynny yn galondid mawr i mi. Gwnes fy ngorau, ac yn berffaith gydwybodol. Dof eto ond cael gwadd. Rhaid i mi dynnu pen ar y mwdwl yma, neu cei gur yn dy ben.

Gobeithio y'th fod mewn iechyd iawn, a'r wraig hefyd. 'Rwyf fi yn well nag y bûm er ys tro. Paid â bod yn hir cyn anfon gair i mi. Byddaf yn falch iawn o lythyr gan hen gyfeillion bob amser. Cofia di rŵan.

Yn gywir iawn,
Cofion cu,
Gwallter.

LlGC 7237D

127. Cynhelid gŵyl gerddorol flynyddol yng nghastell Harlech yn y cyfnod hwn, gŵyl a sefydlwyd yn wreiddiol yn 1867. Ceir adroddiad arni yn *Yr Herald Cymraeg*, 28 Mai 1929, t. 4. Nel oedd gwraig Bob Owen, a Nanw oedd eu merch.

128. Ceir adroddiad ar Eisteddfod Gadeiriol Môn, Bodedern, yn *Yr Herald Cymraeg*, 28 Mai 1929, t. 6.

35

X Llosga hwn X

Carneddi, Nantmor, Bedd Gelert
6 Mehefin 1929

Annwyl Walter,

Diolch am dy lythyr. Sut yr wyt ti yn awr? Mae'n debyg dy fod yn gorfoleddu fod y *Labours* yn uchaf.[129]

Beth a wna y Rhyddfrydwyr (Parti Lloyd George)? A noddant hwy y *Labours*, (neu'r Sosialiaid!)[?] Damnia nhw! Hen dro i Valentine gael cyn lleied.[130] Gwnaeth rhai gwirion ddrwg enbyd iddo. Yr oedd eu lol enllibus yn ffyrnigo pawb yn eu herbyn. Valentine ei hun oedd y doethaf.

Ni chlywais 'Hogiau Tal y Sarn'.[131]

Goronwy Owen oedd [dewis] pobl plwyf Bedd Gelert bron i gyd, a chall oedd bod yn ddistaw.[132]

Sut na fuasai R. T. yn dod i'r Bedd, dywed?[133]

Siomedig iawn oedd George, meddir, a golwg luddedig arno.[134] Chwarae teg iddo, mae'n siaradwr campus, a swyn angerddol yn ei bersonoliaeth, neu yn ei olwg urddasol.

---

129. Ar ôl yr Etholiad Cyffredinol ar 30 Mai 1929, y Blaid Lafur a ffurfiodd lywodraeth pan ddaeth Ramsey MacDonald yn Brif Weinidog am yr eildro.
130. Lewis Valentine (1893-1986) oedd ymgeisydd seneddol cyntaf Plaid Genedlaethol Cymru pan safodd yn etholaeth Arfon yn 1929 gan ennill 609 o bleidleisiau, gw. *Cyd*, t. 745, a hefyd Arwel Vittle, *Valentine: cofiant i Lewis Valentine* (Tal-y-bont, 2006).
131. Disgrifir Gwilym R. Jones, Mathonwy Hughes ac W. J. Davies fel 'tri chyfaill diddan o Dal-y-sarn' yn *Y Ddraig Goch* ym Mehefin 1929, a'r tebyg yw mai atynt hwy y cyfeirir yn y fan hon. Yr oeddynt yn ymgyrchwyr brwd dros y Blaid ac anerchent mewn cyfarfodydd cyhoeddus yn ystod yr ymgyrch etholiadol.
132. Goronwy Owen oedd Aelod Seneddol Rhyddfrydol Sir Gaernarfon, ac ailetholwyd ef gyda mwyafrif o 3640 o bleidleisiau dros yr ymgeisydd Llafur, Robert Thomas Jones, yn etholiad 1929.
133. Ymgeisydd y Blaid Lafur oedd Robert Thomas Jones ac un o arweinwyr yr undebau llafur yng ngogledd Cymru. Bu'n Aelod Seneddol dros Sir Gaernarfon yn 1922-3.
134. At David Lloyd George y cyfeirir, sef yr Aelod Seneddol dros Fwrdeistrefi Caernarfon.

Siarad yn no sâl yr oedd R. T. J. mewn rhai mannau, medd rhai o'i bleidwyr pennaf. Dylech ei newid. Yna byddai *chance* da i chwi. Dyna'r farn gyffredinol. (Preifat i ti yw hyn. Mae'n hen *foy* clên iawn.)

Ni fûm i yn benboeth o gwbl. Cerddais i'r Bedd. Cariwyd fi i lawr gan y Librals!!! Yr oedd y *Tories* yn cario pawb. Digon o fotors ganddynt. Yr un gan y *Labours* yn y Bedd! Hen dro oedd hynny. *Fair play* i bawb!

Pryd y doi di yma eto? Carwn dy weld cyn y Cneua. Tyrd yma i ladd gwair, y cythraul. Dof i dy gyflogi fel pladurwr i 'Wlabsant Llanllyfni'![135] Tendia di dy hun, machgian i!

Beth am Englyn y 'Wireless'?[136] Twt lol, un da ydoedd. A gaf fi ei roi yn y 'Manion', a dy enw wrtho?[137] Ni wnaf *heb dy ganiatâd.* Sgrifenna di ef *yn iawn* i mi, os am ei gael.

Welaist ti 'Y Carneddi'? Canmol mawr arnynt, gan bawb, fachgen. Ie'n wir.[138]

Diolch am y glaw. Llwm iawn yma. Yn tyfu yn awr. Prin fydd y gwair yn y Carneddi. Pryd mae'r 'Gŵr Bynheddig' yn mynd i'w Blasdy i lan môr Clynnog? Gwyn dy fyd ti, Gwallter bach! Rhaid i Carn weithio o fore hyd hwyr.

Cofion fil,
Dy ffrind,
Carneddog.

Bangor 5369, Cyfrol A, rhif 12

135. 6 Gorffennaf yw dyddiad gŵyl fabsant Llanllyfni.
136. Cyhoeddwyd yr englyn canlynol gan Wallter yn y 'Manion o'r Mynydd', *Yr Herald Cymraeg*, 20 Awst 1929, t. 2:

'Y Radio
A thrydan chwim weithredydd, – hwn ydyw'r
Hynodol gamp-gludydd;
A'i anwel sain hwylus sydd
I siarad dros y Werydd.'

137. Ni chyhoeddwyd yr englyn yn y 'Manion'.
138. Cyfeirio a wneir at y penillion gan Wallter i'r Carneddi a gyhoeddwyd yn y 'Manion o'r Mynydd', gw. Atodiad V isod.

36

Y Felin, Llanllyfni
10 Mehefin 1929

Annwyl Gyfaill,

Diolch am dy lythyr ddiwedd yr wythnos. Yr wyf yn llawenhau ddarfod i Lafur gael y llaw ucha ar ddiawliaid yr oes, a gobeithiaf y bydd iddynt rhoddi gwell trefn ar y byd cyn bo hir. Tila iawn yw Plaid Lloyd George eto er cymaint o flodau 'addewidion' a ddanghosodd i'r etholwyr, a daw yr hen air yn wir 'Nid ag us y delir hen adar'. Y mae pob dyn call wedi sylweddoli na ellir rhoddi pwys ar ei addewidion. Gresyn oedd i Valentein ddod allan y tro yma. Nid yw'r wlad eto wedi ei haeddfedu i'w genadwri, ond yn bendifaddau yhi fydd plaid y dyfodol. Rhaid fydd i Gymru gael yr hyn sydd deg a chyfiawn oddiar law Lloegr.

Y mae llawer iawn mwy o angen 'newid' ar yr etholwyr nag ar yr Ymgeisydd tros Lafur yn ein Sir ni. Ond i beth y soniaf am bolitics mewn llythyr?

Diolch am y gwadd i ddod yna. Deuaf cyn bo hir. 'Rwyf wedi cael leinsiens ar y Motor Beic, ond paid â sôn am i mi dorri gwair bellach:

Fe fuom innau'n taflu'r 'gam',
Yn hoew lawer tymor,
Ond ar fy mhen dwed blodau'r bedd
Na thoraf wana'n rhagor.

'Rwyf wedi gorffen 'Y Nyth' i fynd i lan y môr fel gŵr boneddig, a chyn y Sul byddaf gerllaw Clochdy Beuno yn clwydo wrth fy hunan.[139] Caf yno hamdden a thawelwch i sgrifennu wrth fy mhwys.

Paid â chyhoeddi'r englyn am spel, rhag i bobl gofio mai un o'r colledigion fydd. Aros hyd ddiwedd yr haf.

Yr oeddwn yn meddwl mai mewn rhyw lyfr y byddai 'Y Carneddi'. Ia wir un go lew ydi hi.

139. Cododd Gwallter gaban pren fel hafdy iddo'i hun ar lan y môr ger Clynnog Fawr a'i enwi 'Y Nyth'.

Bydd yn werth i ti gymryd taith hyd yng Nghlynnog i ti gael gweld 'Gŵr Boneddig' iawn ar ei *holidays*. Cei y te gorau fu yn dy geg erioed. Tyrd am dro oddiar dy sedd yn y mynyddoedd, i ti gael adgyfnerthiad i'th enaid yn sŵn *Double Bass* Dafydd Jones.[140]

Byddaf wedi mynd i lan y môr cyn y caf lythyr oddiwrthyt eto, ac felly rhaid i ti gael y cyfeiriad, felly tro i'r ochr arall.

[Ar gefn y ddalen]

Y Nyth, Tŷ Coch, Clynnog Fawr, Llanwnda S[orting] O[ffice].
Y mae'r tywydd yn hyfryd dros ben, ac yn hudo dyn i fynd i'w fwynhau mewn unigedd a thawelwch. A dweud y gwir, 'rwyf wedi blino. Gweithiais yn galed hefo'r lecsiwn, ac wedyn yn gwneud y Nyth.

Gwelais Bob Owen yn Harlech y Llungwyn fel hogyn deunaw.

Cofia fi'n garedig at y wraig a Hywel. Bydd yn dda ryfeddol gennyf eu gweled eto, a chael orig o'u cwmniaeth.

Mae'n debyg y bydd y mis yma yn fis prysur yn cneifio, ac efallai pan ddeuaf ar fy rhawd i'r Carneddi y byddi di a Hywel yn prowla'r mynydd am ryw hesbwrn coll er dwyn ei gôt, ond ta waeth fe ddeuaf cyn bo hir. Paid â bod yn hir heb anfon gair i'r Nyth.

Yn gywir iawn gan obeithio y'th fod yn iach.

Cofion cu,
Gwallter.

LlGC 7237D

37

Carneddi, Nantmor, Bedd Gelert
Bore Gwener, 5 Gorffennaf 1929

Annwyl Gyfaill,

Gair hefo phensal, 'ar redeg', yn cychwyn i'r Port y munud yma, ac ofn colli'r *bus*.

140. Dafydd D. Jones (1874-1936), brawd Gwallter, a oedd yn gantor fel yntau.

Maddeu fy hir oediad. Prysur enbyd hefo'r Cneifio. O gorlan i gorlan, o fore hyd hwyr. Dadleu, bwyta, a lolian. Pawb wedi gorffen. Am ddechreu ar y gwair ddydd Llun.

Yn nôl pladur newydd heddyw at seiri Tre Madog. Pladur Isaac Nash, *Size* 2.[141] Dyna i ti hogyn, yn lle cyboli fod dolur yn ei fol o hyd, ac yfed cwrw i'w fendio! Ha! ha! ha!

[Ar gefn y ddalen]

X *Labour* ofnadwy yw Dic a'i gariad. *Labour* yw pawb yn *works* Coventry, meddai ef. Mae wrth ei fodd. Mae yn priodi Awst 3.[142] Gwna Englyn iddo. C.

Clarrie yw ei henw hi. Saesnes gall iawn. Bu yma. Hoffwn hi. C.

Bangor 5369, Cyfrol A, rhif 13

38

O'r Nyth, yng Nghlynnog
24 Gorffennaf 1929

Annwyl Gyfaill,

Buaswn wedi'th ateb yn ôl fy arfer onibai y'th fod yn gofyn am englyn ar briodas Dic, ac fel y gwyddost nad peiriant gwneud englynion wyf, ac y rhaid iro cryn dipyn ar yr olwynion cyn y daw dim drwy'r hopran, ond o'r diwedd dyma fo, heb lawer o gamp arno.

Clarrie a Dic lawer dydd – a gerddodd
I gwrddyd â'i gilydd;
Ond yn iach bellach y bydd,
O'i boen yn llawen beunydd.

Gwallter

141. Yr oedd cwmni Isaac Nash & Sons Ltd. yn wneuthurwyr pladuriau tra enwog a sefydlwyd yn Belbroughton, Swydd Gaerwrangon, yn 1824.

142. Priododd Richard, mab hynaf Carneddog, â Claribel L. P. Wright o Burbage, Swydd Gaerlŷr. Gw. pennill ac englyn Carneddog ar yr achlysur yn *OGG*, t. 53.

Mae'n debyg dy fod yn canmol dy Dduw beunydd am y tywydd braf yma, os nad yw yr hir sychder yn crasu dy dir a phorfa dy 'nifeiliaid, ac yn lle clodfori yn rhegi'n rhigl, ond sut bynnag y bu, ac ydyw hefo chdi yna, y mae yn nefoedd fendigedig ar feisdon y Tŷ Coch. Haf henffasiwn fel wedi dod yn ôl er fy mwyn. Poen yn y bol wedi 'mudo, a bron na fuaswn yn rhoddi her i Garneddog i dorri gwair am ddiwrnod. Meddwl am danaf yn clertian wrth fy modd yn yr haul, ag awel ffres yn chwarae ar fy wyneb o fore hyd hwyr.

Y Sadwrn diweddaf ymwelodd Bob Owen, Croesor, ac R. Williams Parry â Chlynnog, a chawsom ddwyawr ddifyr gyda'n gilydd yn rhodio'i llennyrch hi. Cerdded tros feddau cewri'r oesau, dyfalu ystyr y peth yma a'r peth arall, a theimlo fel yn ôl yn y cannol oesoedd, a phe tae tithau yn gallu dihatru'th hunan oddiwrth y byd, a dod hyd i Gelynnogfawr cawset brofi nefoedd fach dros dro. Yn wir yn wir y meddaf i ti, byddai diwrnod yma yn sain y don a swyn y dydd yn fendith i'th gorff a'th enaid. Tyrd am dro frawd. Gad lonydd i'r byd am dro. Rho'r bladur ar y ddraenen. Na chenfigena wrthyf, cofia na byddaf yn mynd i na Llan na chapel fel ag i roddi hawl i mi am nefoedd tu hwnt i'r llen, ac felly nid oes i mi ond ceisio nefoedd yr ochr yma.

Hyderaf fod y wraig a Hywel mewn iechyd da, a thithau hefyd. Gobeithio y gwna yr englyn dy dro. Cyflwyna i'r ddeuddyn fy nymuniadau gorau yn y blaen. Ni chefais y fraint o adnabod yr un o honynt ond gobeithiaf y caf cyn bo hir.

Cofion fflamboeth,
Gwallter.

LlGC 7237D

39

Carneddi, Nantmor, Bedd Gelert
29 Gorffennaf 1929

Annwyl Gyfaill,

Daeth dy Epistol dawnus a doniol, ynghyd â'r Englyn.

Yr wyf i a Chatrin yn falch iawn ohono, ac am i ti ddangos dy hynawsedd tuag atom. Mae Gwilym Deudraeth (hen ffrind i mi) wedi anfon Englynion hefyd.[143]

Lluniais innau rigwm Saesneg, ac Englyn. Dônt yn y 'Manion', gyda hanes y Briodas.[144]

Diolch yn fawr i ti, yr hen gyfaill hapus, a duwiol! Yr wyt wedi fy mhlesio yn gynddeiriog. Cei ddod i'r Carneddi i wrando dwnad 'Tyllhuan Walter' eto.

Gwarchod pawb, i beth oeddit ti yn canmol dy fyd braf mor wynfydedig dy dôn? Gwnest fi yn swp sâl, do wir. Rhaid i mi ladd gwair cwta rhwng y creigiau yma hefo 'phladur Isaac Nash' bob dydd, a chodi gwair i ben y llwyth – ac yn hen ŵr!

Yr wyf am droi yn *Labour*! Am adael y *Cenedlaetholwyr* i'w crogi!

Gwyn dy fyd ti, Walter bach, ond nid oes arnaf ronyn o wenwyn i ti hefo dy hen fol drwg!

Be goblyn oedd Bob Owen yn ei wneud yna? Rhoist ti hanes rhyw hen lawysgrifau, neu hen lyfrau, iddo? Dywed y gwir?

Tan bryd y byddi di yn llechu yn 'Y Nyth'?

'Rwy'n siŵr fod yna 'le gogoneddus a hyfryd' (ys dywed *Y Rhodd Mam*).[145] A welaist ti *Y Rhodd Mam* rhyw dro, Walter? A fu dy drwyn yn cosi yn arw yn ddiweddar?

Sôn am danat wrth gneifio yng Nghorlan Tan Rhiw. A yw Pyrs, Llwyn yr Hwch, a briododd ferch Gelli Iago, yn berthynas i ti?

143. William Thomas Edwards (Gwilym Deudraeth, 1863-1940), englynwr, chwarelwr a gweithiwr rheilffordd a drigai ym Mhenrhyndeudraeth, gw. Y Bywgraffiadur Arlein; *Cyd*, t. 220.

144. Cyhoeddwyd hanes priodas Dic a Clarrie ynghyd ag englyn Gwallter a phennill Saesneg gan Garneddog yn y 'Manion o'r Mynydd', *Yr Herald Cymraeg*, 13 Awst 1929, t. 2. Gw. hefyd *OGG*, t. 53.

Yr oedd Bob y Gerynt yn dy frolio hefo geiriau barddonol am i ti ganmol y ferch am ganu ym Medd Gelert. Walter yw'r dyn! – 'Dyna'r beirniad ohonyn nhw i gyd!' (Yr hogan bach gwallt llaes honno ydoedd, os wyt yn cofio.) Un doniol yw Bob.

Peth go lew yw i ti gael gair da 'yn dy gefn'. Curi fi, fachgen.

Wel, byddi yn cychwyn am yr ŵyl Fawr yn Lerpwl gyda hyn, yn dy siwt lwyd, fel 'Lord Llyfnwy'![146]

Hen dro na fedraf fynd yno, ond mae'n amhosibl oherwydd y gwair, a Dic a'i wraig ifanc yn dod yma.

Wyt ti wedi treio ar ryw beth, os wyt, pob lwc i ti. Clywais o Stiniog mai Cynan gaiff y Gadair a'r Goron!!![147] Pwy gebyst ŵyr?

Paid â bod 'yn ddiarth'. Printia epistolau yn aml i mi. Maent wrth fy modd.

Cei ddod yma yn fuan.

Cofion fil, ac oddiwrth yr hen wraig, a Hywel.

Yn bur,
Carneddog.

[Ar gefn y ddalen olaf]

Hen dro i'r tywydd droi. Wedi mynd ymlaen yn no dda hefo'r gwair. Gweithiais i a Hywel fel dau nafi. Mae Gwair y Gwndwn Bach ar lawr i gyd.[148] Gwair tewaf y Carneddi. Gobeithio y daw heulwen yn fuan eto.

C.

145. Holwyddoreg Eglwys Fethodistaidd Cymru oedd y *Rhodd Mam*, a argraffwyd gyntaf yn 1811.

146. Yn Lerpwl y cynhaliwyd yr Eisteddfod Genedlaethol yn 1929.

147. Albert Evans-Jones (Cynan, 1895-1970), y bardd a'r pregethwr a'r eisteddfodwr yr oedd gan Garneddog a Gwallter feddwl mawr ohono, gw. llythyrau rhif 60 a 75 isod. Yr oedd Cynan eisoes wedi ennill y Goron ddwywaith yn 1921 gyda 'Mab y bwthyn', ac yn 1923 gyda 'Yr ynys unig'. Enillodd y Gadair yn 1924 am ei awdl 'I'r Duw nad adwaenir', gw. *BC(II)*, tt. 91-2; *Cyd*, tt. 252-3. Caradog Prichard oedd enillydd y Goron a Dewi Emrys oedd enillydd y Gadair yn yr Eisteddfod Genedlaethol yn Lerpwl.

148. Enw un o gaeau'r Carneddi oedd y 'Gwndwn Bach'. Cyfeirir at y 'Gwndwn Mawr' yn llythyrau rhif 52 a 60 isod. Ceir map o gaeau'r Carneddi yn *Place of Stones*, tt. 16-17.

Anfon rhywbeth i'r 'Manion' i mi. Mae yn no dop arnaf amser y cynhaeaf fel hyn. Anfon Englyn, Telyneg, Cerdd, Rhigwm, neu rhywbeth hynafiaethol. C.

Bangor 5369, Cyfrol A, rhif 14

40

Y Nyth, Clynnogfawr
1 Awst 1929

Annwyl Gyfaill,

Diolch am dy lythyr ddaeth i law fore Mawrth, a buaswn wedi ei ateb yn union, ond daeth cyfaill yma am dro, a rhaid oedd gadael popeth i sgwrsio hefo hwnnw weldi. Da gennyf fod yr englyn yn dy foddhau.

Ie wir, go lew yw cael geirda yn ei gefn. Ydi mae Pyrs Llwyn yr Hwch yn berthynas â mi. Ei fam o yn ferch Hendre Gwenllian, ac yn gyfneither â fy mam i, oedd yn ferch y Gof Mawr o Roslan yn Eifionydd.

Nid oeddwn yn meddwl yr aet yn sâl wrth i mi ganmol fy lle yng Nghlynnog. Yn wir yn wir y meddaf i ti, ni fynegwyd i ti mo'r hanner o hudolaethau y llannerch lonydd hon, lle y caf hamdden i dreulio haf yng nghwmni *Haf* Bob Parry, ac adrodd ambell i englyn pert o 'Flwyddyn' Eben Fardd,[149] ac ambell dro fynd hwi draw i Landwrog lle

Mae['n] gwesty teg mewn gwastad dir, a mwyn gân
O'r mân goed a glywir,

149. Awdl 'Y Flwyddyn' gan Ebenezer Thomas (Eben Fardd, 1802-63), gw. Howell Roberts (Hywel Tudur) a William Jones, ieu., Bryngwydion, *Gweithiau Barddonol Eben Fardd* (Bangor, ?1873), tt. 133-65.

Dogn o fwyd, *digon o fir* (Go dda ynte?)
Geir o'i fewn 'rawr a fynnir.[150]

Dro arall dor-heulo wrth Gromlech Bachwen, ac ysbrydion y gorffennol yn rhithio o fy mlaen, a draw wrth y don byddaf yn gweld Dylan yn plymio i'r dwfn oddiar y maen mawr, a llu arfog Cilmyn Droeddu yn hogi'u harfau ar draethell Dinlle, ond tynnir fi i lawr o'r cymylau wrth gofio fod Carneddog a'i bladur Isaac Nash yn chwys diferu'n torri gwair rhwng creigiau y Carneddi. Druan o honno.

Heddiw af i Bwllheli am dro i wrando Bob Owen yn darlithio ar 'Y Morwyr Cymreig',[151] a dydd Llun af am Lerpwl mewn llong o'r Borth, a siwt lwyd swanc am danaf, a bag melyn a gynnwys siwt arall i ddangos crefftwaith teilwriaid Cymru. Na nid Cynan a gaiff y gadair, ac nid wyf yn meddwl y caiff y goron 'chwaith. Nid yw wedi trio am y gadair y tro yma, ac nid oes gennyf finnau yr un llinell yno 'chwaith. Printiais epistol blêr i'r 'Manion' i ti.[152] Gwnaiff i lenwi lle. Deuaf yna cyn diwedd yr haf am dro i wrando Tyllhuan y Carneddi. Cofia fi'n garedig at y wraig a Hywel, a gofalwch na byddo i'r un o honoch ladd ei hun wrth ladd gwair.

Cofion fflamboeth,
Gwallter.

LlGC 7237D

150. Cyhoeddodd Carneddog dalpiau o ddyfyniadau o lythyrau rhif 36, 38, a 40 yn y 'Manion o'r Mynydd', *Yr Herald Cymraeg*, 27 Awst 1929, t. 2, ac ychwanegodd y nodyn canlynol rhwng cromfachau ar ôl yr englyn: 'Twt, twt mae Carn yn "T.T.!"'. Mae'r englyn a ddyfynnir yn un o ddau o'r eiddo Eben Fardd a naddwyd ar lechen ar flaen tafarn Ty'n Llan, Llandwrog, gw. E. G. Millward gol., *Detholion o Ddyddiadur Eben Fardd* (Caerdydd, 1968), t. 12, 195 n. 23. Diolchaf i Dr Tedi Millward am y cyfeiriad. Mae'r englynion i'w gweld ar fur y dafarn hyd heddiw.
151. LlGC 'Papurau Bob Owen Croesor', rhifau 11/13, 25, 25/3b, 27/17. Bu Bob Owen yn traddodi'r un ddarlith yn Nanmor hefyd, gw. llythyr rhif 45 isod.
152. Cyhoeddwyd llythyr gan Wallter, dyddiedig 1 Awst 1929, yn y 'Manion o'r Mynydd', *Yr Herald Cymraeg*, 13 Awst 1929, t. 2, yn sôn eto am gyflwr beddau rhai enwogion: 'Tybed na ellir codi rhyw gronfa ar gyfer y draul o dacluso beddau ein henwogion? Dowch â'r peth i sylw trwy y "Manion", a gwnewch gymwynas fawr.'

41

Y Nyth, Clynnog fawr
d.d. [Awst 1929]

Annwyl Gyfaill,

Dyma i ti englyn i'w roi yn dy 'Fanion'. Lluniwyd o yn Lerpwl gan Gwynfor, ond paid â dweud hynny onid rhoddi 'G' wrtho.[153]

Llunia stori fach o'i gylch, drwy ddweud fy mod i yn byw ar lan y môr mewn bwthyn o goed, yng nghwmni'r gwylanod a miwsig y don. Gelli wneud stori ddel iawn ar brynhawn glawog. Dyma'r englyn:

Mewn Nyth y bûm i neithiwr, – wrth y môr
Mae'n werth mynd o'r dwndwr;
Gwas tawel yw'r Gwestywr,
Yn byw ar de a berw dŵr.

G.

Ŵyr Gwynfor ddim fy mod yn yfed cwrw. Cefais hwyl fawr yn Lerpwl, a byhafiodd y bol yn iawn. Cei lythyr hwy y tro nesaf wedi ei deipio. Mae fy llaw yn crynnu. Prynais lyfr Bryfdir.[154] Un go sâl ydi o. Prin y mae'n werth 3/- ond paid â dweud wrth neb.

Gobeithio dy fod wedi gorffen hefo'th bladur Isaac Nash.

Cofia fi'n garedig at y teulu, a chyflwyna fy nymuniadau gorau i Dic a'i wraig.

Yn gywir iawn,
Cofion cu,
Gwallter.

LlGC 9659D

153. Thomas Owen Jones (Gwynfor, 1875-1941), Llyfrgellydd Sir Gaernarfon a dramodydd, gw. *Cyd*, tt. 420-1. Ymddangosodd yr englyn ac enw Gwynfor wrtho yn y 'Manion o'r Mynydd', *Yr Herald Cymraeg*, 27 Awst 1929, t. 2.

154. *Bro fy Mebyd a Chaniadau Eraill* (Y Bala, 1929).

42

Carneddi, Nantmor, Bedd Gelert
Nawn Sul, 13 Hydref 1929

Annwyl Gyfaill,

Wel, nis gwn pwy ohonom sydd i sgrifennu. Mae'r distawrwydd yn boenus. Mae ein cyfeillgarwch ni yma yn dal mor gynnes ag erioed. Gobeithio nad yw dy galon dithau wedi oeri dim atom ninnau.

Gwyddom i ti ddod yma y tro diweddaf ar amser drwg iawn, a chybolais innau dipyn bach hefo'r 'ddau hogyn rheiny'. Gresyn i mi eu gweled. Fachgen, bûm i a Hywel yn llawn helbulon gyda phethau y fferm. Bargeinion sâl a wnes i a'm cymdogion eleni hefo'r defaid. Gwerthasom hwynt yn rhy fuan. Hen dro garw. Colled fawr iawn i mi. Cododd y defaid yn arw ar ôl i mi werthu.

Symol yw fy nghalon. Mae yn crynu yn arw, ac am sefyll, yn enwedig os y cynhyrfaf ychydig, neu boeni. Nid yw Catrin yn dda iawn chwaith, ond y mae Hywel yn well.

Rwyt ti yn no lew yn awr? A gest ti dy gôt a dy fenyg? Ni chlywais byth.

A fuost ti ym Mhen Machno? Sut mae J. E. Thomas?[155]

Mae'r llyfr newydd *O Greigiau'r Grug* ym Mhorth Madog yn awr, a Mr Harri Edwards yn edrych drosto.[156] Mae y *boys* yma yn ei ganmol.

Mae Dr Tom Parry-Wms yn rhy brysur hefo dau lyfr, 'Penillion Telyn' a 'Thelynegion' (o'i waith ei hun).[157]

Mae llawer iawn o 'Bobol Ddiarth' yn dod yma o hyd. Bu Mr O. J. Wms, B.A., y Port (mab y cyfaill Mr Sam Wms, Bryn Aerau,) a'i wraig yma ddydd Sadwrn (ddoe).[158]

155. Yr oedd John Evan Thomas o Ben-y-groes yn brifathro Ysgol Penmachno erbyn y cyfnod hwn.
156. Harri Edwards oedd prifathro Ysgol y Cyngor, Porthmadog, gw. *OGG*, t. vii.
157. Cyhoeddodd T. H. Parry-Williams *Cerddi* yn 1931, a dwy gyfrol ysgolheigaidd, sef *Carolau Richard White* a *Llawysgrif Richard Morris o Gerddi* yr un flwyddyn. Yr oedd yn gweithio yn ystod y cyfnod hwn hefyd ar y *Canu Rhydd Cynnar*, a gyhoeddwyd yn 1932.
158. Owen John Williams, Porthmadog, a enillodd y wobr gyntaf am ysgrifennu 'Nofel ddigri mewn Cymraeg ar fywyd Cymreig' yn Eisteddfod Genedlaethol Llanelli, 1930. Sam Williams ei dad oedd ysgolfeistr Ysgol Brynaerau.

Cei ddod yma i gysgu eto, ar ôl i ni roi y gwartheg i mewn, a'r 'defaid cadw' wedi mynd i ffwrdd, bron yr un adeg ag y buost y llynedd.

Beth sydd gennyt ar droed yn awr?

Mae Eisteddfod go fawr yn y Bedd y Nadolig. Owen Wms., Eglwys Bach, sy'n barnu y cantorion.[159]

Testunau go sâl.

Anfon air pan gei gyfle, a thyrd yma yn fuan.

Cofion fil atat oddiwrthym ein tri.

Yn bur,
Carneddog.

Bangor 5369, Cyfrol A, rhif 16

43

Y Felin, Llanllyfni
15 Hydref 1929

Annwyl Gyfaill Hoff,

Diolch yn fawr am yr eiddot i law heddiw'r bore. Yn wir credaf mai fy nhro i oedd sgrifennu, hynny yw, addewais ysgrif i'r 'Manion', ond yn wir, yn wir y meddaf i ti ni fedrwn feddwl am destun, ac heb destun, heb ddychymyg chwaith, ond yr wyt yn llwyddo i gael eraill i wneud pethau felly yn rhyfedd iawn. Diddorol dros ben oedd y dyfyniadau o'r hen lyfr cofnodion Eisteddfod Tremadog.[160] Hyderaf y gwêl ei berchenog ei ffordd i'w roddi i'r Llyfrgell Genedlaethol fel yr awgrymi.

159. Ceir englyn gan Garneddog i Owen Williams fel beirniad cerdd yn *OGG*, t. 66.
160. Trafodai Carneddog gynnwys llyfr cofnodion Eisteddfod Gadeiriol Eryri, 1872, y cafodd ei weld gan un o'i ddarllenwyr, yn y 'Manion o'r Mynydd', *Yr Herald Cymraeg*, 15 Hydref 1929, t. 2.

Bûm ym Meddgelert rhyw dro yn ddiweddar mewn Ocsiwn, ar fy nhaith o'r Penrhyn, ond nid oedd olwg arnat ti na Hywel yno. Bûm hefyd yn y Port unwaith neu ddwy ar ôl bod yna, ond ni'th welais. Rhyfedd ynte na fuasem yn digwydd mynd yno run pryd. Gresyn i ti gael colled hefo'r defaid. Rhaid i ti gymryd mwy o bwyll weldi.

Yr oeddwn wedi clywed fod y Dr Tom Parry Williams yn dwyn cyfrol o benillion telyn allan, ond ni wyddwn am ei delynegion. Bydd y ddwy yn werth eu meddu. Bûm innau yn brysur yn hwylio fy nghyfres innau i'r wasg, ac y mae cefnder y Dr, sef Tom Parry wedi addo sgrifennu Rhagair iddi, ag af i'w weld i Fangor yforu, yna af i Lerpwl ddydd Gwener i geisio ei gwerthu i Hugh Evans, Swyddfa'r Brython.

Cyfrinachol ydyw yr oll sydd rhwng cromfachau cofia.

(Ddoe cefais air oddiwrth 'Undeb y Ddrama Gymreig' yn gofyn i mi gymryd golygyddiaeth *Y Llwyfan*, cylchgrawn deu-fisol yr Undeb, ac yr wyf am ei derbyn. Caf rhyw gyflogyn felly weldi. Rhoddodd yr Athro W. J. Gruffydd air da ofnadwy i mi, a chefnogwyd ef yr un mor frwdfrydig gan yr Athro Ernest Hughes.[161] Fel y gwyddost efallai ddarfod i'r *Llwyfan* farw yng Ngorffenaf diweddaf, ag fod y *Cerddor Newydd* hefyd wedi marw,[162] a rŵan bwriad yr Undeb ydyw uno y ddau, a chael Golygydd i ofalu am dano, a chefais innau fy newis yn unfrydol gan yr is-bwyllgor y Sadwrn diweddaf, ond bydd raid cael cadarnhad y Cyngor cyffredinol iddo, a chaf finnau drip i Gaerdydd y pryd hynny.)

Rŵan cofia di na wnei di ddim gwaeddi hyn yn Gath,[163] neu gwae i dy goryn pan ddof yna, a fydd hynny ddim yn hir weldi.

Do bûm ym Mhenmachno ddwywaith, ac y mae J.E. yn licio'n iawn.

Blin gennyf ddeall mai cwyno y mae'r wraig. Hyderaf y caiff adferiad buan, a thithau hefyd. Da deall fod Hywel yn well. Yn wir yr

161. Edward Ernest Hughes (1877-1953), Athro hanes cyntaf Prifysgol Abertawe a chefnogwr byd y ddrama, gw. Y Bywgraffiadur Ar-lein. Yr oedd yn aelod o Gyngor Undeb y Ddrama Gymreig.

162. *Y Cerddor Newydd. The Welsh Musical Magazine* o dan olygyddiaeth W. S. Gwynn Williams (1896-1978) rhwng 1922 a 1929. Cylchgrawn misol ydoedd a gyhoeddid gan Wasg Hughes a'i Fab, Wrecsam.

163. Gw. 2 Samuel 1.20: 'Nac adroddwch hyn yn Gath . . .'.

wyf fi bron â meddwl nad oes dim arna i. 'Rwyf yn dda gynddeiriog ers tro.

Pryd y daw *O Greigiau'r Grug* o'r wasg? Cofia gadw un neu ddau i mi.

Fedri di ddweud wrthyf dipyn o hanes bore oes yr hen John Jones M.A., hen berson Llanllyfni yma o 1819 i 1863?[164] Credaf i mi weld rhywbeth dan dy enw am dano yn y *Cymru* coch rhyw dro.[165] Gofyn-odd Isfryn i mi sgrifennu ysgrif arall i'r *Haul*,[166] ond yn fy myw ni allaf gael allan ddim o'i hanes cyn ei ddyfod i Lanllyfni. Bydd gennyf ysgrif yn yr *Haul* y mis nesaf yma.[167] Tria gael golwg arno gan rai o eglwyswyr y Bedd, a dyro dy farn. Dywed Isfryn ei bod yn dda gyn-ddeiriog.

Anfon destunnau Beddgelert i mi, rhag ofn fod yno rywbeth y caf gynnig arno. Anfonais ddwy stori fer i eisteddfod Utica y Calan, ac efallai yr anfonaf ddarn adrodd i blant, hwnnw oedd ym Mhenmorfa. Bryfdir yw y beirniad ar y farddoniaeth. Paid â bod yn hir heb anfon gair i mi eto, a thi a gei fy mendith.

Yn gywir iawn,
Cofion cu,
Gwallter.

Diolch yn fawr am dy wahoddiad yna, ond pe na chawn wahoddiad byth gennyt, buaswn yn siŵr o ddod ar fy hald rhywdro.

LlGC 7237D

164. Bu John Jones (m. 1868) yn rheithor yn Llanllyfni am 44 mlynedd. Arno gw. W. R. Ambrose (Maeldaf Hen), *Hynafiaethau, Cofiannau a Hanes Presennol Nant Nantlle* (Pen-y-groes, 1872), t. 47.
165. Ni nodir unrhyw erthygl benodol gan Garneddog yn trafod John Jones M.A., Llanllyfni, yn William Phillips, *Mynegai i "Cymru" O.M. Edwards* (Cymdeithas Llyfrgelloedd Cymru, 1971), tt. 63a-63b.
166. Parch. John Davies, Dolgellau (Isfryn, 1861-1948), golygydd *Yr Haul*.
167. Cyhoeddwyd ysgrif fach ac iddi'r teitl 'Cân' yn *Yr Haul*, Tachwedd 1929, tt. 324-5. Ysgrif yn trafod y gerddoriaeth sydd ym myd natur ydoedd.

44

O'r Felin, Llanllyfni
Trannoeth y Diolchgarwch, 1929

Annwyl Gyfaill,

Cyrhaeddais adref neithiwr wedi bod yn Lerpwl er dydd Gwener yn ceisio gan Hugh Evans a'i Feibion, Swyddfa'r Brython gyhoeddi fy nghyfres o delynegion, ac yn wir os y cefaist ti drafferth gyda *Cherddi Eryri*, wele finnau yn cael profi'r un peth. Damia y 'bloddy lot'. Ni chyhoeddaf ddim byth bythoedd ar ffurf llyfr, a rhof fy awen yn ei chwd yn dragywydd. Rhaid i mi fodloni ar eirda wrth gorlannau defaid yng nghymoedd diarffordd Eryri, ond am danat ti, cei dy lun, nid yn nrych y Carneddi, ond yn *Nrych* yr Americaniaid, ac yn wir golwg dda a geir o honot.[168] Da iawn fachgen.

Yr wyf wedi ateb Undeb y Ddrama Gymreig yn y cadarnhaol, ac os y bydd y Cyngor Cyffredinol yn derbyn adroddiad y pwyllgor, byddaf yn Olygydd *Y Llwyfan* tua dechreu y flwyddyn, ac wedyn byddaf yn gofyn am ysgrif gennyt ar hen gerddi gwlad. Dim iws i ti feddwl gwrthod cofia.

Yr wythnos diweddaf cefais lyfr Saunders Lewis ar Geiriog, ac y mae yn wir dda, ond braidd yn ddrud, hanner coron, 55 o dudalennau.[169] Clawr papur caled. Rhwmiad destlus iawn. Fyddi di yn prynu llyfrau?

Nos Sul bûm i a Ffowc Bethel yn Eglwys Gadeiriol Lerpwl yn gwrando ar y Cannon Raven yn pregethu.[170] Paid â dychryn wrth feddwl i *mi* fynd i le o addoliad. Pe cymrai pregethwyr Cymru ddolen o lyfr y gŵr hwnnw, nid hanner gwag fyddai addoldai y wlad. Mae oes yr

168. Ymddangosodd ysgrif gan Ifan ap Hywel ar Garneddog ynghyd â llun a dynnwyd ohono ar Bont Aberglaslyn gan John Aber Jones ar dudalen blaen *Y Drych*, 3 Hydref 1929. Gw. hefyd lythyr rhif 52 n. 195 isod.

169. *Yr Artist yn Philistia I: Ceiriog* (Aberystwyth, 1929).

170. Charles Earle Raven (1885-1964), Canon Eglwys Gadeiriol Lerpwl rhwng 1924 a 1932. Y mae'n bosibl mai'r Ffowc y cyfeirir ato yn y fan hon oedd Ffowc Williams a aned ym Methel, Arfon, athro a phrifathro a fu'n Ysgrifennydd Undeb Cymru Fydd. Cyfoesai â Robert Williams Parry pan oedd yn fyfyriwr yn y Coleg ym Mangor, gw. LlGC A1982/18, 'Papurau Ffowc Williams', Bocs 4, 'Hunangofiant Ffowc Williams'.

'hwyl' wedi mynd, a rhaid bellach siarad sens o bwlpud fel o bobman arall. Y mae yno organ – yr organ fwyaf yn Iwrop, ag organydd dihafal, a chefais hefyd wledd gerddorol, ond nid oedd y wledd honno i'w chymharu â phregeth y Cannon Raven.

Gofynais i ti a wyddost rhywbeth am yr hen John Jones, Person Llanllyfni. Os y gwyddost anfon air yn no fuan.

Hyderaf eich bod i gyd yn weddol eich gwala yna, hynny yw, pawb yn iach.

Os y caf egwyl o dywydd braf, deuaf yna am dro cyn bo hir.

Rhaid fydd i mi fynd i Benmachno yn fuan, ac hefyd i Gaerdydd, a byddaf yn weddol brysur o hyn i'r Nadolig. Ond pryd yr wyt ti am ddwad i'r Felin? Yr un faint yn union o ffordd sydd o'r Carneddi i'r Felin, ac sydd o'r Felin i'r Carneddi. Tud.

Byddaf yn disgwyl bob dydd am air oddiwrthyt.

Yn gywir iawn,
Cofion o bob lliw,
Gwallter.

LlGC 7237D

45

X *Llosga hwn. Cofia wneud.*
C.

Carneddi, Nantmor, Bedd Gelert
Nos Sul, d.d.

Annwyl hen Gyfaill,

Maddeu i mi am aros cyhyd heb ateb dy ddau lythyr. Bûm yn brysur ofnadwy. Yr ydym yn cau clawdd y mynydd hefo dwy *wire* bigog, am gryn hanner milltir, i rwystro i'r defaid fynd i'r mynydd, a chrwydro ar dywydd mawr yn y gaeaf. Byddwn wrthi bob dydd yr wythnos nesaf a Wil Jones Hughes, Cwmcaeth, hefo ni yn gosod y polion a'r *wires*. Job fel *Hindergurg line*! (a yw enw y cyth. yn iawn, dywed?).[171]

Gofyni gwestiynau caled i mi. Ni astudiais yr *Almanac* erioed, y wraig fydd yn gwneud, fel chdithau. Dau bartner iawn!

Yr oedd dy lythyr yn ddoniol. Rhof ef (wedi torri ei ran gyntaf) yn y 'Manion'.

Mae tomen fawr yn y Swyddfa yn aros lle. Dyna fel y mae y golofn mor lipa. Mae 'Ashton', 'George Henry Lee', etc., yn talu yn dda iddynt, meddant, fel nad oes le i *Rybis Carn*.[172]

Mae hanes cyrddau y Gaeaf yn dechreu dod i lenwi pob congl. Och! mae rhai yn dila!

Fachgen, *ychydig iawn* a wn i am yr Hen Berson John Jones, M.A., Llanllyfni. O bapurau Alltud Eifion y ces dipyn bach am dano (sef o'i *Scrap Books*). Pan ei di i'r Port, gofyn am gael eu benthyg gan ei fab Mr Christmas Jones (y Printer) y tu cefn i gapel Salem. Hen foi iawn. Cei hwynt yn siŵr. (Yn fenthyg, wrth gwrs.)

Wel, mae fy llyfr *O Greigiau'r Grug* yn y wasg. Anfonais at y mwyafrif o argraffwyr Cymru am eu pris. Drud ofnadwy oeddynt i gyd. Y rhataf i mi oedd 'Gee & Son', ond y maent hwythau yn no uchel, oherwydd y pris argraffu, a bod y cynnwys yn no leol, anogwyd fi gan lawer o'm prif gyfeillion (yr wyt tithau yn un ohonynt hefyd, Walter bach) i godi *Deunaw* am dano. Rhônt *Ddeunaw* yr un fath â *Swllt* yn union yn y parthau hyn, gan fod cymaint am yr ardalwyr ynddo.

Fachgen, ofnaf mai colledwr fyddaf y tro yma, ond dywed pawb welodd y copi, *mai dyma'r llyfr gorau a gyhoeddais*.

Mae fy nghyfaill Mr Harri Edwards, Prifathro ysgol y Cyngor, Porth Madog, wedi edrych dros y copi i mi cyn ei anfon i ffwrdd. Mae yn Sglaig Cymraeg da. Bu dan Syr John Morris-Jones. Efô edrychodd

171. Yr enw iawn oedd 'Hindenburg line', gw. *Oxford English Dictionary*: 'The line of fortifications in north-eastern France constructed by the German forces in 1916-17 to withstand an Allied advance, and known in Germany as the Siegfried line'.

172. Cyfeiriad sydd yma at hysbysebion dau gwmni masnachol y dydd a oedd weithiau yn hanner tudalen o faint yn *Yr Herald Cymraeg*. Yr oedd siop ddodrefn 'Astons' ar y Maes yng Nghaernarfon a siop George Henry Lee yn Lerpwl.

dros waith Eifion Wyn.[173] Yr oedd gan Eifion wallau geiriol fel finnau, yn ôl yr orgraff ddiweddaf. Ni fydd yn barod tan Ŵyl Dewi 1930.

Bydd yn rhaid i mi a Hywel wneud ymdrech fawr a chaled i'w gwerthu – neu byddaf yn y Cwrt Bach!

Cei yr hanes fel y bydd pethau yn dod ymlaen eto.

Wel, bu Bob Owen yma yn darlithio ar 'Y Morwyr Cymreig', etc., nos Wener. Bûm i a Hywel i lawr.

X *Preifat hollol i ti yn awr.* Cymysglyd ofnadwy ydoedd. Gresyn na fuasai yn fwy trefnus. Cybolai ormod o lawer. Codai sgwarnog bob dau funud, ac ar ôl honno wedyn yn hir. Felly o hyd. Ofnaf na phlesiodd. Rhy arw yn ei arddull.

Treiais i 'roi sebon' iddo ar y diwedd. (X *Cofia gadw hyn i ti dy hun.*) 'Rydym ein dau yn ffrindiau ag ef. Ces swper ag ef yn Nhŷ'r Capel, etc., etc.

Cei ddod yma *yn fuan* ar ôl i'r hwrli-bwrli hefo cau y mynydd fynd heibio, ac *eirio'r gwely* yn barod i ti.

Yr ydym yn cofio atat yn gynnes. A wyt ti yn no lew yn awr? Go symol yw fy nghalon i. Mae Hywel yn well.

Hyn 'ar redeg',
Yn bur,
Carneddog.

Bangor 5369, Cyfrol B, rhif 33

46

Imperial Hotel Liverpool Ltd., Lime Street, Liverpool
Dydd Sul, d.d. [Hydref 1929]

Annwyl Gyfaill,

Bûm yng Nghaerdydd ddydd Iau, ac yno dewisiwyd fi yn olygydd *Y Llwyfan*, cylchgrawn Cymraeg fydd yn ymdrin â 'Drama, Adrodd, a Cherdd'.

173. Yr oedd Harri Edwards yn un o gyfeillion mynwesol Eifion Wyn ym Mhorthmadog, gw. Peredur Wyn Williams, *Eifion Wyn* (Llandysul, 1980), t. 159.

Bellach, os yn dewis gelli hysbysu'r byd a'r betws yn dy Fanion.

Daw y rhifyn cyntaf allan yn Ionawr.

Rhaid i ti faddau i mi am sgwennu cyn flered.

Mae yn ddiwrnod mawr yn Lerpwl 'ma heddiw *Sul yr Arglwydd Faer.*

Canu yr oeddwn yma neithiwr.

Cofion,
Yn gywir iawn,
Gwallter.

LlGC 7237D

47

Y Felin, Llanllyfni
Galangaeaf 1929

F'annwyl Gyfaill,

Diolch yn fawr i ti am dy Gardyn i law bore 'ma, ac hefyd am lythyr blaenorol na chefais hamdden i'w ateb, gan y bu raid i mi ei chychwyn hi am Gaerdydd nerth fy mhegla i gyfarfod y dysgedigion. Anodd iawn yw mynegi rhyw hanes felly mewn llythyr, ond gallaf ddweud cymaint â hyn, ddarfod i mi gael amser difyr iawn yng nghwmni fy nghyfeillion yn y ddinas brysur, Sodomaidd honno.

Yn ddistaw bach i ti a'r pared, yr oedd arnaf braidd ofn yr Athro W. J. Gruffydd.[174] Gwyddost y fath feirniad yw o, ond cefais fy siomi i'r ochr orau o lawer. Yn wir ni feddyliais fod ganddo y fath syniad uchel am danaf, ac yn ôl a ddeallais oddiwrth gyfaill mynwesol i mi oedd ar y pwyllgor, i'r Athro fy rhestru yn bur uchel ymysg llenorion Cymru, a thipyn uwch fel cerddor a beirniad. Ni wn i ple y clywodd fi yn beirniadu, ond tebyg iawn iddo weled fy meirniadaethau mewn ysgrif. Diolchodd i mi am ymgymryd â'r gwaith o olygu *Y Llwyfan*,

174. W. J. Gruffydd oedd cadeirydd Cyngor Undeb y Ddrama Gymreig ar y pryd.

a dywedodd fod ganddo bob hyder y byddai i mi lwyddo yn y gwaith, ac na wyddai ef am neb ac yr oedd ganddo fwy o gyfeillion llengar a cherddgar a roddant eu cymorth parod, a byddai iddo yntau wneud ei orau glas. Gwir a ddywedai fod gennyf liaws o gyfeillion, a byddaf yn ymorchestu fod gennyf gyfeillion ac y gallaf ymddiried ynddynt ymhob cwr o'r wlad, cyfeillion profedig, a dweud y gwir i ti gwaith anodd iawn i mi oedd penderfynnu at bwy o honynt i sgrifennu gyntaf am gyfraniad i'r *Llwyfan.* Disgwyliaf allu gwneud *Y Llwyfan* yn organ defnyddiol i hyrwyddo y Ddrama, Adrodd a Cherddoriaeth Gymreig yng Nghymru. Daw y rhifyn cyntaf allan yn Ionawr. Cei gopi gennyf, ac yr wyf yn sicr y caf ysgrif gennyt erbyn rhyw rifyn wedyn.

Da gennyf ddeall fod y'th lyfr yn y wasg, ac os y gallaf gwnaf fy ngorau i werthu un neu ddau i ti. Ie dof o gwmpas fel Dic Aberdaron.[175] Deallaf fod G. W. Francis wedi penderfynnu dwyn cyfrol o'i waith allan yn fuan, ac yn ddiamau bydd yn un o'r cyfrolau mwyaf diddorol yn y Gymraeg.[176] Bardd go dda ydi o, a melys pob llinnell o'i waith. Bendith arno.

Gwelais gennyt rhyw dro grybwylliad am ryw hen delynores o'r tueddau yna a gerddai gynt a'i thelyn ar ei chefn i'r De i eisteddfodau. Ysgrifenna ysgrif i mi arni o tua 1,200 gair, a byddaf yn ddiolchgar.

Diolch am dy wahoddiad yna. Deuaf rhyw ddiwrnod cyn bo hir. Blin gennyf ddeall fod dy galon yn cam byhafio, ond efallai fod cymaint o fai arnat tithau, yn ecseitio dy hun. Cymer di bwyll rŵan.

Y mae fy iechyd i yn dda gynddeiriog ers tro, ond fel y gwyddost, rhaid i minnau fod yn ofalus iawn, neu . . .

Cofia fi yn gynes at y wraig a Hywel, a thithau hefyd. Wel Trindod ydych. Y tri hyn un ydynt.

Yn gywir iawn,
Gwallter.

175. Richard Robert Jones (Dic Aberdaron, 1780-1843), yr ieithydd rhyfedd o Lŷn, *BC(I)*, t. 477; *Cyd*, t. 409.

176. Gruffudd William Francis (1876-1936), cantor a bardd ac un o'r enwog Frodyr Francis o Nantlle, gw. *BC(I)*, t. 253-4. Cyhoeddodd gasgliad o gerddi, sef *Telyn Eryri* (Wrecsam, 1932).

[Ar ymyl y ddalen]

Diolch mlaen llaw i ti am y gair am danaf yn y 'Manion'. Bydd yn hysbysiad da i'r *Llwyfan.*

LlGC 7237D

48

Y Felin, Llanllyfni
25 Tachwedd 1929

F'annwyl Gyfaill,

Dylaswn fod wedi anfon fy niolch cynnes i ti am gyfeirio mor barchus am danaf yn dy 'Fanion', a gweli fod Bob Owen yn sôn am y peth yn y *Genedl* heddiw.[177] Diolch yn fawr i chwi eich dau.

Nid wyf wedi cael cyfle i fynd i'r Port hyd yn hyn, ond os y bydd y tywydd yn byhafio ddydd Gwener af yno i weld y printer hwnnw y soniaist am dano, a fedd hen *scrap book.* Yr wyf wedi addo'r ysgrif ar yr hen Reithor erbyn rhifyn Ionawr o'r *Haul.* Ni ddisgwylir i'r *Haul* fod yn rhyw danbaid iawn yr adeg honno.[178]

Fyddi di yn y Port ddydd Gwener nesaf? Tyrd yno am spri hefo mi.

Y mae'r tywydd mor ddrycinog a gwlyb fel nad wyf wedi cael un siawns i fynd i unman ers pythefnos, a phrin y bydd gennyf hamdden i fynd am spel yrŵan, rhwng paratoi *Y Llwyfan* a phopeth, ond pan ddelo cyfle cyfeirio wnaf tua'r Carneddi am dro bach. Pe buaset ti'n trefnu hefo pobl dda Nantmor yna, gallwn yn rhwydd roddi darlith i rhyw Gymdeithas neu arall pan ddeuaf. Rhoddaf ddewis i chwi.

(a) 'Y Faled a'r Alaw'. (b) 'Llwybr y Gerdd'. (c) 'Robert Ellis'. Ymdriniaf yn y ddwy gyntaf yn fwyaf arbennig â cherddoriaeth hen

177. Yn y 'Manion o'r Mynydd', *Yr Herald Cymraeg*, 19 Tachwedd 1929, t. 2, cyhoedd-odd Carneddog fod Gwallter wedi ei ddewis yn olygydd *Y Llwyfan*. Yn 'Lloffion Bob Owen' yn *Y Genedl Gymreig*, 25 Tachwedd 1929, t. 3, yr ymddangosodd hysbysiad am y bwriad i gyhoeddi'r rhifyn cyntaf dan olygyddiaeth Gwallter ym mis Ionawr 1930.

178. Ni chyhoeddwyd yr ysgrif yn *Yr Haul*, ond gw. llythyr rhif 49 isod lle sonnir am yr angen am wneud mwy o ymchwil drwy chwilota am bapurau John Jones.

Cymru, ac yn yr ail â phrydyddiaeth yr hen Glochydd. Cofia nid wyf yn gofyn tâl.

A sylwaist ti na fu i Olygydd *Y Genedl* sôn yr un gair am ail gychwyn *Y Llwyfan*. Pam dywed? Nid peth dibwys yn hanes llên Cymru ydyw cychwyn *cylchgrawn newydd*, ac fe fuasai dyn yn meddwl y buasai gŵr fel y fo yn gwneud sylw o beth felly. Nid eisiau iddo sôn am danaf fi sydd arnaf, ond rhoddi help llaw i ddwyn y peth i sylw, rhag ofn iddo fod yn farw anedig. Wyddost ti beth, yr wyf yn pryderu cryn dipyn ynghylch y peth, ac yn ofni yn fy nghalon iddo fod yn fethiant eto, ac oni chaf gefnogaeth gwŷr fel Morgan Humphreys siawns wael fydd gennyf. A gaf eu cefnogaeth dywed?

Hyderaf fod dy galon yn well, ac fod pawb arall yn dda eu hwyl.

Cofia am gopi o dy lyfr newydd i mi. Y mae G. W. Francis yn hel ei waith ynghyd ar gyfer eu cyhoeddi, ac yn sicr bydd yn un o'r cyfrolau mwyaf diddorol a gyhoeddwyd ers tro. Y mae'n canu'n rhyfeddol o swynol.

Pan y cei gyfle anfon air, a bydd i ti fy mendith.

Cofia fi yn gynnes at y wraig a Hywel.
A chofion o bob lliw i tithau.
Dy gyfaill,
Gwallter.

LlGC 7237D

49

Y Felin, Llanllyfni, Penygroes, S[orting] O[ffice]
5 Rhagfyr 1929

Annwyl Gyfaill a Christion Gloew,

Diolch yn gynnes am dy p[ost] c[ard] a'th ddymuniadau da gyda'r *Llwyfan*. Bûm ym Mhortmadoc ddydd Gwener yn gweld Chrismas, ond yn anffodus yr oedd popeth o eiddo ei dad wedi eu symud i Aberystwyth, felly rhaid yw chwilio yno am hanes yr hen John Jones, ag i Isfryn aros hyd hynny.

Cefais gopi o'r *Brython*, cyhoeddiad misol R. I. Jones, sydd â'i gynnwys yn rhyfeddol. Oes gennyt ti rai ohonynt? Yr oedd yn gylchgrawn diddorol iawn mae'n debyg. Y mae ynddo ysgrif gan un D. Llwyd Isaac, ar 'Eiriadur y Dr. Puw' a'r ail argraffiad o honno gan un R. J. Price, cyhoeddwyd gan Gee Dinbych.[179] Bobl annwyl rhydd Llwyd sgwrfa felldigedig i Price a Gee. Cythraul o ddyn celwyddog oedd Gee allswn feddwl.

Wyddost ti rhywbeth am lyfr o'r enw *The History of the Principality of Wales, in three parts* a gyhoeddwyd yn 1695, awdur Robert Burton?[180] Gellid meddwl fod hwnnw yn llyfr diddorol iawn. Gofyn yn y 'Manion' a ŵyr rhai o dy ddarllenwyr rhywbeth am dano, ac a oes copi ar gael?

Y mae rhagolwg y bydd rhifyn cyntaf *Y Llwyfan* yn un da. Ceir ynddo ysgrifau gan W. J. Gruffydd, M.A., Caerwyn, Gwynfor, J. R. Morris, Tom Thomas, ARCM, G. W. Francis, ynghyd â nodiadau'r Gol, a byr nodion, a cherdd gan R.Williams Parry. Gofalaf am gopi i ti.

Oes gennyt rhyw argoel am well tywydd dywed? Mae'n bwrw fel o grwc bob dydd, a dim siawns i fynd allan na dim.

'Rwyf yn annerch ym Mhenygroes heno. Dim hwyl i ddim. Fydd dynion a chŵn yn sâl ar y glaw dywed? Di ffrwt wyf. Fe weli yr hanes yn yr *Herald* yr wythnos nesaf.[181]

Hyderaf fod dy galon yn well, a phawb arall mewn hwyl er y glaw a'r drycinoedd. Rhaid i mi roi fy nghân yn fy nghwd yrŵan, a mynd am Benygroes trwy'r glaw.

Cofion cynnes,
Yn gywir,
Gwallter.

LlGC 7237D

179. Gw. *Y Brython*, cyfrol x rhif ix (Gorffennaf, 1859), tt. 139-40.

180. Robert Burton, *The History of the Principality of Wales: In Three Parts . . . Together with Natural and Artificial Rarities and Wonders in the Several Counties in the Principality* (London, 1695).

181. Hyd y gellir gweld, ni chyhoeddwyd dim am hyn yn *Yr Herald Cymraeg*.

50

Carneddi, Nantmor, Bedd Gelert
12 Rhagfyr 1929

Annwyl hen Gyfaill a Chyd-Sant,

Diolch am dy lythyr difyr. Yr wyf yn cadw dy lythyrau i gyd yn ofalus, a chaiff 'Llythyrau Gwallter' eu hanfon i'r Llyfrgell Genedlaethol. Gwnaf sylw yn fy Ewyllys.

Wel, fachgen, onid yw yn dywydd difrifol o ystormus, oer, etc.[?] Daliodd y tŷ wg grym yr ystormydd diweddaf yn dda iawn, er yn ofni ac yn crynu. Yr oedd twrw y gwynt yn yr hen goed mawr wrth y tŷ fel rhu taranau ofnadwy! Malodd dipyn ar *yr Hen Eglwys*, ein tŷ gwair.[182]

Ond och! am rhyw hen dai sydd gennyf ym Medd Gelert![183] Bydd costau mawr arnaf, a hynny o hyd. Aiff y rhent i gyd i'w trwsio. Diolcha, Walter bach, nad oes gennyt dai. 'Busnes bara a chaws' i ti yn wir, hefo dy areithiau mawr!

Go fflat ydwyf. Fy nghalon yn wan, ac yn crynu yn arw. Pethau yn fy nghynhyrfu, pethau bach y byd yma (chwedl pobl y sêt fawr). A oes rhywbeth yn dy boeni di, Walter? Byddaf fi yn credu na fyddi di yn poeni am ddim byd! Mae hi yn braf arnat ti!

Busnes 'rŵan, 'Busnes bara a chaws' i Mr Walter S. Jones (Llyfnwy) Golygydd *Y Llwyfan*.

Bu Hywel i lawr neithiwr ym Mhwyllgor Cymdeithas Peniel, a soniodd am danat. Jack Beudy Newydd yw Cadeirydd y Pwyllgor, ac 'yr wyt yn ddyn' ganddo.[184] Yr oeddynt wedi trefnu y cwrdd nesaf, heb i Hywel fod yno, a gresynent am hynny. Wedi trefnu i Eos Gwynant ddod yma, finnau yn Llywydd, etc.[185] Yr oeddynt yn unfrydol eisiau i ti ddod yma. Gwell ganddynt i ti roi Darlith, na beirniadu, gan fod

182. Hen neuadd-dy o'r unfed ganrif ar bymtheg ar dir y Carneddi yw'r Tŷ Mawr, neu'r 'Hen Eglwys' fel y'i gelwid, gw. Richard Haslam, Julian Orbach and Adam Voelcker *et al.*, *The Buildings of Wales: Gwynedd* (London, 2009), t. 477.

183. Catrin Griffith a etifeddodd dri thŷ ym Meddgelert, am ei bod o deulu cefnog, gw. E. Namora Williams, *Carneddog a'i Deulu* (Dinbych, 1985) t. 35.

184. Ceir llun o John Williams, Beudy Newydd, un o gymdogion agos Carneddog, yn Ruth Janette Ruck, *Hill Farm Story* (London, 1966), gyferbyn â thudalen 193.

185. Gw. yr englynion a gyfansoddodd Carneddog i Eos Gwynant, sef Owen R. Williams, Nantgwynant, yn y cwrdd y cyfeirir ato ym Mheniel, Nanmor, noswyl Nadolig 1929 yn *OGG*, t. 68.

Llun enwog Geoff Charles a dynnwyd ar gyfer Y Cymro *ym mis Medi 1945: ''Rwy'n edrych dros y bryniau pell'.*

(Trwy ganiatâd Llyfrgell Genedlaethol Cymru).

Llun o Garneddog a dynnwyd o flaen y Carneddi yn haf 1927.

(Trwy ganiatâd Llyfrgell Genedlaethol Cymru).

Llun o Garneddog yng nghwmni Fred Attenborough (tad Richard a David Attenborough) a dynnwyd yn y Carneddi yn 1937.

(Llun a dynnwyd gan J. O. Williams, Bethesda. Trwy garedigrwydd Dr John Llywelyn Williams).

'Pan euthum â J. O. Williams heibio ei dŷ am chwech yr hwyr ar fy ffordd i un o'm dosbarthiadau allanol, newydd godi yr oedd Gwallter, a daeth i mewn i'r parlwr gyda phâr o esgidiau gloywddu yn ei law. Ynghrog ar un o'r muriau yr oedd darlun cynnar o Wallter. Gofynnais iddo pa bryd yr oedd wedi tynnu'r darlun hwnnw, am y gwyddwn y ceid rhywbeth ffraeth ganddo'n ateb. "Pan oedd Bess yn teyrnasu, fachgen," ebe ef yn gwbl ddigyffro.'

Dyfyniad gan R. Williams Parry allan o Cerddi'r Gaeaf *(Dinbych, 1952), t. 98.*

(Y llun trwy garedigrwydd Gwerfyl Gregory).

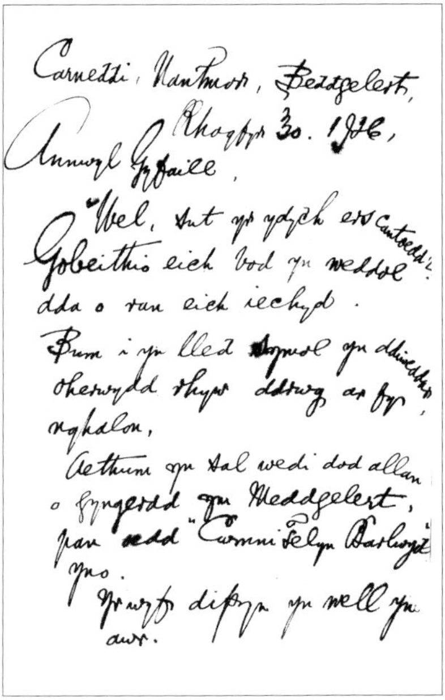
Carneddi, Nantmor, Beddgelert,
Rhagfyr 30. 1926,

Annwyl Gyfaill,

"Wel, sut yr ydych ers cantoedd?
Gobeithio eich bod yn weddol dda o ran eich iechyd.

Bum i yn lled ~~hynod~~ yn ddiweddar oherwydd rhyw ddrwg ar fy nghalon,

Aethum yn sal wedi dod allan o Gyngerdd yn Beddgelert, pan oedd "Cwmni Telyn Barlwyd" yno.

Yr wyf fi dipyn yn well yn awr.

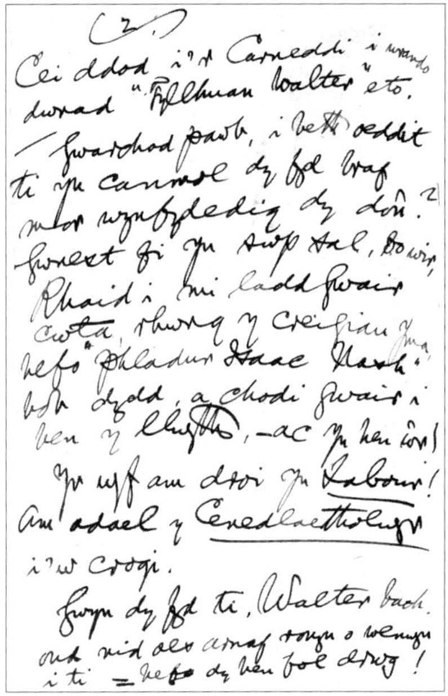
(2.)
Cei ddod i'r Carneddi i wrando dwrad "Fflwman Walter" eto.

Gwarchod pawb, i beth oeddit ti yn canmol dy fyd braf mor wynfydedig dy dôn?

Gwnest fi yn swp sal, Bo wir, Rhaid i mi ladd gwair cwta, rhwng y creigiau yma hefo "Pladur Isaac Nash" bob dydd, a chodi gwair i ben y Clogwyn, — ac yn hen ŵr!

Yr wyf am droi yn Labour! Am adael y Cenedlaetholwyr i'w crogi.

Gwyn dy fyd ti, Walter bach. ond nid oes arnaf eisiau o wenwyn i ti — hefo dy hen bol drwg!

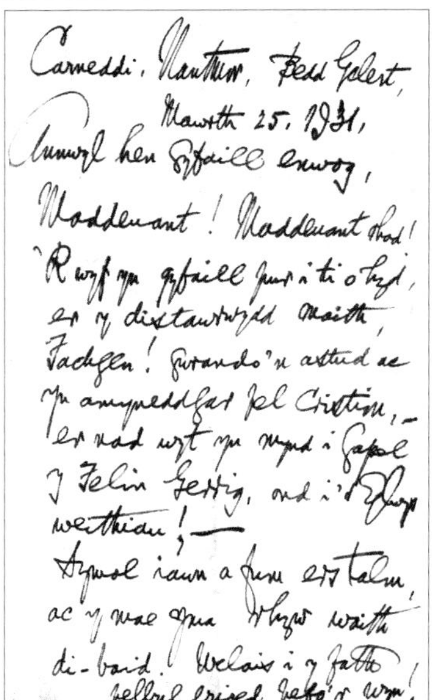
Carneddi, Nantmor, Bedd Gelert,
Mawrth 25. 1931,

Annwyl hen Gyfaill enwog,

Maddeuant! Maddeuant rhad!
'Rwyf yn gyfaill pur i ti o hyd, er y distawrwydd maith, Fachgen! Gwrando'n astud ac yn amyneddgar fel Cristion, — er nad wyt yn myned i Gapel y Felin Hettig, ond i'r Eglwys weithiau! —
Hynod iawn a fum erstalm, ac y mae yma rhyw waith di-baid. Welais i y fath helbul erioed hefo'r wyn!

(Trwy ganiatâd Archifau a Chasgliadau Arbennig, Prifysgol Bangor).

CARNEDDOG
Y Felin
Llanllyfni.
7/1/27

Annwyl Gyfaill/

Y mae'r Postman yn dod a phethau rhyfedd i'n ty ni weithiau, Rhyw gymysgfa fawr "odréfn ac anhrefn". Bill weithiau am beth na wn i ddim am dan[illegible] Llythyrau oddiwrth wyr ein colegau a hen ffrynds, ond y mwyaf diddorol ers tro oedd eich epistol chwi y bore'ma, Efallai na ddylwn chwerthin wrth feddwl fy mod yn gweld llarp o ddyn hir-goes yn llamu ar draws Rhosydd a mawnogydd Llanfrothen, a golwg arno fel un newydd ddianc o wylltedd Affric, a [illegible] chwys mis Ionawr ar ei dalcen, ac yn sisial wrtho'i hun "Cerddi'r Eryri" wedi llwyr anghofio fod

Y dydd yn fyr a'r nos yn hir,
A'r gwynt yn oer o'r Gogledd dir.
Heb loer na ser ar glawr y ne.
A'i fwth ymhell mewn diffaeth le.

Pe buasai ganddo becyn ar ei war, a phastwn, fel pastwn lecsiwn tan ei law, a barf hir-llaes yn cael ei thorri gan y gwynt, ei gob yn garpiog, a phen ei drwyn yn du-lasu, a gwallt hir claerwyn, byddai y darlun yn berffaith. Duw a helpo hen lenor, ynte,? Tybed a fydd gwaith fel a wnewch yn cael ei fendithio weithiau,? Maddewch i mi am chwerthin tipyn bach, wrth synio am danoch yn goffod cael lantar i groesi'r rhosydd, a miloedd o dylwyth teg Eryri yn dawnsio yn ei llewych, a phob tocyn brwyn yn troi yn drychiolaeth, Bobol annwyl. Ond i roi pen a'r yr hwyl yna, Nid wyf wedi cael cyfle eto i weld yr oll o'm ffrynds, ond peidiwch a phoeni dim, caf lawer eto cyn bo hir, -anfonaf y rhai hyn i aros. Anfonais at liaws o gyfeillion yn eich enw, Typiais nifer o lythyrau fel y gallwn eu hanfon am ddima, ac anfonais at rai na allwn eu gweled o bosibl am hir iawn, ac fe ddaw ffrwyth o hynny cyn bo hir, Gallwn yn ddiogel ychwanegu at y rhestr amgauedig, ond gwell i mi eu gweled yn bersonol. Peidiwch a digaloni yr hen bero.

"Guto'r Fasged Wen" ni wn brodor o ble oedd, na chwaith amser ei farw yn sicr, Efallai ei fod wedi mynd i gadw ers hanercant neu fwy o flynyddoedd. Byddai yn teithio, neu'n tithio o ddrws i ddrws yn y Rhoslan pan oedd fy mam yn ferch ifanc gartref, a'r pryd yr oedd Myrddin yn brentis o of hefo fy nhaid. Dyma rigwm a wnaeth moddia nhw,

Mae Myrddin yn fy meio,
Fy mod yn ffaelu spelio.
Er saled wyf am hynny,
Mi speliaf Lon a Beudy.

Yr oedd Myrddin ar y pryd yn caru a Gwen merch Beudy'r Lon, a chyfeiriad at hynny sydd yn y llinell olaf, Cam efallai fyddai tyngu gwerth Guto fel bardd wrth y rhigwm yna, ond fod iddo waith llawer gwell, pan y byddai ar ei oreu. Byddai mae'n debig lawer o glerwyr yr oes yn galw yn yr efail, a chafwyd llawer o hwyl diniwed a hwy, Yr oedd y gof yn wr cyfarwydd a thynnu pobl i siarad, pa un bynnag a fyddai ganddynt rhywbeth i ddyweud a'i peidio, ac mae'n debig mai pan heb ddim i ddyweud y byddant yn siarad fwyaf, a mwyaf yr hwyl ar adegau felly, Byddai gan fy mam lu o adgofion am yr amser dedwydd gynt, pan oedd pobol onest yn byw yng Nghymru, Rhodres y Sais heb l e i roi ei ben i lawr, Gwladwyr plaen, yn siarad yn blaen a phawb, ac fel pe wrth fainc llys barn, "Y gwir a dim ond y gwir". Yr oedd yn yr ardal honno ar y pryd wyr amlwg ym myd llen, Huw Tegai yn weinidog yn Rhoslan, a chyfarfodd y Du a'r Gwyn heb ballu yn ei ddylanwad, Cymdeithas Eifionydd heb ddarfod, Y papur-newydd heb ddysgu dyweud cymaint o gelwyddau, a'r byd yn fwy o'r [illegible] haner.

Mae'n debig y byddwch chwithau yn cael testyn chwerthin am ben fy llith innau, oni thawaf, Rwyf fel Spot, ci Daniel Owen yn rhedeg i bob man ond yn mynd i unman, a rhag ofn y bydd angen lantar arnaf i orffen, tawaf y mynud yma, gyda dymunno pob llwydd i chwi gyda'r gwaith o gasglu enwau,

Cyn tewi mi garwn wybod, Pwy a feddyliwch wrth "Y Plant" yn eich [illegible],.

Yr eiddoch yn gywir,
Cofion flamboeth

Gwallter Llyfni

[illegible]

(Trwy ganiatâd Llyfrgell Genedlaethol Cymru).

Llun a dynnwyd gan Geoff Charles o'r Carneddi ym mis Medi 1945.

(Trwy ganiatâd Llyfrgell Genedlaethol Cymru).

Llun o olwyn ddŵr y Felin, Llanllyfni, ar gerdyn post.

'. . . er bod yr olwyn wedi peidio â throi, daw mil a mwy yma i falu. Welsoch chwi 'rioed fath le ac sydd yn y Felin weithiau.' (Llythyr rhif 22, 29 Tachwedd 1928).

(Trwy ganiatâd Llyfrgell Genedlaethol Cymru).

Llun a dynnwyd gan Geoff Charles o Garneddog a Chatrin y tu allan i ddrws y Carneddi cyn iddynt ymadael am y tro olaf ym mis Medi 1945.

(Trwy ganiatâd Llyfrgell Genedlaethol Cymru).

Teulu Coed Cae Newydd, Llanllyfni: (yn y rhes gefn) Dafydd (brawd Gwallter), Gwallter ei hun, (gŵr anhysbys); (yn y canol) Ellen a Jane (chwiorydd Gwallter), Dilys yr eneth fach (nith Gwallter); (yn eistedd) Jane Jones (mam Gwallter), Dafydd Jones (tad Gwallter).

(Y llun trwy garedigrwydd Gwerfyl Gregory).

GWALLTER S. JONES,
(Baritone).

With Compliments from

Gwallter S. Jones.

'Eleni penderfynais anfon fy llun i bawb o'm cyfeillion, yn lle Christmas Card hen ffasiwn. Gresyn oedd i'r argraffydd roddi'r cyfarchiad Saesneg, ond nid fy mai i yw hynny. Tybed a fyddai i ti fy adnabod heb weld yr enw tano?'
(Llythyr rhif 92, Rhagfyr 1931).

(Trwy ganiatâd Llyfrgell Genedlaethol Cymru).

Eisteddfod Genedlaethol Treorci, 1928: (o'r chwith i'r dde) R. R. Williams, Cyfarwyddwr Addysg y Rhondda; Gwynfor, Caernarfon; Gwallter Llyfni; Dulyn, Llangefni; Glanogwen, Caerdydd.

(Y llun trwy garedigrwydd Dewi Jones).

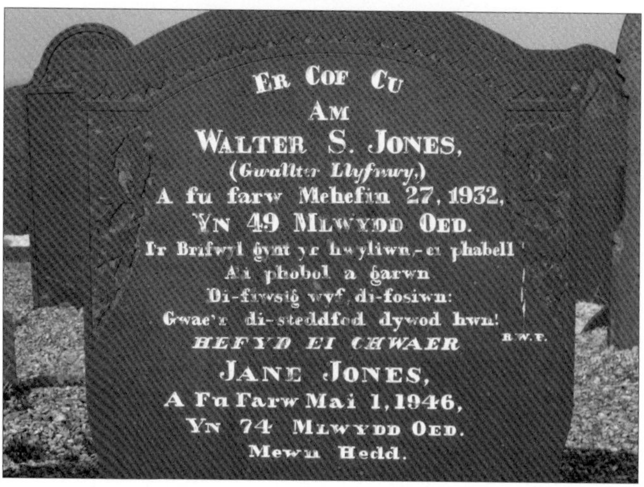

Llun o garreg fedd Gwallter ym mynwent Gorffwysfa, Llanllyfni, ac arni englyn gan ei gyfaill R. Williams Parry.

(Llun a dynnwyd gan y Golygydd).

arnynt ofn i ychydig ymgeisio ar ganu ac adrodd, ac i hynny dy insultio. *Dyna'r gwir yn blaen i ti*. Wel, carai Jack, a'r Pwyllgor, i ti ddod yma *rhyw nos Wener, yn Ionawr*, tua Ionawr 17. A wyt ti yn rhydd y nosweithiau rheini? Rhaid i ti ddewis. Dy destun a hoffent i gyd oedd, 'Robert Ellis y Clochydd, a'i Waith'.

Rhaid i ti ganu rhai o'i garolau ar yr hen Fesurau, etc.

Gwn y cei di hwyl. Bydd yn fyr – a chryno ar dy destun (yn lle mynd ar ôl pob peth fel B[ob] O[wen] pan yma).

X (*Preifat hollol i ti* yw hyn)

Anfon air, da chdi. O ie, cei ddod yma, a chei y croeso mwyaf gennyf. Treiaf lenwi dy hen berfedd drwg. Yr ydym eill tri yn dy wadd yma.

Anfonaf dy bwt am yr *hen lyfr* i'r 'Manion'.[186]

Cofion fil, oddiwrthym fel teulu.
Yn bur,
Carneddog.

Bangor 5369, Cyfrol A, rhif 17

51

Y Felin, Llanllyfni
14 Rhagfyr 1929

F'annwyl Gyfaill a Chyd Sant,

Diolch yn fawr am yr eiddot i law bore 'ma. O ai e, cadw fy llythyrau a'u hanfon i'r Llyfrgell Genedlaethol[?] Da iawn wir, a finnau wedi rhegi cymaint, ond tae fater, y mae dy rai dithau ynghadw gennyf finnau bob un, ac os y byddaf farw, (peth anhebyg rŵan) gwnaf yn fy

186. Cyhoeddwyd llythyr gan Wallter, dyddiedig 14 Rhagfyr 1929, yn y 'Manion o'r Mynydd', *Yr Herald Cymraeg*, 24 Rhagfyr 1929, t. 2, yn ymholi am lyfr Robert Burton, *The History of the Principality of Wales: In Three Parts . . . Together with Natural and Artificial Rarities and Wonders in the Several Counties in the Principality* (London, 1695), fel y gwnaeth yn ei lythyr at Garneddog, rhif 49 uchod. Cafwyd nodyn byr gan Garneddog ar ddiwedd y llythyr yn y 'Manion': 'Ni welais i lyfr Robert Burton erioed. Mae gennyf gasgliad bychan o "hen lyfrau Saeson" ar Gymru, sef Arweinlyfrau etc., ond nid ydynt mor hen ag un Burton . . . Gwn ei fod yn brin iawn ac anodd ei gael. Pwy rydd y wybodaeth a ymofyna fy nghyfaill Gwallter?'

ewyllus fod llythyrau Sant Carneddog yn mynd yno hefyd, ac yn bendifaddau bydd yno gasgliad hafal i lythyrau y Morisiaid. Cofia di, ’rwyt tithau wedi rhegi tipyn bach hefyd, hynny yw, rhegi fel y bydd blaenoriaid Methodistiaid yn rhegi.

Blin gennyf ddeall y’th fod yn cwyno hefo’th galon. Hyderaf y daw’n well yn fuan, fuan; ond am dy boen hefo’r hen dai yna. Nid oes gennyf ddim cydymdeimlad. Ychydig iawn yw fy niddordeb mewn cerrig a mortar.

Buaswn wrth fy modd yna yn gwrando’r gwynt yn rhuo drwy’r coed noethion ynghefn y Carneddi, ond gresyn iddo ymyryd â’r hen Eglwys, sydd megis Cof Golofn o’r dyddiau fu, a miloedd o hanesion fel tylwythion teg o’i gylch. Cofia di pan ddeuaf yna nad ‘bara a chaws’ fydd arnaf eisiau, ond bara ’menyn da, a chig moch cartref. Gwir a ddywedi, na byddaf yn poeni am ddim – i beth? Wyddost ti am y darn adnod honno, ‘Digon i ti fy ngras i’,[187] a chan fy mod yn rasol iawn, ni ddaw poen ar fy nghyfyl. Cais ras yr hen ddyn.

Rŵan at fusnes – busnes y Ddarlith. Y mae un o’r ddau ddyddiad yn rhydd, a gallaf ddod yn eithaf hwylus. Mewn ardal fel Nantmor rhaid yw consyltio â’r lleuad, ac yn ôl Almanac R. Roberts, bydd y lleuad yn llawn ar Ionawr 14, felly bydd siawns iddi fod o gymorth i mi ymlwybro tua’r Carneddi wedi’r cyfarfod.[188] Gresyn eu bod wedi trefnu i ti fod yn Gadeirydd i’r Eos, gan y buaswn yn falch iawn pe byddet ti yn Gadeirydd i mi. A oes modd trefnu i hynny fod. Rhyfeddaf eu bod wedi dewis ‘Robert Ellis’. Nid oes yn honno odid ddim cymorth i chwerthin, a chawsent lawer mwy o ganu yn un o’r lleill, ond y nhw sydd i benderfynnu. Dichon mai R. E. yw y fwyaf addysgiadol o’r tair. Felly Robert Ellis am dani, a rhoddaf rhyw ddwy enghraifft o’i garolau gân, ag un o’i gerddi. Soni am i mi fod yn fyr a chryno. Tynnaf fy llith i ben mewn awr neu ychydig funudau dros

187. Gw. II Corinthiaid 12.9.

188. Robert Roberts (1777-1836) yr almanaciwr a’r seryddwr o Gaergybi, gw. *BC(I)*, t. 823. Parhaodd ei fab o’r un enw i gyhoeddi’r Almanac ar ôl ei farw. Argreffid ef gan gwmni Webb, Evans & Co., Lerpwl. Cyhoeddwyd llythyr gan Wallter yn y ‘Manion o’r Mynydd’, *Yr Herald Cymraeg*, 28 Hydref 1930, t. 2, yn trafod Almanac Caergybi, lle y mae’n dweud: ‘. . . bydd gennyf fwy o groeso i Almanac newydd nag odid i lyfr.’

hynny, ond os yw hynny'n ormod rho wybod, a bydd i mi gwteuo, er mai prin y gall neb ddweud digon am yr hen fardd mewn llai na hynny.

Pam yr oeddyt yn dweud yn dy lythyr 'O ia, Cei ddod yma, a chei y croeso mwyaf gennyf.' Oeddyt yn meddwl i mi fynd i rhywle arall yn Eryri i chwilio am glwyd a bwyd? *Yna yr wyf yn dod*, ac yna yr arhosaf am ennyd, a phan af tu hwnt i'r llen, erys yr adgofion am y Carneddi i ddwyn fy sylw oddiar y *telynau aur* yr adeg honno. Bydd dy lun di wrth ochr y tân, ac ambell i bwff o wynt oer yn dy grepachu yn blets i gyd, a dy ddau lygad yn gwingo fel arian byw yn dy ben, dy wyllt eiriau, a'th reg ddisymwyth, a chri tylluan yng nghoed yr allt yn dy ddychryn, a finnau wrth fy modd, yn dod i'r Wynfa yn banorama fyw o fy mlaen. Pwy yn ei sens a fuasai yn meddwl am beidio mynd i'r fath le, ac yn gwybod fod yno groeso iddo heb i ŵr y tŷ ddweud hynny wrtho?

Ac i mi siarad yn ddifrifol rŵan. Hyderaf y gallaf roddi bodlonrwydd i gyfeillion Nantmor hefo Robert Ellis, ac y mae'n dda gennyf gael cyfle unwaith eto i ddweud gair am yr hen WRON hwnnw ganodd cyn felused i werin dlawd ei wlad. Rho wybod amser dechreu'r cyfarfod, a rhyw fanion felly i mi. Yn ôl a welaf oddiwrth amser y Crosville, caf fotor o'r Port 5.30 yn cyrraedd Pont Aberglaslyn 6.10, felly os y byddwch yn dechreu 6.30 byddaf yno mewn pryd hefo hwnnw. Ond na ofaler am hynny, byddaf yna yn sicr, os iach a byw Ionawr 10, 1930, a hyderaf y ceir cynhulliad da.

Bydd dy lyfr allan erbyn hynny, a chofia y byddaf yn disgwyl y bydd gennyt rhyw dri chopi i mi.

Cofia fi'n gynnes at y wraig a Hywel, gan hyderu fod 'y byd hwn' yn garedig wrthynt, ac y doi dithau yn ffrindia hefo throion yr hen fyd yma, ac y caf dy weld bum wythnos i neithiwr yn dy hwyliau gorau.

Yn gywir iawn,
Cofion cu,
Gwallter.
Gol. *Y Llwyfan*!!!!

LlGC 7237D

52

Carneddi, Nantmor, Bedd Gelert
Nawn Sul, 29 Rhagfyr 1929

Annwyl hen Gyfaill duwiol,

Adref yr wyf y pnawn yma yn swatio wrth y tân. Mae'n oer erwinol yma, ac y mae heidiau o 'adar drycin' ar y Gwndwn Mawr o flaen y tŷ.

Rhaid i mi dreio mynd i lawr i'r capel heno drwy'r ystorm i gyd, neu gelwir fi yn bagan, etc.

Aethum i lawr i'r Cwrdd noson cyn y Nadolig, er mwyn yr hen Eos Gwynant, yn bennaf. Cafodd hwyl dda. Canodd yn fendigedig. Bobol annwyl! yr oedd yn noson dywyll a glawog. Yr oedd yn 'dywyll bits'. Yr oedd Hywel yn dod adref gyda mi, a lamp fawr y beudy gennym, ond goleuo yn sâl yr oedd, neu rywbeth. Ar ôl i ni fynd i dir y Carneddi, ar ôl pasio y giât haearn, ffwndrais i yn lân yn yr eithin, ac aethum o'r ffordd (neu lwybr). Da i mi fod Hywel gyda mi, neu buaswn wedi syrthio dros graig, a bod allan trwy'r nos!

Ni chybolais nos y Nadolig, arhosais adref, yn lle mynd i Eisteddfod Bedd Gelert, a diolch byth am hynny! Aeth Hywel yn y prynhawn i *reportio* droswyf.

Gwarchod pawb! aeth cwrdd yr hwyr yn faith. Yr oedd yn un o'r gloch y bore ar Hywel yn cyrraedd adref.

Enillodd Mr Christmas Jones, Pen y Groes, ar y prif adroddiad,[189] Misses Dilys a Bessie Davies ar ganu,[190] ac Evan Glyn Jones, ar adrodd. Cystadleuaethau lluosog a rhagorol.[191]

189. Yr oedd Richard Christmas Jones o Ben-y-groes yn adroddwr o fri mewn eisteddfodau, gw. Janet D. Roberts, *Lle Bu Lleu: Atgofion am Ddyffryn Nantlle* (Caernarfon, 1976), t. 68. Fe'i hurddwyd yn aelod o'r Orsedd yn Eisteddfod Genedlaethol Bangor yn 1931.

190. Roedd Dilys a Bessie Davies o Ben-y-groes yn gantoresau adnabyddus mewn eisteddfodau lleol.

191. Ceir adroddiad ar yr Eisteddfod yn *Yr Herald Cymraeg*, 31 Rhagfyr 1929, t. 8.

Enillais ar y Darn Adrodd i blant dan 14 oed – 'Helynt Noson Gwneud Cyflath'.[192] *Canmolai* R. R. Morris ef.[193] Cei'r holl hanes pan ddeui yma.

Wel, hen gyfaill, rhaid i mi ddiolch o galon gynnes i ti *am dy benillion* doniol, pert, a thrawiadol i mi. *Adferteismant* ardderchog i'm llyfr. Wedi eu hanfon gyda'm copi.[194]

Anghofiais ddiolch i ti am y penillion eraill, ar fy llun yn *Y Drych.*[195]

Doniol ofnadwy. Mae'r pennill diweddaf 'yn anfarwol'. Wedi eu hanfon i Ddinbych. *Os y bydd lle*, byddant i mewn fel 'Tipyn o Sebon'. Cawn weld a fydd lle iddynt. Ni fedraf ddweyd yn awr.

Mae rhyw ddrwg tua Dinbych. Rhai o'r printars yn sâl, neu rywbeth. Ni ches *proofs* ers tair wythnos, sef ar y rhan ddiweddaf. Hen dro garw.

Wel, cyhoeddais di yn y Cwrdd nos Fawrth (cyn y Nadolig). Dywedais dy fod yn areithiwr hyawdl, coeth, a thrawiadol, etc.

Cofia fynd i Dŷ'r Capel i nôl bwyd cyn mynd i mewn.

Down i lawr i'th gyfarfod. Popeth yn barod yma i ti.

Y gwely wedi ei 'aerio' *yn iawn*. Potel fawr orlawn o ddŵr poeth ynddo o hyd! Mae'r wraig yma yn ofalus iawn. Gresyn lladd Golygydd *Y Llwyfan* hefo gwely damp!

Sut hwyl sydd arnat? Go symol yw fy nghalon i, fachgen. Nid yw Catrin yn dda chwaith.

Wel, rhaid terfynu, gael i mi fynd i wisgo am danaf i fynd i'r capel, ond y mae'n 'oer drybeilig', yn wir.

---

192. Ceir y darn yn *OGG*, t. 70.
193. Richard Robert Morris (1852-1935), bardd-bregethwr a brawd i fam T. H. Parry-Williams, gw. Ifor Rees gol., *Bro a Bywyd Syr Thomas Parry-Williams 1887-1975* (Cyngor Celfyddydau Cymru, 1981), t. 12. Cyhoeddodd J. W. Jones gasgliad o'i gerddi, *Caneuon R. R. Morris* (Lerpwl, 1951), a chedwir ei bapurau yn Archifdy Prifysgol Bangor. Ef oedd beirniad y cystadlaethau barddoniaeth yn yr eisteddfod.
194. Cyhoeddwyd cerdd Gwallter, 'Mae'i ddarlun o'n werth gini' (gw. Atodiad VI isod), yn y 'Manion o'r Mynydd', *Yr Herald Cymraeg*, 7 Ionawr 1930, t. 2.
195. Roedd llun o Garneddog yn *Y Drych*, 3 Hydref 1929, a chyhoeddwyd penillion Gwallter yn y 'Manion o'r Mynydd', *Yr Herald Cymraeg*, 5 Tachwedd 1929, t. 2. Gw. hefyd *OGG*, tt. 75-6.

Mae'n braf arnat ti, Walter bach! Yr ydym yn cofio atat eill tri. Cei groeso Cymreig yma.

Cofion fyrdd,
Yn bur,
Carneddog.

Bangor 5369, Cyfrol A, rhif 18

53

Y Felin, Llanllyfni
3 Ionawr 1930

Annwyl Gyfaill a chyd Gristion,

Rheidrwydd a bair i mi ysgrifennu atat heddiw. Yn wir i ti, mae rhyw ddiawl o rhywbeth allan o'i le yng Nghaerdydd, ac sydd yn drysu fy mrogram i. Fel hyn y bu hi. Trefnwyd cyfarfod yn yr Amwythig Ionawr 11 ac yr oedd y dyddiad hwnnw yn eithaf hwylus i mi, ond heddiw dyma fi air yn dweud mai Ionawr 18 y bydd, a rhaid fydd i mi fod yno. Felly ti weli y bydd yn amhosibl i mi allu bod yna nos Wener 17, ac yr wyf am ofyn i chwi ei gynnal rhyw noson arall. Gallaf ddod nos Lun, Mawrth, Mercher neu Iau. Yr wyf yn anfon *p[ost] c[card]* i John Williams, Beudy Newydd, heddiw i ofyn yr un peth, rhag ofn y bydd yn ormod o dywydd i Hywel fynd i'r capel y Sul. Ceisiwch ei drefnu rhyw noson arall.

Y mae'n flin gennyf am yr amryfusedd, ac ni fynswn er dim i'r peth ddigwydd. Rŵan Carn, paid ti â gwylltio a damio hen Gristion fel y fi. [Does] gennyf mo'r help, ond fe weli, y byddai dod yna nos Wener, a gorfod cychwyn cyn dydd drannoeth yn ormod i gig a gwaed mor fregus â fi.

Os y gelwir pwyllgor y Sul, gellir, ddalia i, ad-drefnu pethau a'i gynnal rhyw noson arall yn ystod yr wythnos.

Cyflwyned Hywel fy ngofid i'r pwyllgor, a cheisied ei orau eu perswadio i faddau i mi, a threfnu dyddiad arall. Gwell fyddai gennyf ddod yna yn gynt na gohirio. Ni byddaf byth yn hoffi gohirio unpeth.
Byddaf ddiolchgar am air yn fuan wedi'r Sul i ddweud yr hanes.

Cofion fflamboeth gant,
ar frys gwyllt,
Gwallter.

[Ar gefn y ddalen, yn llawysgrifen Carneddog]

O! be na'i? [wedi'i groesi trwyddo]

Ni rof wân yn yr anial – i'r blodau,
Tra'r bladur yn 'r hoewal;
Pwy ddaw'n syth helpa ddyn sâl
Yn giwt ar lain y Gotal?[196]

Papurau Carneddog G996

54

Y Felin, Llanllyfni, Penygroes, S[orting] O[ffice]
13 Ionawr 1930

F'annwyl Gyfaill a Chyd Sant,

Ar fy nhraed unwaith eto. Diolch i'r duwiau a'm dygodd i'r lan trwy fôr o chwys, er i hynny ddigwydd yn rhy hwyr i mi allu cadw fy nghyhoeddiad yn Nantmor, ond 'does mo'r help.[197] Byd llawn o siom-

196. Cyhoeddwyd yr englyn hwn gan Garneddog yn y 'Manion o'r Mynydd', *Yr Herald Cymraeg*, 21 Gorffennaf 1931, t. 2, gyda'r teitl canlynol: 'Carn yn sâl ddechrau'r cynhaeaf gwair'. Enw ar un o gaeau'r Carneddi oedd 'Y Gotal'.

197. Mewn llythyr at John William Jones, dyddiedig 10 Ionawr 1930, dywed Carneddog: 'Torrodd Mr. W. S. Jones (Gwallter) ei gyhoeddiad i ddod yma nos Fawrth nesaf. Wedi cael yr Infffliwensa. Yn ei wely. Yma yr oedd i ddod i gysgu. Darlithio ar "Robert Ellis, y Clochydd", a chanu ei Garolau, etc.', gw. LlGC 'Papurau J. W. Jones', rhif 3898.

edigaethau ydyw'r byd hwn, ac y mae lle i ofni mai fy siomi a gaf fi yn y nesaf hefyd.

Da iawn fachgen fod heulwen wedi storm, a rhyw egwyl i'w gael i hybu'r galon ambell dro, neu buasai'n druenus felldigedig arnom. Do wir cefais hen sengol gas iawn, a gorfuwyd fi i lechu hyd ddoe yn fy ngwely. Gadawodd fi'n wan ryfeddol, a phe deuwn yna nos yforu, tila iawn a fyddai fy narlith, a gwell torri cyhoeddiad na thorri carictor fel darlithydd. Ond rŵan at fusnes. Rhaid i mi gael dweud fy narlith wrth bobl Nantmor, ac y mae pob dyddiad yn rhydd gennyf o hyn ymlaen, felly gadwaf iddynt hwy ddewis eu noson, ag anfon ataf, a mi a ddeuaf.

Tybed a oes Eisteddfod y Cymrodyr i fod eleni[?] Os oes, byddaf yn edrych ymlaen at gael dod i honno ar yr un telerau â'r llynedd. Cefais gymaint boddhad ynddi fel yr wyf yn hiraethu am eisteddfod debyg eto. Cofia di, nid awchu gwneud caredigrwydd yr wyf. Gwn y caf dâl da am ddod a chroeso cynnes. Dywed wrthynt y deuaf eto eleni.

Byddaf yn disgwyl y bydd *O Greigiau'r Grug* allan o'r wasg erbyn y deuaf yna, a chofia y bydd arnaf eisiau o leiaf hanner dwsin o gopiau. Y mae amryw yn credu mai y fi yw dy *Agent* di, ac yn rhoi *orders* ymlaen llaw.

Rhaid i mi fynd i'r Amwythig nos Wener nesaf, ac o bosibl yr af i Lerpwl cyn dod yn ôl. Cynhadledd o bobl bwysig y wlad sy'n cyfarfod y Sadwrn nesaf, a disgwylir i mi annerch y gynhadledd honno fore Sadwrn. Meddwl am danaf o flaen y cewri yn y fan honno. Druan bach, ynte.

Hyderaf y'th fod yn gallu dy gadw dy hun rhag gerwinder y gaeaf, a gweddia na chei di mo'r fflu.

Cofia fi'n gynnes at y teulu oll.
Yn gywir iawn,
Gwallter.

LlGC 9659D

55

Y Felin, Llanllyfni
25 Ionawr 1930

F'annwyl Gyfaill Hoff a Swnllyd,

Aros di funud yrŵan. Pwy wyt ti i fflangellu trefn Rhagluniaeth mor arw? Tybed a wyt yn meddwl fod i ti hawl i gyhoeddi anathemau uwchben y fflu, am dy fod ar rhyw uchel sedd yn Eryri lle bu'r cewri gynt a'u barclodiau llaes? A dybi di y gelli ddweud 'tyred a dos' wrth yr anwydwst, a rheoli'r elfennau sydd yn rhidyllu hen gorpws bregus fel fy un i? Os y gwnei, dywed wrtho am adael dy dabernacl dy hun, a gwna dy hun yn barod i ddod i lawr i Nantmor nos Wener nesaf i wrando un o *wŷr mawr* Cymru – Gŵr ddigon *mawr* a all fforddio torri ei gyhoeddiad ddwy waith yn yr un lle.[198] Rhaid i ti ddod yno, pe byddai raid yn y drol. Byddai dod i Nantmor a Charneddog heb fod yno, fel mynd i ben y Bwlch Mawr i gyfarfod trên wyth.

Gair bach arall. Pam yr wyt yn sgrifennu rhyw bytiau o boscards i mi? Oes arnat ofn i dy lythyrau fynd i afael y Llyfrgellydd Cenedlaethol?

Blin gennyf ddeall dy fod o dan annwyd. Fy nghyngor i ti er ei wella yw, gwerth 12/6 o wisgi mewn chwart o gwrw poeth, a hanner pwys o fenyn a dwy lwyad o driog. Dwy botel o ddŵr poeth yn dy wely a saith planced wlân cartref arno, a llechu am bedair awr ar hugain, ac iach fyddi.

Yrŵan at fusnes. Cymeraf yn ganiataol mai *hanner awr wedi chwe*[*ch*] y bydd y cyfarfod yn dechreu, ac os iach a byw, byddaf yno, a thyrd tithau yno. Rho wybod i Robin Owen, a Morgan Roberts, Gelli Iago.

Hyderaf y bydd i'r tywydd byhafio am dro, ac y daw cynhulliad da. Diolch am dy garedigrwydd â mi, ond ofnaf y bydd yn amhosibl i mi aros dros y Sul. Yr wyf yn eithaf prysur rhwng pobeth. Yr wyf wedi prynu tŷ ym Mhenygroes, a raid i mi wneud trefn ar bethau yno, fel

198. Yr oedd adroddiad yn y 'Manion o'r Mynydd', *Yr Herald Cymraeg*, 11 Chwefror 1930, t. 2, ar ddarlith Gwallter ar 'Robert Ellis, Clochydd Llanllyfni', yng Nghapel Peniel, Nanmor, pan oedd Carneddog yn llywyddu.

y caf symud *bag and baggage* yno tua dechreu Mawrth, a hefyd busnes *Y Llwyfan*. Rhaid i ti gofio mai V ydyw Golygydd hwnnw, ac fel pob golygydd yn brysur.

Gweddia am wellhad erbyn nos Wener, ac ira y drol i dy gario i lawr ag yn ôl. Hwyl fuasai gweld yr hen Garn yn dod i ddarlith mewn trol. Ha. Ha.

Cofia fi'n gynnes at y teulu, a thithau hefyd.

Pob bendith.
Yn gywir,
Gwallter.

LlGC 7237D

56

25 Chapel Street, Penygroes S[orting] O[ffice]
2 Mawrth 1930

Annwyl Gyfaill a Chyd Sant,

Bellach yr wyf wedi dod drwy drybestod y 'mudo', wedi bod am wythnos a phopeth yn strimstramstrellach, a phob ffoldigeriach ar draws eu gilydd, a bron iawn na fuaswn yn rhegi yn ddilywodraeth, ond yn ôl fy arfer cafodd 'amynedd ei pherffaith waith'.

Yr wyf mewn tipyn o betruster beth a gaf yn enw ar y bwthyn. Awgrymir a ganlyn: 'Cemlyn', 'Dyfnallt', 'Llystyn' a 'Y Carneddi'. Yn awr gyfaill dewis o'r pedwar, a rho wybod yn fuan, gan fy mod yn awyddu bod i fyny â'r oes.

Ple mae *O Greigiau'r Grug* arni bellach? Rwyf yn awyddu am ei weld, a baich ei gefn o sypiau grug. Bydd pob croeso iddo yma, a lle i glwydo oni all gyrraedd Eryri cyn nos.

Ddoe yr oeddwn mewn cyfarfod o Undeb Drama'r Gogledd yng Nghaernarfon,[199] ac yr oedd yno dri o aelodau selocaf y Blaid Gened-

199. Sefydlwyd Cymdeithas Ddrama'r Gogledd fel cangen o Undeb y Ddrama Gymreig yng Nghaernarfon yn 1929, ac un o'r hoelion wyth oedd Robert Lloyd Jones (1878-1959), gw. Y Bywgraffiadur Ar-lein.

laethol (dy Blaid ti), ac yn wir yn wir, ni allodd yr un o honynt ymatal rhag dod â syniadau gwyllltion di-doriad eu plaid i'r drafodaeth, a bu agos iddi fynd yn helynt fachgen. Siaradodd Mr W. J. Davies, Talysarn yn hynod o anfoneddigaidd, gan enwi personau yn dal swyddi cyhoeddus.[200] Dywedodd fod chwilen ym mhen un o honynt, a bu raid i mi ei alw i gyfrif. Damia'r blaid os yw am gymryd y cyfeiriad yna.

Llechu'r wyf wrth y tân rhag min deifiol gwynt y Dwyrain, a digon tebyg mai felly tithau ar aelwyd y Carneddi, a chri tylluan yn swnllyd gwynfanu yng nghoed Dolfriog.

Amgeuaf restr testunau Eisteddfod yr Eglwys i ti.[201] Efallai y gwnei drio llunio cerdd goffa i'r diweddar Reithor. Gelli ddweud popeth da am dano, heb or-liwio. Yr oedd yn foneddwr a Christion, ei garedigrwydd yn ddihareb.

Dyma i ti hefyd Englynion Hymyr.[202] Anghofiais eu rhoddi i ti pan yna. Rho nhw yn dy Fanion.

Hyderaf eich bod oll yn eich iechyd arferol, a'r byd hwn yn byhafio atoch. Cofia fi'n gynnes at y ddau arall, a gwyddost yn eithaf fod pob dymuniad da atat oddiwrthyf.

Yn gywir,
Gwallter.
Paid â bod yn hir heb anfon gair.

LlGC 7237D

200. William John Davies (1889-1957), dramodydd, nofelydd, sylfaenydd a chyfarwyddwr cwmni drama Tal-y-sarn, gw. Dafydd Glyn Jones, 'Pwy oedd yr 'Hen Ddramodwyr'?(I)', *Y Casglwr*, 94 (Gaeaf, 2008), tt. 12-13. Yr oedd yn un o gefnogwyr cynnar y Blaid Genedlaethol yn Arfon, gw. Gwilym R. Jones, *Rhodd Enbyd*, tt. 96-8.
201. Ceir adroddiad ar Eisteddfod yr Eglwys, plwyf Llanllyfni, yn *Yr Herald Cymraeg*, 6 Mai 1930, t. 4, a nodir i Wallter ennill gwobr am gyfansoddi carol. Nid oes sôn am Garneddog fel cystadleuydd.
202. Cyhoeddwyd dau englyn gan John S. Rees (Hymyr), yn y 'Manion o'r Mynydd', *Yr Herald Cymraeg*, 25 Mawrth 1930, t. 2, ynghyd â cherdd 'Y Gaeaf' gan Wallter.

57

Carneddi, Nantmor, Bedd Gelert
Bore Llun [Mawrth/Ebrill 1930]

Annwyl Hen Gyfaill,

Yn neidio ati cyn brecwast i sgriblio gair bach i ti.

Bûm yn cwyno, a phob helbul a thrafferth. Gwnaeth y tywydd oer a gerwin yr wythnos ddiweddaf drafferth enbyd i mi a Hywel hefo'r defaid a'r ŵyn. Trengodd gryn 12 yn yr eira a'r oerfel. Yr oedd yn ddifrifol gyda hwynt. Yr ŵyn yn wan, a'r defaid ddim yn edrych arnynt. Mae'r tywydd wedi troi, a diolch, neu ni fuasai yma yr un oen.

Bu Hywel oddi amgylch ardaloedd Bedd Gelert hefo'r llyfrau. Gwerthodd yn no dda yn y parthau hyn. *Rhy leol* yw ei gynnwys i bobl ddieithr. Yn wir, synnais iddynt fynd cystal yn yr holl barthau hyn.

Ni wnes i na Hywel ddim gyda hwynt yr wythnos ddiweddaf oherwydd yr ŵyn. Nis gwn yn awr pa bryd y daw Hywel y ffordd yna. Cei air eto. Gwell aros nes y daw yn braf. Nid yw Hywel yn dda.

Maddeu i mi am oedi. Ni fedrwn. Yr wyf 'yn wan fel cath'. Mae'n fyd 'gwan ofnadwy'. Difrifol o ddrwg i'r llyfr. Heb anfon yr un drwy'r post eto. Heb anfon yr un i Gaernarfon 'i bobl y papurau'.

Cei air *yn breifat* eto ynghylch rhai pethau.

Mae'n debyg dy fod wedi symud. Be' roddaist yn enw ar y tŷ, ai 'Llystyn?' Hoffwn i 'Llystyn'.

Maddau pob bai i mi.

Cofion fyrdd,
'Ar redeg',
Carneddog.

Bangor 5369, Cyfrol B, rhif 34

58

Cemlyn, Penygroes S[orting] O[ffice]
7 Ebrill 1930

Annwyl Gyfaill Hoff,

Amgeuaf i ti gopi o'r hyn a anfonais i'r *Llan* heddiw am *O Greigiau'r Grug*, gwna dithau y defnydd a fynnot o honni mewn rhyw bapur neu bapurau eraill.[203] Gwnes yn fyrr er bod yn sicr o le. Y mae rhigwm hir yn gweld ei ffordd yn hwylus i'r fasged wyddost.

Nid oes gennyf hamdden i sgrifennu heno. Rhaid mynd am y Post.

Hyderaf eich bod yn iach yna, ond efallai fod Hywel yn rhy brysur hefo'r defaid i ddod fforma rŵan.

Cofion fflamboeth,
Gwallter.

LlGC 7237D

[Ar ddalen ar wahân]

O Greigiau'r Grug
(Carneddog)

Nid oes ond odid yng Nghymru lenor na bardd mwy ymroddgar na'r bugeil-fardd Carneddog. Y mae wrthi er ys gwn i pryd yn lloffa hanes hen gymoedd Eryri, ac wedi cyhoeddi nifer fawr o lyfrau sydd yn cyfoethogi cryn lawer ar lenyddiaeth ein gwlad, a diamau y gellir ei restru ymysg cymwynaswyr llenorol mwyaf y genedl. Rhy brin ydym wedi bod o feirdd tebyg iddo. Gwn yn dda na wiw i mi ei restru ymysg beirdd 'mawr' y wlad, ond fe gymer ei le mewn rhenc bur ddiddorol, a'i gynhyrchion yn llenwi lle anrhydeddus ymysg ei ddosbarth. 'Canu cartre' y geilw ef gynnwys y gyfrol newydd hon, a cheir ynddi ddwysged o ddarnau byrion, ag aroglau grug y mynydd arnynt.

203. Cyhoeddwyd y geirda yn *Y Llan a'r Dywysogaeth* ar 11 Ebrill 1930, t. 8.

Er iddo ymdroi cryn amser ymysg y meirw, y mae anadl bywyd a hirhoedledd yn y cynhyrchion er hynny, ac yn sicr gennyf caiff gwerin gryn lawer o fwynhad a budd wrth eu darllen.

Perygl amlycaf ein cyfnod ydyw dibrisio y 'canu cartre', a dibynnu gormod ar ein beirdd 'clasurol', ond ysywaeth ni dderllyn y degwm o'r werin gynhyrchion y beirdd hynny, gyda'r canlyniad naturiol, fod darllen y Gymraeg yn dirywio, ond dyma gyfle eto i'r darllenydd cyffredin i gael rhywbeth a fydd wrth ei fodd, am bris bach – dim ond deunaw. Pwy a gymer ronyn o ddiddordeb mewn barddoniaeth Gymreig, na fynn weld a darllen y gyfrol fechan hon? Caiff y bugail ar y mynydd fwynhad ynddi – y chwarelwr a'r glowr, a chaiff yr uchelgeisiol wers mewn gostyngeiddrwydd. Ar wahân i werth y gyfrol, y mae'r awdur diwyd, sydd wedi bod wrthi hwyr a bore yn gwasanaethu llên a barddas ei wlad, yn haeddu pob cefnogaeth yn ei antur. Mentar go fawr ydyw cyhoeddi llyfr Cymraeg, ond nid wyf yn meddwl y bydd raid i Garneddog fynd am y Penrhyn am spel eto.

Anfoned pob un a gymer ddiddordeb yn ein barddas am *O Greigiau'r Grug*, ac fe fentraf ddweud na bydd yn edifar ganddo.

W.S.

LlGC 7237D

59

Cemlyn, Penygroes, S[orting] O[ffice]
16 Ebrill 1930

O Fendigedig Frenin Eryri,

Diolch yn fawr am y swpyn *O Greigiau'r Grug* ddaeth i law y bore 'ma. Iechyd i dy galon fyddai i ti gael dod am dro i Cemlyn pan y derbyniaf lythyr oddiwrthyt. Y maent wedi mynd yn rhywbeth teuluaidd bellach, a phob un o honom cyn falched â phe bai'n cael un ei hunan.[204] Nid oes angen gofyn o ble y daw y llythyr, gan fod dy lawysgrif yn gyfarwydd i bob un o honom.

204. Yr oedd Gwallter yn rhannu'r aelwyd gyda'i frawd, Dafydd, ac Ellen ei chwaer.

Wyddost ti be, daeth *O Greigiau'r Grug* ar ddydd fy mhen blwydd, ond chei di ddim gwybod p'run. Gwyddost cystal â minnau fod pob pen blwydd yn lleihau'r *lease*, ac os y cefais swp o flodau grug i frecwast heddiw daw y dydd pryd y rho rhywun swp o flodau ar fy medd, a gobeithio mai grug fydd y rheini. Ond pam sôn am fedd ar fore o Wanwyn?

Credaf mai'r peth gorau fyddai i ti anfon rhyw hanner dwsin o gopiau i mi erbyn bore Sadwrn, er i mi gael eu cymell i gyfeillion a ddeuant adre dros y Pasg, ac i Hywel ddod pan gaiff gyfle, wedi helbul y defaid cadw. Gwn y gellir gwerthu dwsin o leiaf yma. Y mae rhai wedi ei ordro i mi eisoes: Mrs Roberts, Grianog, merch Hendre G[w]enllian, Ifor Jones y Trethwr ag eraill.

Yr oedd fy sylwadau arno yn y *Llan* yr wythnos diwethaf. Rhoddwyd lle amlwg iawn iddo. Boed bendith arno.

Yr oedd y prifardd Glyn Llyfnwy yma rŵan fachgen, am ddeg y bore. Dyna i ti dreth ar Gristion, ond 'Caffed amynedd ei pherffaith waith'.

Doniol iawn dy gerdd 'Ffrwgwd â Bob Owen'.[205] Gresyn na buaswn yn y storm daranau honno.

Y mae Robin rŵan yn morio hefo môr-ladron Madagasgar.[206]

Hyderaf fod pawb yna'n iach, a dy galon dithau'n well.

Yn gywir iawn,
Cofion cu,
Gwallter.

Talaf i Hywel

LlGC 9659D

205. *OGG*, t. 78.
206. Yn ei golofn yn *Y Genedl Gymreig* rhwng 17 Mawrth 1930 a 19 Mai 1930 y trafodai Bob Owen, Croesor, fôr-ladron Cymreig Madagasgar. Ceir rhai papurau yn ymwneud â morwyr a môr-ladron yn LlGC 'Papurau Bob Owen Croesor', bocs 25.

60

Carneddi, Nantmor, Bedd Gelert
14 Mai 1930

Annwyl Gyfaill a Chyd-Sant,

Walter annwyl, a wyt ti'n fyw? Go ddieithr, ynte?

Fachgen, symol iawn wyf fi ers tro. Cefais rhyw Anwyd ofnadwy, ac y mae fy mrest yn brifo yn arw, peswch enbyd, a fy nghalon yn wan. Ofnaf mai mynd yn sydyn a wnaf rhyw ddiwrnod.

Yn y tŷ yr wyf ddoe a heddiw. Pobl ddiethr yma o hyd. Annodd sgrifennu dim.

Aethum i lawr i'r capel nos Sul i wrando ar Cynan, ac i gael sgwrs. Mentrais ormod, a gwnes ddrwg mawr i mi fy hun. Bobol annwyl, y mae Cynan yn foi clên. Ymdroais yn ofnadwy ag ef yn Nhŷ'r Capel, a daeth i fy nanfon at y giât haearn. Yr oedd wedi 11. Y teulu yn anesmwyth iawn am danaf, wedi meddwl fod rhywbeth arnaf ar y ffordd. Hywel yn cychwyn i lawr.

A wyt ti yn no lew?

Cefais i a Hywel waith cynddeiriog hefo'r defaid etc., ac y mae'r lludded wedi effeithio arnom ein dau. Wedi planu tatws ac wedi hel toreth y defaid i'r mynydd. Heb lanhau y tir. Llwm enbyd yma. Gellir 'chwipio chwanen' ar ganol y 'Gwndwn Mawr'.

Er pob helynt, nid wyf yn fflat iawn. Yr wyf wrthi o hyd.

Pryd y doi di yma eto? Mae'r gwely yn barod i 'Lord Cemlyn'. Cei groeso. Nid wyt yn bwyta digon gan y wraig. 'Dydi o yn byta ond fel cyw iâr!' meddai.

'Damia fo!' meddwn innau, 'Dim 'Worthington Beer' sy' gennym iddo!'

Mae y llyfrau yn mynd yn no dda.

Heb fod yn y Penrhyn, Stiniog, Pwllheli, Eifionydd etc., eto.

Credaf y byddaf yn ddi-golledwr, ond och! Gwaith ofnadwy yw gwynebu'r wlad fel hyn – mae'n dransbort![207] Ni wnaiff Hywel fynd rownd y wlad i mi eto!

207. Ystyr 'transbort' yw llafur caled. Gw. hefyd lythyr rhif 62 isod.

Cei wybod pob dim gennyf pan ddeui yma.

Tyrd pan fynnot. (A yw hyn yn ramadegol, dywed?) Hoffaf dy gwmni. Byddi yn codi fy nghalon.

Dim rhagrith! Diolch byth. Yr wyf wedi ffieiddio *y gor-dduwiolder* yma. Twt lol!

Rhaid i mi stopio, neu cyll Hywel y post. Glaw mawr, yn nhraed fy sanau wrth y tân, a dau oen llywaeth yn edrych arnaf yn syn. Paid â bod yn ddiarth.

Cofion fil,
Byth yn bur,
Carneddog.

Bangor 5369, Cyfrol A, rhif 19

61

Cemlyn, Penygroes, S[orting] O[ffice]
16 Mai 1930

F'annwyl Gyfaill a Chyd Sant,

Diolch yn fawr am dy lythyr i law y bore 'ma, ond nid yw ei gynnwys wrth fy modd, gan dy fod yn dweud nad yw dy iechyd yn dda, er y rhaid i ti a minnau bellach ddygymod ag effeithiau mynd yn hen. Ni bu'r Gwanwyn yn rhy garedig eleni – y tywydd yn gyfnewidiol, a ninnau efallai yn credu ein bod ugain mlynedd yn ieuengach nag ydym, a risgio gormod.

Cefais innau annwyd trwm neu rhywbeth rhyw bythefnos yn ôl, yr hyn a gynhyrfodd yr hen ddolur, a thorrodd rhyw wethien fach yn rhywle y tu fewn i'r peiriant, a gorfu i mi aros yn fy ngwely am rai dyddiau, ond erbyn hyn yr wyf yn graddol hybu, a hyderaf hybu digon i fanteisio yn go fuan ar dy wahoddiad i'r Carneddi, ac os oes codi ar dy galon, mi coda i hi. Pan ddelo'r tywydd i bihafio, deuaf yna, a rhaid fydd i tithau fodloni i gyd-dorheulo â mi hyd y llethrau yna.

Y mae'r chwe llyfr wedi eu gwerthu, ac oni all Hywel ddod, gwell fyddai i ti anfon hanner dwsin arall i mi. Dyma enwau y bobl sydd wedi eu cael: Ifor Jones, Cofrestrydd, W. J. Parry, Llanddofri, J. E. Thomas, Penmachno, H. Pyrs Gruffydd, Llanllyfni, Mrs Roberts, Graianog, Miss A. Roberts, Glangors. Y mae y Parch. Robert Jones, Talysarn,[208] wedi addo cymryd un, ac yr wyf bron yn sicr y bydd i mi werthu hanner dwsin eto. Anfon, a chei yr arian pan ddelo Lord Cemlyn i'r Carneddi. Nid yw *my lord* yn yfed Worthington rŵan, rhaid bodloni ar gwrw rhatach.

Yr ydym yn hwylio i sefydlu Cymdeithas Hanes Dyffryn Nantlle. Cynhelir y cyfarfod cyntaf nos Lun Mai 26.[209] Amgeuaf i ti gopi o'r awgrymiadau am ei hamcanion.[210] Edrych dithau hwy, ag anfon dy farn am danynt i mi cyn y 26. Gweli ein bod yn ein cyfyngu ein hunain i gylch y Dyffryn, ond bydd raid i ni odro llawer un o'r tuallan am lawer o hanesion. Mae'n debyg dy fod ti yn gwybod cryn lawer am rai o feirdd y cylch yma, ac y cawn rhywbeth gennyt o ddiddordeb ar un o honynt, neu gyfarwyddyd lle y gellir cael. Hyderaf y bydd hon yn gymdeithas a rydd gychwyn i fudiad tebyg ymhob rhan o'r wlad, ac y ceir drwyddynt cyn bo hir hanes gweddol gyflawn am orffennol ein gwlad. Eisoes yr wyf wedi casglu cryn domen o hanes y plwyf yma, yn gerddi, englynion a chywyddau (dof â'r rheini i ti eu gweld) a lliaws o bethau gwir ddiddorol. Byddai'n drueni i mi farw cyn hanner gorffen y gwaith, yn bydda[?] Ond pam sôn am farw ym mis Mai, a phopeth yn edrych mor grand[?][211] Y mae mynd am dro draws y caeau yn falm i enaid lluddedig, a rhyw symffonis anweledig yn perseinio yn fy nghlyw. Onid diawl o beth oedd i ddyn ddyfeisio motor trys[t]fawr i halogi ffyrdd gwledig ein broydd, fydd toc yn gul

208. Gweinidog Methodist y Capel Mawr, Tal-y-sarn, gw. *Rhodd Enbyd*, tt. 24-5.
209. Ceir adroddiad am y cyfarfod cychwynnol yn *Yr Herald Cymraeg*, 3 Mehefin 1930, t. 5.
210. Gw. Atodiad VII isod.
211. Cyhoeddodd Carneddog dalpiau o'r llythyr hwn yn y 'Manion o'r Mynydd', *Yr Herald Cymraeg*, 27 Mai 1930, t. 2, ac ychwanegodd y nodyn canlynol fel ymateb iddo: 'Gwrandewais ar gyngor "Doctor Cemlyn," ac euthum allan i'r llawnt o flaen y tŷ a ches gyngerdd difyr gan barti o gogau, a ddaeth dros "Fwlch yr Hediad" o "Ddolwydd Elan."'

gan haf? Echdoe bûm yn gwrando y 'Binc' ar bren derw yn y Cyllgoed, a 'titw tomos las' yn chwarae mig lle gynt y bu Robert Ellis yn torheulo pan yn fachgen. Ni ddymunaf well nefoedd na hon, ond efallai y deudi di, nad oes nefoedd i gythral a yf gwrw, ond eh yr hen Garn, waeth gen i am hynny, byddaf wedi cael fy siâr yr ochr yma.

Byddaf yn fy niddori fy hun yn edrych ar y defaid a'r ŵyn, ond gan na feddaf yr un o honynt, cysur ac nid poen ydynt i mi. Does dim difyrach na bod yn dlawd. Gormod o bethau materol sydd o dy gwmpas di.

I ba beth y byddwn brudd? Rhown hwb i'r galon eto. Daw gwair i guddio'r chwain ar wndwn y Carneddi cyn bo hir. 'Ni phallodd amser hau na medi'.[212]

Hyderaf yn fawr y byddi wedi mendio fel ebol cyn y deuaf yna, a'r ŵyn llywaeth yn pori glaswellt, heb boeni beutu'r botel.

Cofia fi'n gynnes iawn at Catrin a Hywel, a dyro dithau sgidiau am dy draed, a dos allan i awyr Duw sy'n ffisyg da.

Yn gywir iawn,
Cofion fflamboethion gant,
Gwallter.

LlGC 7237D

62

Carneddi, Nantmor, Bedd Gelert
12 Mehefin 1930

Annwyl hen ffrind,

Maddeu i mi am fod mor ofnadwy o hir heb anfon unrhyw air atat. Bûm yn cwyno, ond yn well yn awr.

Yr wyf 'yn wan fel cath' – ond nid yfaf ddim ond dŵr! Yn chwynu y tatws heddiw. Gwaith caled. Transbort. Yn gweld pob dim yn ddau! Wedi blino.

212. Gw. Genesis 8.22.

Gwyn dy fyd ti, Gwallter bach. Yr wyf fi a Hywel wrthi yn ddibaid. Mae yma rhyw gyth. o waith diddiwedd.

Bydd y golchi a'r cneifio defaid yn dechreu yr wythnos nesaf. Hwrli-bwrli tragywydd am gryn bythefnos. Wedi *torri* ar hanner yr ŵyn ddoe.

Gofynodd Saesnes i mi ddoe beth oedd y bobol yn ei wneud i'r ŵyn –

'Making the masculine's wethers,' meddwn innau, mewn Saesneg carpiog.

'Oh! What a pity,' meddai hithau.

'What about that?'

'Oh, she is a young lady,' meddwn, am oenig fanw glws.

Tyrd yma Walter bach i roi chwarter o ysgol i mi.

Welaist ti dy Nodiadau am Amcanion y Gymdeithas? Campus yn wir.

Anfon ambell ysgrif i mi, da chdi.

Bydd yn dop arnaf pan ddaw'r dyddiau braf.

Cofia anfon rhai – *ar unwaith.* Cânt groeso.

X *Anfon yn wir.*

Bydd pob Canig o'th eiddo yn dderbyniol hefyd.

Yr wyf fi a Hywel *am wneud un ymdrech fawr* i dreio gwerthu tipyn o'r llyfrau ar ôl y cneifio orffen a chyn dechreu ar y gwair.

Yn mynd yn no dda. Cei glywed pob dim eto, pan ddeui yma.

Paham na fuaset wedi anfon gair dy fod yn dod i Gymanfa Bedd Gelert? Cawset ddod yma dros y Sul. Twt â chdi.

Fachgen, rhaid i mi dewi ar hyn. Mae'n hanner nos yn awr, ac wedi blino. Cofion fyrdd atat. Brysia yma. Cei bob croeso. (Twt yr wyf yn dechreu ffwndro, fel y gweli).

Byth yn bur, dy hen gyfaill,
Carneddog.

Bangor 5369, Cyfrol A, rhif 20

63

Cemlyn, Pen-y-groes, S[orting] O[ffice]
Y dydd hwyaf [21 Mehefin] 1930

Annwyl Gyfaill,

Yr argian fawr tybed fod defaid y Carneddi yn dechreu dyfalu beth yw'r achos fod Cristion fel y fi yn oedi ateb llythyr, a rhag ofn iddynt boeni heb achos, dyma'r eglurhad. Fore Llun diwethaf aethym i Benmachno ac yno y bûm hyd neithiwr yn torheulo ym mro yr Esgob Morgan, a chael ambell gip ar Gynfal. Bro lawn o draddodiadau, a'r hen ddiwylliant yn fyw yn y tir. Dyna ddiddorol oedd cael sgwrs â gwladwyr y fro, pob un o honynt yn gwybod cryn lawer o hanes eu cyn-dadau, ag enw pob bwthyn a thwlc yn hysbus iddynt. Tybed a yw pobl Nantmor yn cymryd yr un diddordeb yn hanes hen eu bro? Af yno eto yr wythnos nesaf, ac os bydd y tywydd yn ffafriol deuaf hyd i'r Carneddi cyn dod yn ôl, ond paid â disgwyl i mi bennu'r dydd a'r awr. Deuaf fel cawod o law taranau, ond i aros dipyn hwy. Gwelais Bob Owen yn Harlech y Llungwyn, a chawsom *de* hefo'n gilydd, a sgwrs ddifyr iawn, yn sôn am gystrawen y Gymraeg.[213]

Tra'n sôn am hanes, bydd gennym gyfarfod o 'Gymdeithas Hanes Dyffryn Nantlle' nos Lun nesaf, ac yn wir y mae rhag-olwg y cawn gymdeithas a chryn lewych arni. Daw prifion y plwyf at eu gilydd, a siawns na bydd i ni gael deunydd llyfr go dda cyn bo hir iawn.

Da gennyf ddeall fod *O Greigiau'r Grug* yn mynd, a bod iddo eirda gan y wlad, a gobeithio y bydd iddo dalu'n well na chwynu tatws. Cofia di mai pobl wedi meddwi fydd yn gweld un peth yn ddau, a thrueni fyddai i ti yn dy hen ddyddiau gael *kick out* o'r seiat.

Pam na roi di y sgwrs hefo'r Saesnes yn y 'Manion'[?] Byddai'n ddiddorol dros ben. Paid â sôn am i mi anfon ysgrif i ti ar ddim. Yn wir i ti, nid oes gennyf ddigon o athrylith i besychu. Y mae'r awen wedi rhydu, ac nid oes siawns am na chân nag englyn, ond efallai y daw pethau'n well cyn bo hir.

213. Cyhoeddwyd adroddiad gan Wallter ar ŵyl Harlech, 'Canu Gwych yn y Gwynt', yn *Yr Herald Cymraeg*, 17 Mehefin 1930, t. 3.

Diolch i ti am roddi 'amcanion' ein cymdeithas yn y 'Manion'.[214] Llunia ysgrif arni. Amgeuaf i ti y cylch-lythyr a anfonwyd allan yr wythnos yma, a thi weli ein bod yn golygu busnes.

Wyt ti'n cystadlu ar rhywbeth yn Steddfod Llanelli? Neu a wyt ti am fynd yno? Byddai'n werth i ti fynd. Os y deui, cei gwmni Lord Cemlyn, ond cofia rhaid i ti fod yn *swell*, gan y bydd byddigions fel Bob Owen, Yswain, Croesor, Caerwyn[215] ac eraill yn stopio i siarad hefo mi, ac yr wyf wedi cael gwadd i de at Esgob Tŷ Ddewi hefyd, a chei dithau ddwad ond i ti fod yn *swell*. Cloga bladurwr i dorri gwair y Carneddi a thud am dro i'r Sowth. Cofia di pan ddo i yna, na wnei di ddim cega dy fod ti yn brysur a rhyw lol ddiawl felly, ond y byddi di'n barod i ddod hefo fi i weld cadair Rhys Goch,[216] a thorheulo hyd y poncia 'na.

Mae fy nhruth yn llawer rhy hir i ŵr gwan ei galon ben bore dydd Llun, am hynny tynnaf ben ar y mwdwl, gan hyderu eich bod yn iach yna bob ag un. Cofia fi'n garedig at y wraig a Hywel.

Yr eiddot yn wladgar a chofion fflamboethion gant,
Gwallter.

LlGC 7237D

64

Llanelli
3 Awst 1930

Annwyl Gyfaill,

Ti weli fy mod eisoes wedi cyrraedd hyd i Lanelli. Y mae'r Steddfod yn dechrau foru.

214. Cyhoeddodd Carneddog yr amcanion, a welir yn Atodiad VII isod, yn y 'Manion o'r Mynydd', *Yr Herald Cymraeg*, 10 Mehefin 1930, t. 2.
215. Owen Ellis Roberts (Caerwyn, 1871-1959), bardd, newyddiadurwr ac arweinydd eisteddfodau a drigai yn Llangefni, gw. D. Ben Rees, 'Cofio Caerwyn: eisteddfodwr o fri', *Y Casglwr*, 66 (1999), t. 2, a'r cofiant iddo gan Maredudd ap Rheinallt ac Owena D. Thomas, *Caerwyn* (Lerpwl, 2010).
216. Rhys Goch Eryri (*c*.1365-*c*.1440), y cywyddwr o'r Hafodgaregog, Nanmor. Ar y traddodiadau lleol ynghylch cadair Rhys Goch, gw. Dylan Foster Evans gol., *Gwaith Rhys Goch Eryri* (Aberystwyth, 2007), t. 21.

Cefais y daith ddifyra 'rioed, gan i mi gwrdd â *byddigion* eraill yn mynd i Lanelli, a dau o dy fro di yn mynd i rhyw gynhadledd grefyddol rhyng-wladol i Ben-y-groes, Llandebia. Parry ag Owen, Parry yn ŵr byr a chryn dipyn o floneg arno, ac yr oedd ei gyfaill Owen yn eithaf casol. Y naill a'r llall o honynt yn bert a pharod eu gair, er efallai fod ffynnon cof Parry'n llawnach, a chafwyd o honni berlau hynod. Y ddau arall oeddyn Mr Jones Organydd ag Arweinydd Rhyd-y-meirch, Cwm Penmachno, a'r adroddwr hyglod Morgan Jones o'r un lle.[217] Gŵyr y wlad i benbwygilydd am allu Morgan ar y llwyfan, wedi cipio aml wobr yn y Steddfod Genedlaethol, a phwy na chlywodd am Gôr y Cwm[?] Dyma'r cwmni wnaeth i feithder ffordd doddi'n llymaid yng ngwres y sgwrs, a phe bai un o honom yn sâl, yr oedd phisig at bob salwch yn straeon Parry, a'i lais clochaidd yn goglais dyn. Cafwyd egwyl yn nhre y dysgedigion a'r *Faner*.[218] Rhaid oedd wrth fwyd a thorri barf yno.

Tywynai'r haul fel hogyn drwg rhwng y mynych gawodau, fel y llithrem ymlaen trwy fraster Aberteifi. Codai bryn rhedynog weithiau yng nghannol y cwbl. Tawel iawn oedd Llanbedr, a phob B.A. a dechreu person wedi mynd ar ei wyliau, a golwg syn oedd ar amaethwyr cylch Tregaron, a neb ond y glaw yn trin y gwair. Gadawodd Parry ag Owen ni yn Llanbedr i groesi gwlad mewn *bus* i Ben-y-groes. Cyrraedd Caerfyrddin mewn da bryd, a chlywed aml i Gymro yn siarad Saesneg yn Gymraeg.

Gwlad braf yw Caerfyrddin fachgen, ond mynd oedd raid i mi i fwllwch Llanelli, lle yr oedd y miloedd wedi tyrru i farchnata. Ceir pob dim ym marchnad Llanelli o griau sgidiau i fotor Car am a wn i, a cheir yno y gymysgfa ryfeddaf o dafodieithoedd, a rhaid bod yn dipyn o sglaig i'w deall.

Yr oedd agos i ddeunaw mlynedd er y bûm yma o'r blaen, ond er hynny bychan y cyfnewid a welwn, ac am a wn i na wisgai merched y fasnach fenyn yn gymwys fel cynt.

217. Vivian Parry Williams, *Plwyf Penmachno* (Llanrwst, 1996), tt. 143-4. Sonnir yno am gôr mawr Capel Rhydymeirch, Cwm Penmachno.

218. Yn Aberystwyth yr oedd Swyddfa *Baner ac Amserau Cymru* tra bu E. Prosser Rhys yn olygydd y papur rhwng 1923 a 1945.

Rhaid i ti aros am hanes y 'Steddfod. Cei hynny gan Morgan Humphreys a Meuryn, a bydd Richard Jones, Ty'n Graig, yn ei gronhiclo yn y *Brython*.

Tawaf rŵan. Cei fwy eto.

Cofion cu,
Gwallter.

O.N.

Cei gyhoeddi'r uchod yr wythnos nesaf, os y dewisi.

Sut y mae pawb yna? Cofia fi atynt.

Y mae Lord Cemlyn yn iawn. Daw yna reit fuan.

G.

LlGC 7237D

65

X *Llosga hwn* – C.

Carneddi, Nantmor, Bedd Gelert
Nos Sul, 10 Awst 1930

Annwyl 'Mei Lord',

Daeth hanes dy daith i Lanelli. Diolch.

Ofnaf pe yr anfonwn hi i Meuryn na wnâi ddim ond ei thaflu. Mae ganddo domen enfawr o bethau i mi yn aros. Ni ddônt allan, er crefu a chrefu, a rhai yn digio. Hen dro, gwna fy lle i yn gas iawn. Dyna'r gwir.

A gest hwyl yn Llanelli? Clywais fod yno bobl a brwdfrydedd, atal gwobrau, etc.

Yr oedd Glyn Myfyr ac Erfyl Fychan (cyfeillion i mi) yno.[219]

Heb weld dim o'r papurau Cymraeg eto.

219. Evan Williams (Glyn Myfyr, ?1866-1937) o Flaenau Ffestiniog, llenor a bardd. Diogelodd John William Jones ei waith a'i ohebiaeth, gw. LlGC 'Papurau J. W. Jones', rhan I; Robert William Jones (Erfyl Fychan, 1899-1968), o Lanerfyl, hanesydd, llenor, athro ac eisteddfodwr, gw. *BC(II)*, tt. 110-11.

Fachgen, mae'n ddrwg arnom fel hen ffermwyr hefo'r gwair. Bobol annwyl, mae'n anodd ei gael. Mae yma fachgen gyda ni ers tair wythnos. Wedi cael yn dda iawn, ond y cwbl o dan y tŷ, sef y ddau Wndwn eto, a'r Gotal, ger yr Hen Eglwys, sef y cae bach y buost ynddo y llynedd.

Hen dro na ddeuai yn braf, gael i ni orffen. Wedi blino yn ofnadwy, fachgen, a Hywel, a Chatrin hefyd.

Pryd y doi di yma? Mae yma wely clyd wedi ei eirio yn awr, yn gynnes braf.

Bu Dic adref o Coventry am wythnos. Heb y wraig. Babi gan honno.

Dyna beth yw priodi.

Er pob gelynion mae'r llyfr wedi mynd *yn wyrthiol.*

Gwnes i a Hywel ymdrech ofnadwy gyda hwynt. Ni charwn y fath brofiad eto. Gwnaeth rhyw ddiawl sâl adolygiad chwerw arno yn *Y Drych*, nid am ei gynnwys, ond am y papur, y print, a'r gwallau. Cei ei weled.

Ffafrai fi. 'H. Monfa Parri'.[220]

Am gyhoeddi fy nghasgliad o 'Ffraeth Ddywediadau Cymreig' eto, neu yn *hytrach*, treio eu gwerthu.[221]

Werthaist ti lyfr i O. J. Wms, Bryncir, sy'n dy ymyl?

I Roger Owen, Gyfelog?

Richard Jones Parry, Cors y Wlad?

Teulu Bryn Rhydd, rhieni y Tair Chwaer? (Addawsant wrthyf.)

Rhoddais dri llyfr at Dysteb Mallt i Owain Llyfnwy.[222]

220. Cyhoeddwyd adolygiad di-flewyn-ar-dafod gan H. Monfa Parri, Milwaukee, Wisconsin, yn *Y Drych*, 26 Mehefin 1930, t. 7: 'Am yr argraffwaith y mae'n gywilydd fod llyfryn mor swynol a naturiol wedi ei argraffu mor sal – y papyr, y teip, a'r amlen yn "warth i wartheg". A'i cynildeb neu ofn y gost ar ran Carn, ynte blerwch argraffwyr Cymreig bar hyn? Y mae'r gwallau argraff yn dryfrith, a rhai ohonynt yn "ridiculous" fel y dywed y Sais . . .'Rwy'n dweyd yn onest, onibai mai Carneddog (er nad adwaen mohono) biau'r llyfr, ni buaswn yn gafael ynddo.'

221. Bu gan Garneddog ysgrif yn *Y Genedl* rhwng Chwefror a Mehefin 1909, sef 'Ffraeth Ddywediadau o odrau'r Eryri', gw. LlGC 'Papurau Bob Owen Croesor', 23/2.

222. Yr oedd mudiad ar droed i gydnabod gwasanaeth Mrs Wakefield Wilson (Mallt), o Ben-y-groes, adroddwraig ac actores a oedd yn dechrau colli ei golwg, gw. 'Llith Dyffryn Nantlle', *Yr Herald Cymraeg*, 22 Ebrill 1930, t. 5.

Cawn siarad pob dim pan ddeui yma.

Cei groeso plaen a chynnes fel arfer, a threiaf fod yn ddistaw a duwiol hefo chdi.

Cofion fyrdd oddiwrthym eill tri,

Yn bur,
Carneddog.

Bangor 5369, Cyfrol A, rhif 21

66

Cemlyn, Pen-y-groes
28 Awst 1930

Annwyl Gyd Gristion,

Gair byr iawn y tro hwn. Os y deil yn dywydd braf hyd yr wythnos nesaf bydd i Lord Cemlyn ddod i'r Carneddi am dro, ond paid â disgwyl iddo aros yn hir. Disgwylir i ti adael llonydd i bob peth a berthyn i fferm a defaid, a rhoddi dy holl amser i adrodd dy amrywiol helyntion, a'i wrando yntau yn adrodd ei helynt yntau. Felly gwna dy hun yn barod i eistedd ar grib rhyw glogwyn yn hedd Eryri. Balm i enaid dy Arglwydd fydd cael dod o dwrf y byd a'i fotors.

Fy nghofion atoch y'ch tri,
Gwallter.

Papurau Carneddog G997

67

Cemlyn, Penygroes, S[orting]O[ffice]
7 Medi 1930

Annwyl Hen Sant,

Pam na fuaset ti neu Hywel wedi cofio i mi dalu am *O Greigiau'r Grug* i ti? Cofiais i pan ar yr Arddu, ond yn rhy bell i droi'n ôl. Anfon fil i mi am y deg. Bu raid i mi ei ffaglu o Groesor cyn y glaw, a chyrhaeddais gludwch Cemlyn cyn y genlli fawr.

Yn wir i ti ni fwynheais fy hun yn well erioed nag ar yr ymweliad hwn â'r Carneddi, a diolch y fawr i chwi am eich croeso cynnes a chartrefol.[223] Ni bydd fawr o siawns i mi grwydro yr haf yma eto, a rhaid fydd i ŵr llegach fel myfi lechu rhag min y tywydd oer.

Dichon y byddaf yn mynd i Lundain cyn bo hir i ganu i'r *Gramaphone*, os y gallwn ddod i delerau. Bydd Dafydd yn mynd hefo mi. *Paid ti â chyhoeddi hyn rhag ofn.*

Os y bydd gan y ferch honno rhywbeth yn y *Drych* am Eisteddfod Llanelli, rho wybod beth.[224]

Gobeithio i ti gael hwyl ar dipio, ac na fu raid i ti golli rhyw lawer o'th ras hefo cŵn sâl, a swyddogion pigog.

Cefais daith ddifyr iawn ddoe i lawr y Lôn Goed i gyfeiriad y môr.

'A melus i mi lais y môr'.

Cerddais lincyn loncyn i Landwrog lle 'Mae'n gwesty teg mewn gwastad dir' ac yn ôl mewn da bryd i fynd i fy ngwely.

Diolch eto am y croeso, y bwydo a'r clwydo.

Cofion cu,
Yn gywir,
Gwallter.

LlGC 9659D

223. Mewn llythyr at John William Jones, dyddiedig 21 Medi 1930, dywed Carneddog: 'Mae Gwallter yn dod yma yfory eto o "Wyl Ffair Grôg Bedd Gelert". Cysga yma. Cawn hwyl.', gw. LlGC 'Papurau J. W. Jones', rhif 3905.

224. Yr oedd gan wraig a'i galwai ei hun yn 'Llenores Meirion' gyfres o ysgrifau yn *Y Drych* yn adrodd hanes ei thaith drwy Gymru, ond ychydig a oedd ganddi i'w ddweud am Eisteddfod Llanelli yn rhifyn 25 Medi 1930, t. 2.

68

X *Llosga hwn* X
C.

Carneddi, Nantmor,
Bedd Gelert
Nos Wener, 10 Hydref 1930

Annwyl hen Gyfaill duwiol,

Daeth dy lythyr, a'r chweigian, ers rhai dyddiau. Dylaswn fod wedi anfon i ddiolch i ti gyda throad, ond yr ydwyf fi a Hywel yn brysur ofnadwy yn codi tatws. Cnwd da, a gorfod eu cario o'r cae tan y beudy i fyny at y tŷ. Wedi blino yn arw ddoe a heddiw.

Yr wyf bron â methu dal y pin i sgriblo hwn i ti.

Wel, hen ffrind, actiaist fel boneddwr tuagataf. Do, yn wir. Cefais droeon sâl gynddeiriog gan amryw. Mae'n fyd gwan iawn i wrjio llyfrau i weithwyr. Ar y *dole* y mae cannoedd o weithwyr y wlad.

Onid yw hi yn ddifrifol, fachgen?

Ni chefais fawr ddim o dy gwmni yng Nghaernarfon. Gwib sydyn ydoedd. Mr Coplestone yn y Swyddfa.[225] Hen ŵr 80 oed. Ces dipyn o bres – (Dyledus i mi, wrth gwrs). Gwelais Llew Deulyn, ond ow, mae'n edrych yn wael! Ni ches ddim o'i gwmni. Cymerodd Gwynfor 20 *Copies* gennyf o'r llyfrau (ar delerau). Go dda, ynte? Un clên iawn ydyw.

Gwelais E. Morgan Humphreys, a Llew Owain.[226]

225. Frederick Coplestone o Gaer, perchennog papurau'r *Herald* a'r *Chester Chronicle*. Dyma sylwadau Caradog Prichard amdano yn *Afal Drwg Adda* (Dinbych, 1973), t. 41: 'Hen ŵr bywiog, gwydn ei gorff a hoff o gerdded. Byddai'n dod ar ei rawd achlysurol i'r swyddfa a sgrepan heicio ar ei war. A mawr fyddai'r paratoadau pan ddeuai rhybudd fod y perchennog ar ei ffordd'.

226. Owain Llewelyn Owain (1877-1956), llenor a cherddor o Dal-y-sarn yn enedigol, a newyddiadurwr gyda'r *Genedl Gymreig* a'r *Herald Cymraeg*, gw. *BC(II)*, tt. 150-1; *Cyd*, t. 550.

Ces de hefo Mr T. E. Morris (y Bargyfreithiwr. Un caredig. Hen ffrind i mi),[227] Mr W. Gilbert Wms, M.A.,[228] a Glan Rhyddallt,[229] yn 'Hooson's Café'. 'Tom Morus' yn talu, am wn i. Hen dro na fuaset ti gyda ni. Gorfod i mi godi o'u blaen i gael y *Bus* ar y Maes. Fachgen, wedi i mi fynd yno yr oedd y Parsel (yn cynnwys y Clocsiau, Paent, etc.) yn Siop Edward Hughes heb ei symud. Gorfod i'r *Bus* aros i mi redeg yno 'fel ffŵl' trwy y dyrfa. Gwaeddodd Llew Deulyn rywbeth arnaf, ond nid oedd eiliad i'w golli. Bu agos i'r *Bus* fynd a'm gadael . . .

Wel, pryd y doi di yma eto?

Mae Catrin am dendio arnat. Cei groeso hen ffasiwn. Bydd yn rhaid i ti fod yn reit ffeind wrthyf fi, gan fod fy nghalon yn wan iawn. Wiw i ti fy nghynhyrfu.

Wedi anfon rhai o dy ganeuon i Meuryn. Pam na rydd efô hwynt, dywed? Cawn weld eto. 'Rwyf yn anfon gormod o farddoniaeth, meddai ef. Yr oedd tempar dda iawn arno, ac ar yr holl staff.

Mae gennyf lawer o bethau i'w dweyd wrthyt.

Crwys yw y prif feirniad yn Eist B[edd] G[elert] y Nadolig, a'r Arweinydd.[230] Yn talu arian mawr iddo am ddod o Abertawe. (Preifat yw hyn.)

'Rwyf wedi ordro *Y Ford Gron*. Ces air oddiwrth Mr Jones, y Gol.[231]

227. T. E. Morris (Morus Glaslyn), bargyfreithiwr. Ceir ei enw ymhlith tanysgrifwyr *CE*, t. 222, a rhoir ei gyfeiriad yn Llundain. Yr oedd ganddo ddiddordeb mewn cyfenwau Cymreig, gw. *Y Geninen*, xvi (1898), tt. 189-90, a'i erthygl 'Welsh Surnames in the Border Counties of Wales', *Y Cymmrodor*, xliii (1932), tt. 93-173.

228. William Gilbert Williams (1874-1966), ysgolfeistr a hanesydd lleol o Rosgadfan, gw. *BC(II)*, tt. 243-4.

229. Isaac Samuel Lloyd (Glan Rhyddallt, 1875-1961), chwarelwr, bardd a llenor a drigai yn Llanrug. Bu'n golofnydd wythnosol i'r *Herald Cymraeg* o 1931 hyd ei farw, gw. *BC(II)*, tt. 131-2.

230. William Williams (Crwys, 1875-1968), gw. *BC(II)*, t. 242; *Cyd*, t. 793.

231. J. T. Jones (John Eilian, 1904-85) oedd cychwynnydd a golygydd *Y Ford Gron*, sef y cylchgrawn misol a sefydlwyd yn 1930, gw. *Cyd*, t. 402. Ceir llythyr gan John Eilian, dyddiedig 6 Medi 1930, yn sôn am y cylchgrawn newydd, gw. LlGC 'Papurau Carneddog', G692.

Anfonais bwt bach bach iddo, ond yn rhy hwyr. Nid oes bosibl iddo fod i mewn.

Bûm ym Mhwyllgor 'y Gymdeithas Er Cadw Harddwch Cymru' yn llofft uchaf Llyfrgell y Dref (3.30 pm.).[232] Wfft! Ow! Popeth yn Saesneg. 'Pobol Fawr' i gyd, mewn closau llac. Lle ofnadwy! Cefais siom felltigedig, ond chwarae teg i Tom Morus, rhoddodd y parch mwyaf i mi yn gyhoeddus (Preifat).

Caf ddweyd pob dim wrthyt eto.

Eisiau sgrifennu tri llythyr eto.

Fachgen, maddeu i mi – *Yr oeddyt yn edrych yn deneuach nag y gwelais di* ddydd Sadwrn. Cymer ofal mawr.

Cofion fyrdd,
Yn bur,
Carneddog.

Bangor 5369, Cyfrol A, rhif 23

69

Cemlyn, Pen-y-groes S[orting] O[ffice]
13 Hydref 1930

Annwyl Gyfaill Rhislyd a Duwiol,

Yr eiddot i law y bore 'ma. Diolch yn fawr i ti am dano a'th wahodd yna eto. Yn ara deg rŵan, paid ti â chynhyrfu, rhag ofn i dy galon di stopio. Diolch am datws er gorfod eu cario o'r Cae tan y Beudy. Y mae miloedd yn ein gwlad heb yr un dysan i dorri eisio bwyd, ag i be ddiawl y cynygir llyfr i bobl heb ddim bwyd? Nid oes angen i ti ddiolch i mi am a wnes, na 'chwaith fy ngalw'n foneddwr. Un o bleserau fy mywyd yw gwneud a allaf i bawb bydded pwy a fyddo.

232. Cadwyd y llythyr a dderbyniodd Carneddog yn ei hysbysu y cynhelid cyfarfod blynyddol y Gymdeithas ar 4 Hydref 1930, gw. LlGC 'Papurau Carneddog', G465.

Gan fod dy law yn crynnu wrth 'sgrifennu, awgrymaf i ti brynu Teipar, a thi a elli sgrifennu â bawd dy droed hefo hwnnw.

Cefais innau air oddiwrth J. T. Jones, ynglŷn â'r *Ford Gron*, a bydd gennyf ysgrif yn y rhifyn cyntaf, a dichon y byddaf yn sgrifennu'n weddol gyson iddo.[233] Caf dâl am danynt medda fo. Gobeithio'n wir!!!!

Ie, 'chydig o sgwrs a gawsom yng Nghaernarfon. Ein dau yn bobl brysur, bwysig. Nid yw o bwys gennyf a gyhoedda Meuryn fy ngwaith ai peidio, a phaid tithau â phoeni yn eu cylch.

Anfon destunau Bedd Gelert i mi, rhag ofn fod yno rhywbeth y caf gynnig arno. Carwn i ti sgrifennu ysgrif ar y priodoldeb a'r buddioldeb o ail gychwyn y *Geninen*.[234] Fel y gwyddost, nid oes gyfle i'r llenor na'r bardd di-goleg i draethu ei farn, na chyhoeddi ffrwyth ei awen. Y mae'r *Llenor* a'r *Efrydydd* yn gyfyngedig i wŷr y colegau a'r ysgoleigion. Sgrifennir ugeiniau o draethodau bob blwyddyn gan efrydwyr y 'dosbarthiadau allanol' a gynhelir led-led y wlad, ond nid oes iddynt siawns i gael golau dydd yn unrhyw gylchgrawn heddiw.

Rho help i ail gychwyn rhywbeth a fyddo er llesoli'r hen ddiwylliant Cymreig, a chadw, nid yn unig ddaear Cymru'n hardd, ond hefyd feibion a merched Cymru'n hardd hefyd.

Yn ofer y tardd trwy dy dir heb eu gofyn
Ddillynion pêr anian yn fil ac yn fyrdd;
Yn ofer y gwisgwyd pob dôl a phob dyffryn
 dillad Paradwys yn wyn ac yn wyrdd;
Yn ofer rhoi awen y Nef i dy adar,
A gwythi o berl i fritho dy ddaear

heb hefyd roddi cyfle i Gymry ieuanc i arfer eu doniau amrywiol.

233. Cadwyd y llythyr a dderbyniodd Gwallter gan John Eilian yn sôn am y cylchgrawn newydd ac a oedd yn ei wahodd i gyfrannu pytiau byrion ar fyd y ddrama yng ngogledd Cymru ar gyfer y golofn 'Byd y Ddrama', gw. Llawysgrif Bangor 5369B, rhif 58, dyddiedig 19 Medi 1930.

234. Daeth *Y Geninen* i ben pan fu farw'r golygydd, John Thomas (Eifionydd), yn 1928. Yn 1951 yr ailddechreuwyd ei gyhoeddi o dan y teitl *Y Genhinen* o dan olygyddiaeth Meuryn a Simon B. Jones, gw. *Cyd*, t. 270.

Yn enw Duw oni ddylai arweinwyr Cymru heddiw wrido o gywilydd am eu difaterwch? I ba beth y sonir am Orsedd y Beirdd, Cymdeithas yr Eisteddfod a'r lliaws pwyllgorau a chynadleddau, a'r cwbl yn edrych fel pac o loai blwydd ar y genedl yn mynd ar y goriwaered?

Yrŵan gad lonydd i'r hen gerddi am un wythnos, a defnyddia dy ofod yn yr *Herald* i apelio dros y Cymry ieuanc hynny sydd yn deuheu am eu cyfle, a bendigedig a fyddo'th enw yn dragywydd. Yr wyf yn anfon gair i'r un perwyl at Bob Owen. Byddaf yn disgwyl gweld dy lith yn fuan. Paid â gadael i ddim dy rwystro. Afraid ydyw cyhoeddi llyfr, oni cheir pobl i'w ddarllen, ac oni wneir rhywbeth yn fuan, ni bydd darllen ar y Gymraeg ond mewn rhyw gilfachau diarffordd.

Y mae fy nhruth eisoes yn llawer rhy hir i ŵr helbulus ei fyd, a gais gydio deufyd wrth eu gilydd. Y mae'r tywydd oer gwlybyrog hyn yn fy nghadw i lechu tan do wrth dân, er y rhaid ymlwybro weithiau allan, a heno rhaid i mi fynd i gyfarfod Cymdeithas Hanes y Dyffryn i wrando chwedlau'r gorffennol. Amgeuaf ein rhaglen i ti gael gweld beth a wneir, neu a geisir ei wneud gennym.

Nid oes gennyf syniad pryd y caf gyfle i ddod yna eto, ond pe gwahoddid fi gan rhyw gymdeithas neu arall i'r fro, da fyddai gennyf gael lloches glyd, a chroeso cynnes aelwyd y Carneddi.

Efallai yr af i Langefni yr wythnos yma i'r Ysgol Ddrama a gynhelir yno.[235]

Cofia fi'n garedig at y wraig a Hywel, a phob dymuniad da.

Tan eich bendith y byddoch.

Yn gywir,
Cofion gant,
Gwallter.

LlGC 7237D

235. Cynhaliwyd ysgol ddrama yn Llangefni ym mis Hydref 1930 o dan nawdd Pwyllgor Undeb Neuaddau Sir Fôn, a chyfrannai Cynan a Gwynfor i'r gweithgareddau, gw. O. Arthur Williams, *Hanes y Ddrama Gymraeg ym Môn 1930-1975* (Caernarfon, 2008), t. 78.

70

Cemlyn, Pen-y-groes S[orting] O[ffice]
2 Tachwedd 1930

Annwyl Gyfaill Duwiol,

Neithiwr a'r glaw yn pistyllu'r tuallan, rhoddais 'chwaneg o lo ar y tân, a phwniad bach o tano i gael fflam, gosodais fy hunan mor gysurus ac y gallwn yn fy nghadair freichiau, a chymrais *Young Wales* i'w ddarllen. Sawl gwaith o'r blaen y'i darllenais ni wn, ond sawl gwaith bynnag, cefais fynd yn ôl neithiwr i gwmni arwyr dechreu y ganrif, a difyr iawn a fu'r gymdeithas.

Erbyn heddiw ychydig o honynt sydd yn aros ar dir y byw, ond 'er wedi marw, eto'n llefaru'. Yno traetha y diweddar Harri Efans ar 'Gerddoriaeth yng Nghymru', ac y mae cymaint o eisiau dweud hynny heddiw ag oedd yr adeg honno.[236] Ynddo ceir awgrym o ddyfodiad 'beirniadaeth lenyddol', a sŵn troediad y 'bardd newydd', a lliaws o bethau eraill yr ydym wedi rhyw led gynefino â hwy erbyn hyn, ond yr hyn a barodd i mi sgrifennu oedd i mi ddarllen paragraff bychan ynddo am un John Williams morwr ar y H.M.S. Vanguard, brodor o Sir Gaernarfon, a syrthiodd oddi ar yr hwylbren yn Palermo, Mawrth 22 1848 yn bump ar hugain oed, a chododd ei gydforwyr gof-adail iddo mewn mynwent gerllaw. Geilw *Young Wales* ef yn 'Welsh Tom Bowling'. Pwy oedd o tybed?[237] Peth arall a dynnodd fy sylw oedd i'r englyn a ganlyn gael ei osod fel hyn:

Mor heli mawr a hwyliais – a mynwent
    Yw'r man yr angorais,
  Uwch y don yn llon clywyd fy llais
  Man tawel yma y tewais.

Braidd yn flêr ynte, ond pwy yw'r awdur?[238]

236. Harry Evans, 'Music in Wales', *Young Wales*, viii (Medi, 1901), tt. 212-14.
237. 'Tom Bowling', cân boblogaidd Saesneg gan Charles Dibdin (1745-1814) sy'n cynnwys beddargraff cymeriad o forwr.
238. Dyfynnir y llythyr hwn yn ei grynswth yn y 'Manion o'r Mynydd', *Yr Herald Cymraeg*, 9 Rhagfyr 1930, t. 2, ac erbyn 23 Rhagfyr 1930 derbyniwyd dau ymateb iddo gan ddarllenwyr o Lanengan a'r Bermo yn rhoi'r un englyn gydag amrywiadau, ond heb enwi'r awdur.

Cefais dâl da am fynd trwy ei ddalennau, a diamau y trof iddo eto lawer gwaith cyn cân y Gog, os caf fyw.

Yn gywir iawn,
Cofion cu,
Gwallter.

LlGC 7237D

71

Carneddi, Nantmor, Bedd Gelert
4 Tachwedd 1930

Annwyl hen gyfaill hoff,

Daeth dy ddau Epistol. Daw yma beth ofnadwy o bob amrywiaeth bob dydd. Yn methu yn lân â gwneud trefn arnynt. Maent wedi cyfyngu o golofn arnaf. Hen dro.

Wel, y peth gorau yw i ti anfon gair eto i ddweyd hanes angladd yr hen ferch. Rho bob manylion.

Cael y cwbl allan ar unwaith yw y peth gorau er mwyn Bob a Rhisiad Goodman, sydd yn yr Amerig.[239]

Ni fyddaf fi yn y Bedd.

Dyma i ti rai o destunau Eisteddfod Bedd Gelert y Nadolig –

Stori Fer, seiliedig ar 'Adar o'r un lliw a hedant i'r un lle.' Gwobr 7s/6c

Englyn: – 'Y Di-Wifr,' 3s/-

Soned: – 'Yr Amddifad', 5/-

Telyneg: – 'Llywelyn a'i Gi,' (ar ddull Hwiangerdd Sul y Blodau, Eifion Wyn) 10/-

Beirniad yr oll – Crwys, Abertawe.

239. Yn y 'Manion o'r Mynydd, *Yr Herald Cymraeg*, 18 Tachwedd 1930, t. 2, ceir adroddiad am angladd hen fodryb i'r ddau frawd, Robert a Richard Goodman o Feddgelert, a oedd wedi ymfudo i America.

Yn llaw y beirniad erbyn Rhagfyr 13.

Paid ti *â fy nghuro*, yr hen foi!

Mae yma gonsart mawr yn fuan, 'Meirion Morris a'i Gwmni', yng Nghapel Namor, ymhen rhyw fis.[240] Hywel ar y pwyllgor.

Go symol yw fy nghalon. Wyt ti yn no lew?

Rhaid i mi dewi i ddal y postman.

Cofion fyrdd,
Byth yn bur,
Carneddog.

[Ar defn y tudalen]

Cofia anfon hanes yr angladd – a diolch.

C.

Bangor 5369, Cyfrol A, rhif 24

72

Cemlyn, Pen-y-groes S[orting] O[ffice]
1 Rhagfyr 1930

Annwyl Gyfaill,

Beth amser yn ôl sgrifennais atat yn gofyn yn ostyngedig iawn i ti sgrifennu paragraff neu ddau am yr angen o gael cylchgrawn tebyg i'r *Cymru* neu'r *Geninen*, ond am rhyw reswm na wn i mono, nid wyt wedi gweld dy ffordd i wneud. Pe gwyddwn mai diogi yw'r achos, buaswn yn dy ddiawlio di i'r awyr, ond os mai prysurdeb, yna rhaid maddau i ti am y tro, gan hyderu y gwêl Duw yn dda roddi i ti hanner awr dros ben yn go fuan.

240. Ymddangosodd adroddiad ar y cyngerdd 'uwchraddol' yng Nghapel Peniel, Nanmor, pan oedd y bariton enwog, Meirion Morris, yno'n canu, yn y 'Manion o'r Mynydd', *Yr Herald Cymraeg*, 9 Rhagfyr 1930, t. 2.

Sgrifennais hefyd at Bob Owen i'r un perwyl, ond ni welodd yntau mwy na thithau yn dda cytuno â mi.

Gorfu i mi gadw yn fy nghell er pan ddaeth y tywydd oer, ond yr wyf wedi gwella'n iawn erbyn hyn, ac am a wn i na allaf fentro i ble y mynnaf cyn bo hir, a phe digwyddai i rhywun roddi gwadd i mi i rhywle, ond odid nad awn yn llawen.

Yr wyf wrthi yn paratoi darlith ar 'Feirdd Dechreu'r Bedwaredd Ganrif ar Bymtheg', ac un dda fydd hi hefyd mi goeliaf. Nid dyna fydd ei theitl chwaith, ond 'Cau Adwyon'.

Nid wyf yn meddwl y bydd i mi gystadlu ar ddim ym Medd Gelert, rhag ofn i mi dy guro.

A yw Cymdeithas Arianol Nantmor am ofyn i mi ddod yna eleni?[241] Os ydynt rhoddaf eu dewis iddynt o ddwy ddarlith, sef 'Cau Adwyon' neu'r 'Gerdd a'r Alaw'. Dichon mai'r olaf fyddai fwyaf diddorol gan i mi siarad i'r cyfeiriad o ddechreu'r ganrif o'r blaen y tro diwethaf, ac y byddai tipyn o ganu yn fwy diddorol i gynulliad cymysg.

Paid ti â meddwl mai cardota cyhoeddiad yr wyf er mwyn gwneud pres. Diolch i Dduw, nid yw gwneud pres wedi mynd i fy ngwaed i eto.

Hyderaf fod y wraig a Hywel a thithau yn mwynhau iechyd da, ac yn cael y gorau o'r hen fyd yma fel y mae.

Paid â bod yn hir heb anfon gair i 'eiddil gwan mewn anial dir'.

Cofion cu iawn,
Gwallter.

LlGC 7237D

241. Ymddangosodd adroddiad ar gyfarfod cyntaf y tymor o'r 'Gymdeithas Ariannol', fel y gelwid hi, yn y 'Manion o'r Mynydd', *Yr Herald Cymraeg*, 25 Tachwedd 1930, t. 2. Cymdeithas ddiwylliannol ydoedd, a Hywel Wyn oedd y Llywydd. Ar 16 Rhagfyr ymddangosodd adroddiad yn yr un golofn ar ail gyfarfod y tymor o'r Gymdeithas.

73

Cemlyn, Pen-y-groes S[orting] O[ffice]
12 Rhagfyr 1930

F'annwyl Gyd Sant,

Mae'n dawel iawn yn y mynyddoedd yna. Beth sy'n bod?

Amgeuaf lythyr diddorol iawn a gefais y bore 'ma, oddiwrth hen longwr o Nevin fel y gweli.[242] Dichon y gelli roi golau dydd iddo yn dy 'Fanion'. Rwyf yn anfon i ddiolch iddo am ei lythyr heddiw, ac efallai y bydd yn falch o weld ei enw'n brint.

Cefais fy ngalw'n sydyn i gymryd lle R. Williams Parry y noson o'r blaen, a bu i mi draethu am rhyw awr ar 'Feirdd Ddoe Dyffryn Nantlle', a dywedir i mi gael hwyl dda iawn, ond nid wyf yn meddwl ei bod yn ddarlith i'w dweud oddicartref. Y mae'n rhy leol.

Os iach a byw a fyddaf caf daith yn y Deheudir ym mis Mawrth, a chaf fynd i Bontardulais, Porthcawl, Caerphili a Chaerdydd.

Y mae'r Gwyliau eto wrth y drws, a dymunaf o galon gynnes iddynt fod yn wyliau hapus i ti, a boed y Flwyddyn Newydd yr orau erioed.

Nid oes gennyf yr un newydd gwerth sôn am dano, ac y mae llythyr heb newydd yn beth y rhaid torri ei gynffon yn gwta iawn, ac felly torraf finnau gynffon hwn yrŵan.

Yn gywir iawn,
Cofion cu,
Gwallter.

LlGC 7237D

242. Cadwyd y llythyr gwreiddiol gan Griffith Williams, hen forwr o Nefyn, yn LlGC 'Papurau Carneddog', G1783, a chyhoeddwyd ef yn y 'Manion o'r Mynydd', *Yr Herald Cymraeg*, 30 Rhagfyr 1930, t. 2. Llythyr ydoedd yn ateb yr ymholiad gan Wallter ynghylch yr englyn beddargraff morwr a ddyfynnir yn llythyr rhif 70 uchod, ac yn dweud bod yr englyn i'w gael ar fedd morwr a gladdwyd yn 1843 ym mynwent y plwyf, Nefyn.

74

X *Llosga hwn.* C.

Carneddi, Nantmor, Bedd Gelert
8 Ionawr 1931

Annwyl hen Gyfaill medrus ac enwog,

Wel, wel, diau dy fod wedi meddwl fy mod wedi dy anghofio, ond dim perygl. Rhaid i ti wrando ar reswm, cyn i ti fy meio. Bu Catrin yn cwyno. Bu rhywbeth ar olwg Hywel, ac wedi bod gyda'r meddyg (sef merch, Dr Gwennie Wms.) yn y Penrhyn, aeth i Gaernarfon i brynu sbectol. Mae'n swanc (fel Gwallter) yn awr. Y fi fu 'yr Howsmêd a'r Hwsmon' yn y Carneddi yma yn hir, a gorfod sgrifennu llawer tua'r Nadolig a'r Calan.

Yr wyf wedi blino, fachgen. Ydwyf, yn wir. Gwn *dy fod yn Gristion mor gywir* i faddeu i mi am yr hir-oediad. Mae fy nghalon yn iawn tuagatat, a chei groeso cynnes pan ddeui yma, i wrando ar Unawd *Baritone* y Ddyllhuan ('Dyllhuan Walter'!) yn y coed yng nghefn y tŷ.

Gwelais eirda i dy bapur ar 'Feirdd Dyffryn Nantlle', yn *Y Brython.*[243]

Pan oedd Hywel yn dod allan o Siop D. W. Davies y Sadwrn cyn y Nadolig, tybiai iddo weld cip arnat, ond diflannaist i'r dyrfa a chollodd di yn lân.[244] Tybed a oedd yn iawn, dywed? Hen dro.

Gwelais dy ysgrif yn *Y Ford Gron.*[245] Go dda. Ni welais fwy o wahaniaeth barn erioed am unrhyw bapur nag am *Y Ford Gron*. Pa un bynnag, yr wyf fi yn ei hoffi, a dyna ben.

Ni chefais fawr o lwc yn Eisteddfod Bedd Gelert. Gwnes *Soned* mewn rhyw ddwyawr y noson olaf, a ches 2s/6c – cydradd â Llwyd Eryri. Collais ar yr Englyn, er fod gennyf ddau Englyn da, ond, yn wir, y mae'r gorau yn un campus (ond y drydedd linell.) Ni ddaeth

243. Ceir adroddiad ar ddarlith gan Wallter i Gymdeithas Hanes Dyffryn Nantlle ar 'Feirdd Ddoe Dyffryn Nantlle' yn *Y Brython*, 1 Ionawr 1931, t. 3.

244. Siop lyfrau ar y Bont Bridd yng Nghaernarfon, lle 'rhagorol am lyfrau Cymraeg', medd T. Hudson Williams yn *Atgofion am Gaernarfon* (Llandysul, 1950), tt. 17, 64.

245. Cyhoeddwyd ysgrif gan Wallter, 'Cadwn gof ein cyndadau', yn *Y Ford Gron*, rhif iii, Ionawr 1931, t. 9. Cyhoeddwyd ail ysgrif ganddo, sef 'Ystafell y Pum Cawr', yn rhif v, Mawrth 1931, t. 6.

ymlaen. Gwn amcan pwy yw y 'Cwmni Cyf'.[246] (*Preifat.*) Cei wybod eto.

Yr oedd Crwys yn ddoniol iawn, ond *Jew* ydyw gyda'i lyfrau. Rhai yn eu wrjio yn gyhoeddus y nawn a'r hwyr. Ni fûm i yno. Hywel oedd y *reporter*, a gwnaeth waith go dda. Bu yn siarad â Chrwys – Cei'r hanes eto.

A wyt ti yn no lew yn awr, Walter bach?

Fachgen, aethum i lawr i lywyddu rhyw gwrdd yn y Capel yma noson cyn y Nadolig, ac oerais *dipyn*! wrth fynd adref.

Aethum i lawr i gwrdd gweddi nos Fawrth diweddaf, a hithau yn barugo yn ofnadwy. Bu agos iawn i mi â rhynnu yn y Capel. Crynwn yn ofnadwy.

Nid af eto. Cânt ddweyd mai *pagan* ydwyf.

A oes gennyt ti rywbeth yn *Yr Haul*? Mae papur Evan Roberts, Llandderfel, ar 'Yr Hen Dyddynod' i fod ynddo.[247] A yw?

Ces lythyr o 'Ysbyty Meddwl Dinbych', fachgen.[248] Cawn weld a fydd yn y 'Manion' nesaf.

Yn mynd i'r Port yfory ynglŷn â Chofgolofn Eifion Wyn.[249]

246. Y tebyg yw mai ffugenw a ddefnyddid gan Wallter oedd y 'Cwmni Cyf[yngedig]', gw. ysgrif goffa Carneddog iddo yn *Yr Herald Cymraeg*, 11 Gorffennaf 1931, t. 2.

247. Evan Roberts, Llandderfel (1877-1958), hanesydd lleol. Cedwir ei bapurau yn LlGC 'Papurau Evan Roberts'. Gw. ysgrif arno gan D. Tecwyn Lloyd, *Cofio Rhai Pethe a Phethe Eraill* (Dinbych, 1988), tt. 42-6. Ceir ysgrif arno gan Garneddog yn y 'Manion o'r Mynydd', *Yr Herald Cymraeg*, 13 Ionawr 1931, t. 2, lle y mae'n mynegi ei edmygedd ohono fel llenor a chwilotwr, a sonnir yno am y papur arfaethedig ar hen dyddynnod. Cyhoeddwyd papur Evan Roberts, 'Achos Diflaniad yr Hen Dyddynnod ym Meirion, ynghyda'r Effaith', mewn tair rhan yn *Yr Haul* rhwng mis Chwefror a mis Ebrill 1931.

248. Cyhoeddwyd y llythyr a anfonwyd ato gan ohebydd o Ysbyty Meddwl Dinbych, dyddiedig 28 Rhagfyr 1930, yn y 'Manion o'r Mynydd', *Yr Herald Cymraeg*, ar 13 Ionawr 1931, t. 2. Cyhoeddwyd ail lythyr gan yr un gohebydd yng ngholofn y 'Manion' ar 3 Chwefror 1931, t. 2.

249. Mewn llythyr at John William Jones, dyddiedig 12 Ionawr 1931, dywed Carneddog iddo drefnu mai ef a J. W. Jones oedd cyd-ysgrifenyddion y mudiad i gasglu arian i godi cofgolofn i Eifion Wyn, ond mae'n ymddangos nad oedd llawer o frwdfrydedd ynglŷn â'r mudiad hwnnw ar y cychwyn, gw. llythyr J. W. Jones, dyddiedig 20 Ebrill 1931, yn LlGC 'Papurau Carneddog', G836. Codwyd cofeb ar fedd Eifion Wyn ym mynwent Chwilog a'i dadorchuddio gan David Lloyd George yn 1934. Yr oedd Carneddog yn un o gyfeillion pennaf Eifion Wyn, gw. Peredur Wyn Williams, *Eifion Wyn*, tt. 157-8.

Cym di gythraul o ofal na wnei di ddim *row*! Gwn dy fod yn ddiawledig yn erbyn Eifion, y cena i ti!

Hyn heno. Brysia yma. Gair yn fuan.

Byth yn bur,
Cofion fil oddiwrthym eill tri,
Carneddog.

[Ar gefn y tudalen]

A wyt ti'n mynd i'r Eglwys yn awr?
'Eglwyswr mawr ydi Mistar Jones,' meddai gwraig o Ben y Groes wrthyf.

C.

Pwysig i 'Lord Cemlyn' – Os oes arnat eisieu *Pensiwn*, anfon dy *Form* i Carn![250]

Clywodd Hywel dy fod yn caru gyda Miss Prichard, Rhesdai Meirion, Bedd Gelert.

Pob lwc i ti, yr hen Sant! (Cyfrinachol i feibion!)

C.

Bangor 5369, Cyfrol A, rhif 25

75

Cemlyn, Pen-y-groes S[orting] O[ffice]
10 Ionawr [1931]

Annwyl Gyfaill a Chyd Sant,

Yr eiddot i law y bore 'ma. Yn wir yr oeddwn yn dyfalu ers tro byd beth oedd achos dy ddistawrwydd, ac y mae'n wir ddrwg gennyf mai trwblath oedd yr achos, ond er hynny hyderaf fod y ddau a gwynai yn gwella ac y byddant eill dau yn iach eu gwala cyn bo hir.

250. Ysgrifennwyd y llythyr hwn ar gefn ffurflenni ynghylch hawlio Pensiwn y Wladwriaeth.

Do fachgen cefais hwyl dda iawn ar 'Feirdd Ddoe y Dyffryn', a chysidro mai llenwi lle R. Williams Parry yr oeddwn. Wyddost ti rhywbeth am siarad i gynhulliad siomedig? Pe yn fy nisgwyl i, a chael Williams Parry, byddai pethau'n bur wahanol, ond tae fater am hynny cedwais hwy'n ddiddig am dros awr.

Na, ni'm gwelwyd gan Hywel yng Nghaernarfon y Sadwrn hwnnw. Nid wyf yn euog o fynd i'r dref honno yn fynych iawn. Bûm yno ddydd Llun diwethaf ar fy nhaith i Fangor, a bûm yno nos Fercher wrth ddod yn ôl o Lerpwl.

Nid yw'r ysgrif sydd yn y *Ford Gron* yn gyfa o lawer, ond disgwyliaf y gellir ei chyhoeddi'n gyfa eto.

Gwn yn rhy dda am Crwys. Ni raid i mi wrth air gan neb am dano, ond gadawn hi'n fana, ynte'.

Gresyn dy fod yn cyboli hefo petha crefydd i oeri dy waed, a pheri i dy galon grynnu. Da thi, rho'r gorau i bethau peryglus felly. I beth yr ei di, wladwr syml, i drafferthu a phoeni dy ben, tra mae gwŷr mawr fel Tom Nefin ac eraill yn methu dod o hyd i'r broffes iawn. Prydydda a llenydda fel 'Amaethon boddlon a bardd' yr hen ddyn, a chei damaid o nefoedd felly heb boeni neb.

Wyddost ti beth, pan bydd fy iechyd i'n weddol, byddaf yn fy mwynhau fy hun wrth danllwyth o dân yn fy mharlwr drwy'r dydd yn trio sgwennu, ac yna wedi blino felly, mynd am beint a sgwrs ym mharlwr y Victoria,[251] fel dim un gŵr boneddig, ac yr wyf cyn hapused â'r Gog ym Mai.

Yn rhyfedd iawn bu agos i minnau gychwyn am y Port ddoe, ond nid i bwyllgor gof-golofn Eifion Wyn. Gwelais eu bod am gychwyn mudiad yn y Port, ac i J. R. Owen addo £5 i gychwyn y gronfa.[252] Cofia di rŵan, cam â mi yw dweud fy mod yn erbyn Eifion, ond y mae gennyf berffaith hawl i ddweud mai hen ddiawl blin, oriog a chas oedd o wrth bawb na chytunent â'i syniadau ef. Nid oes gennyf wrthwynebiad i'w gyfeillion a'i edmygwyr godi cof-adail iddo y byddo ei

251. Victoria Hotel (Y Fic), ar y sgwâr ym Mhen-y-groes.

252. John R. Owen, ynad heddwch o Gastell y Garth, Porthmadog, ac un o ffigurau cyhoeddus y dref. Cytunasai i fod yn drysorydd y mudiad i gael cofgolofn i Eifion Wyn yn ôl llythyr Carneddog at John William Jones, dyddiedig 12 Ionawr 1931, gw. LlGC 'Papurau J. W. Jones', rhif 3908.

phen yn twtsiad godrau'r blaned Fawrth, ac ni byddaf finnau yn llaw geuad 'chwaith.

Gwn cystal ag undyn na bydd hanes yr ugeinfed ganrif yn gyfa oni chynwys hanes y telynegwr melus o'r Port, ond nid teg ag eraill o feirdd y ganrif ydyw gosod Eifion ar rhyw bedistal uwchlaw pob un ar gyfrif iddo ganu ychydig o delynegion gorau'r iaith. Nid un delyneg a wna fardd, mwy nag y gwna un wenol Wanwyn. Pam gof-adail i Dryfanwy hefyd,[253] oedd lawn cymaint o athrylith ag Eifion? Cyfranwn innau'n hael i honno.

Y mae hefyd gronfa goffa Syr John M. Jones a Syr Henri Jones[254] ar droe[d] ag anodd iawn fydd i edmygwyr yr oll gyfranu atynt, er y carasant wneud. Nid oes fawr o dro er pan oeddym yn cyfranu at dysteb Pedrog.[255]

Pwy yn enw'r duwiau yw y ferch wy'n garu o Resdai Meirion, y Bedd? Ni wn i ddim am dani, ac yr wyf yn bendant sicr na bu i mi gwrdd â'r ferch erioed. Na, ni bûm yn yr Eglwys chwaith er ys gwn pa bryd. Nid wyf wedi gweld y Person ers misoedd. Bûm yn gwrando fy nghyfaill Cynan ym Mhethel rhyw fis yn ôl, a chefais anerchiad godidog ganddo, a sgwrs wedi'r seiat. Un o ragorolion y ddaear yw Cynan. Cristion yn ystyr lawnaf y gair, heb rhyw hen lol ddiawl o'i gwmpas.

Os iach a byw yr wythnos nesaf, byddaf ym Mangor yn copio hen gerddi baledwyr Llanllyfni, ac yna af i Aberystwyth i gopio chwaneg.

Bobl annwyl rhaid i mi roi fy nghân yn fy nghwd bellach, neu cei gam-dreuliad wrth ei darllen.

Hyderaf y byddwch yn holliach yna yn fuan. Nis gwn pryd y caf gyfle i ddod yna i wrando'r unawd *Baritone* yng nghoed y Carneddi.

Yn gywir iawn,
Cofion cu,
Gwallter.

253. John Richard Williams (J. R. Tryfanwy, 1867-1924), bardd dall a byddar a anwyd yn Rhostryfan ac a drigai ym Mhorthmadog, gw. *BC(I)*, tt. 993-4; *Cyd*, t. 781.
254. Syr Henry Jones (1852-1922), yr athronydd o Langernyw, gw. *BC(I)*, t. 438.
255. John Owen Williams (Pedrog, 1853-1932), gweinidog a bardd, gw. *BC(I)*, t. 993; *Cyd*, tt. 780-1.

[Ar ymyl y ddalen mewn llawysgrifen]

Paid â bod yn hir cyn anfon i ddweud sut bydd iechyd y teulu.

G.

LlGC 7237D

76

Carneddi, Nantmor, Bedd Gelert
25 Mawrth 1931

Annwyl hen Gyfaill enwog,

Maddeuant! Meddeuant rhad! 'Rwyf yn gyfaill i ti o hyd, er y distawrwydd maith. Fachgen! gwrando'n astud ac yn amyneddgar fel Cristion – er nad wyt yn mynd i Gapel y Felin Gerrig, ond i'r Eglwys weithiau!

Symol iawn a fûm ers talm, ac y mae yma rhyw waith di-baid. Welais i y fath helbul erioed hefo'r ŵyn!

Mae'n braf ofnadwy arnat. Ydi, yn wir. Gweddia am foddlonrwydd, a diolcha am lonyddwch i gyboli hefo Dewi Sant – rhyw hen Babydd cyn-oesol, na ŵyr neb yn iawn ei *hanes cywir*.

Gwelaf dy fod yn 'torri cyt' o hyd. Chwarae teg i ti, yr hen ffrind. Swagra dy orau! Mae digon am ein cicio, yn enwedig cicio ac enllibio Carn, a hynny gan gyfeillion (honedig felly!). Duw a'm helpo![256]

Cei glywed secrats rhamantus pan welaf di, ofnaf i ti ddychryn gormod pe y rhown yr histori cyffrous ar bapur.

X (*Preifat i ti*).

Wyddost ti rywbeth am ffyrm 'Wyn-Edwards a Morris', Lerpwl?[257] Maent yn nacau â thalu i mi am y llyfrau. Dim gair na phres, a yw

256. Anodd gwybod at beth yn union y cyfeirir yn y fan hon. Serch hynny, mae'n werth cofio am y math o gastiau a chwaraeid ar Garneddog weithiau, sef anfon adroddiadau ffug ato am gyfarfodydd i'w cyhoeddi yn y 'Manion', ac o ganlyniad byddai Carn yn mynd i drafferth, gw. 'Hunangofiant Gohebydd' yn y 'Manion o'r Mynydd', *Yr Herald Cymraeg*, 2 Rhagfyr 1930, t. 2.

257. Busnes cyhoeddi ac argraffu a sefydlwyd yn Lerpwl gan Rolant Wyn a J. R. Morris ond a fethodd adeg y Dirwasgiad. Yn 1933 agorodd J. R. Morris ei siop lyfrau enwog yng Nghaernarfon, gw. *BC(II)*, tt. 144-5.

peth fel yna yn fusnes? Buasai raid i mi dalu iddynt hwy, 'rwy'n siŵr. Dyna'r rhai salaf o bawb. Och!

Mae G. W. Francis yn dod â llyfr allan. Bydd yn gampus.

Ychydig iawn a fûm yn y Capel eleni. Ces anwyd ofnadwy yno tua'r Calan. Ni fûm i lawr yn y pentref (Namor) ond rhyw dair gwaith ers misoedd. Ni fûm yn gwrando ar dy gyfaill y Parch. Benjamin Wms., B.A. y Sul diweddaf.[258]

Bûm i lawr nos Wener, yn enw o Lywydd ar y Cwrdd mwyaf di-chwaeth y bûm ynddo erioed – a'r elw at y Capel!!! Gwylltiais, a dywedais y drefn yn ofnadwy! Digiodd y Saint, am i mi ddifetha sbort y Syrcas, a'r elw yn mynd at y Capel! Och! Ffei! Druan o Namor![259]

Cei'r hanes eto. Mae'n warth ar enw crefydd. Ces fy nhwyllo gan y *boys*, Credwn i mai consart bach chwaethus oedd i fod, – ond —!

Onid yw 'pobol y Capel' wedi mynd yn ofnadwy, fachgen? Gwnânt bob ffwlbri i gael arian at yr *achos*!!!!!!!!!!!!!

Mae Eisteddfod y Cymrodyr yn neshau. O. Llew Owain sydd yn beirniadu'r canu. Mae'r Gymanfa yn ymyl hefyd. Yr un arweinydd eleni eto. Yr oedd yma y Sul diweddaf, rihyrsal.

Mae 'Côr Telyn Eryri' yn wirioneddol dda. Telynores gampus yw Telynores Maldwyn.[260] Hogan bach glên iawn hefyd, alluog a di-lol.

Llond cae o 'ŵyn gwan' ac yn rhoi llefrith iddynt. Dau oen llyw-aeth. Gefeilliaid. Mae'r ddyllhuan yn llawn hwyl bob nos, *Dyllhuan Walter*! Anfon air pan ddeui yma. Cei groeso. Eisiau eirio'r gwely. *Rhaid* i ti fyw am 50 mlynedd eto! Maddeu yr hir ddistawrwydd.

258. Gweinidog yn Llanllyfni oedd y Parch. Benjamin Williams.

259. Yr oedd y diweddar William Jones Williams, Gardd Llygad y Dydd, Nanmor, yn cofio'r achlysur y cyfeirir ato yma. Cwrdd cystadleuol ydoedd lle'r oedd cystadleu-aeth meimio'n fyrfyfyr. Cafodd rhywun y dasg o feimio fel barbwr ac aeth at Garn-eddog, a eisteddai yn y sêt fawr, ac esgus mynd i'r afael ag ef a thorri ei wallt. Yr oedd pawb yn chwerthin, ond gwylltio a wnaeth Carn.

260. Nansi Richards (Telynores Maldwyn, 1888-1979), a sefydlodd Gôr Telyn Eryri gydag Edith Evans, Cwmcloch (Telynores Eryri), a hynny ym Meddgelert ym mis Chwefror 1930, gw. Nia Gwyn Evans, gol., *Nansi Richards Telynores Maldwyn* (Caernarfon, 1996), ac Esyllt Maelor, *Edith Cwm Cloch Telynores Eryri* (Caernar-fon, 1987).

Wedi blino, gwaith mawr, yn mynd yn hen! Symol yw Catrin. Adref o hyd.

Cofion fil oddiwrthym eill tri,
Yn gywir iawn,
Carneddog.

Bangor 5369, Cyfrol B, rhif 26

77

Cemlyn, Pen-y-groes S[orting] O[ffice]
26 Mawrth 1931

Annwyl Gyfaill Trafferthus,

Diolch yn gynnes, gynnes am dy epistol a ddaeth i law y bore 'ma. Mae'r tywydd yn braf, ac y mae'n braf arnaf finnau'n cael rhodio'n rhydd a diofalon i'w fwynhau. Adar cynta'r Gwanwyn fel yn ysu am wneud y byd yn Baradwys. Ond wyddost ti, rhaid i ddyn fod mewn cydgord â natur, cyn y gall ei gwir fwynhau. Tra byddo bydolrwydd yn llenwi calon dyn, a'i awch am gasglu golud brau, yna nid oes i'r dyn hwnnw y siawns lleiaf i fwynhau yr un fendith. Ni wêl hwnnw branciau'r ŵyn, a dall yw ar

Y bore glas, mewn bur glog,
Eryri dry'n oreurog.

Afraid i hwnnw fynd am dro i unman, a byddar yw

Ym miri cân mawr y coed,
Emyn-gar gôr y man-goed,

Ac er mai

Teg yr addurnwyd, bob tu,
Y llwybr oll â briallu

dall yw ef, ac ni wn i am unpeth a bair fwy o ddellni na bydolrwydd.

Sôn yr oeddyt am Ddewi Sant. Nid Pabydd oedd o, ond Cristion a Chymro, a fflam ei wladgarwch yn para i losgi yng nghalonau pob Cymro gwerth sôn am dano. Darllen y *Brython* heddiw.[261]

Pwy ddiawl sy'n dy gicio di rŵan? Ie siŵr 'Cyfeillion HONEDIG'. Y mae digon o'r diawliaid hynny ar gael o hyd, ond paid ti â malio ynddynt. Ni bydd clebar pobol yn mannu dim arnaf, na pheri i mi golli yr un eiliad o gwsg. Deuaf yna rhyw ddiwrnod i wrando dy sicrets rhamantus.

'Rwyf yn disgwyl bob dydd am lyfr G. W. Francis. Diamau gennyf y bydd mynd arno.

Ie, ie. Mynd i'r capel a chael anwyd. I beth yr wyt ti'n mynd i leoedd felly? Gwyddost bellach mai gwastraff ar amser yw hynny. Cei fwy o gwmni dy Dad Nefol o lawer yn Nheml Anian. Yr wyt ti'n cael byw yn yr unigeddau, allan o ddwndwr pentrefwyr pant yr afon[262] – lle mae pob blodyn, deilen a 'deryn yn mynegi ei ras. Pam y rhaid i ti ymlafnio i lawr i Nantmor i chwilio am Dduw, ag yntau yn curo wrth dy ddrws bob bore? Wyt ti'n meddwl mai rhyw 'Jac yn y Bocs' ydyw Duw, a gedwir mewn lle clud ym Mheniel a'i dynnu allan ar fore Sul fel rhyw degan?

Diolch yn fawr drosof i bwyllgor Eisteddfod y Cymrodyr. Deuais yno ddwy flynedd yn ôl am ddim, a bu i tithau yn ôl dy garedigrwydd fy nghlwydo a'm bwydo yn rhad iddynt. Ymddengus mai rhyw gynllun fel yna sydd ganddynt i gael rhai am ddim bob tro. Damia nhw. Pe bawn wedi gofyn am dâl, efallai y buasent yn gwerthfawrogi mwy arnaf. Yr wyf wedi penderfynnu nad af i unman eto am ddim. Caiff pwy a fynno feirniadu a chanu i'r diawliaid aniolchgar.

Mae'r Gwd-di-hŵ mewn hwyl o hyd,
Yn nerw y Carneddi,

261. Ymddangosodd ysgrif gan Wallter ac iddi'r teitl, 'Dewi Sant, Ddoe, Heddiw ac Yfory', yn *Y Brython*, 26 Mawrth 1931, t. 6.

262. Gw. llinell R. Williams Parry, 'Pentrefwyr pant yr afon' yn 'Glan y Gors', *Yr Haf a Cherddi Eraill* (Y Bala, 1924), t. 42.

A'i chŵyn fel cri o arall fyd
Yn eco'n y clogwyni;
Dof finnau yna ar fy nhro
I wrando eto arni.[263]

Drwg iawn gennyf ddeall mai symol yw'r wraig, ond daw'r gog i ganu toc, a gwenau Gwanwyn i nerthu'r ysig fron. Cofia fi ati hi a Hywel.

I beth yr wyt yn sôn am 'fyw 50 mlynedd eto'? Yr wyf fi am fyw am dragwyddoldeb weldi.

Ti alarnadwr moes dy glyw,
Nid marw wnaf: Dewisaf fyw.[264]

Ofnaf na bydd i ti ddarllen yr epistol hwn i gyd, a rhag ofn i ti fy rhegi fi, a thithau mor brysur, tynnaf ben ar y mwdwl, ag af am dro drwy y Cyll Goed.

Paid â bod cyn hired heb anfon y tro nesaf. Wyddost ti y byddaf yn teimlo 100% yn well ar ôl cael llythyr oddiwrth gyfaill?

Bydded y ddau fyd yn garedig wrthyt, a chofia dithau am yr ŵyn bach.

Yn gywir iawn,
Cofion cu,
Gwallter.

LlGC 7237D

263. Dyfynnir y pennill hwn gan Garneddog yn y 'Manion o'r Mynydd', *Yr Herald Cymraeg*, 5 Mai 1931, t. 2, wrth sôn am y dylluan a ymgartrefai yng nghoed y Carneddi: 'Bydd ei dwnad wrth fy modd, er y teimlaf drosti, druan pan fydd yn crio, – "Annwyd 'y nhraed! Annwyd 'y nhraed! O! be na i?" – yn enwedig pan fydd yn eira! Mae fy nghyfaill Gwallter, o Ben y Groes, yn ffrindiau mawr â hi, a bydd yn llunio molawdau iddi yn ei wely, pan fydd yma yn aros. "Dyllhuan Wallter" fyddaf yn ei galw, a gofalaf ddweud wrtho bob amser yn fy epistolau: "Mae dy hen ffrind hoff yng Nghoed Cefn y tŷ yn cofio atat!" '

264. Dyfynnu o bennill o'i eiddo ei hun a wna Gwallter yma, gw. Atodiad VIII isod.

78

X *Llosga hwn*. C.

Carneddi, Nantmor, Bedd Gelert
15 Ebrill 1931

Annwyl hen Gyfaill triw, ac Arch-Oruchwyliwr Gwesty'r 'Mona', Caernarfon.[265]

Diolch calon gynnes i ti am *dy longyfarchiad* doniol. Wedi ei anfon i'r *Herald*. Gobeithio y rhydd Meuryn ef i mewn.[266]

Fachgen, credaf i mi gael hwyl y tro hwn hefo'r dernyn Adrodd. Critic ofnadwy o galed yw Harri Edwards, y Port, ond canmol[a]i y darn. 'Plant y Cedyrn,' (Llef y Blaid Genedlaethol ydyw).[267] Dyma'r darn gorau a wnes erioed. Waeth gen i be ddywedo yr un cyth. o elyn.

Cafwyd Eisteddfod gampus eleni. Y Neuadd yn orlawn, a llawer yn methu cael lle i mewn. Y lle yn frwdfrydig. Llawer o gorau. Cystadlu bywiog a da. Llew Owain yn beirniadu yn glir a galluog *fel Doctor*. Ie'n wir. Rhaid i mi ei ganmol. Mae'n *foy* yn deall ei waith. Siarada gydag awdurdod, *fel beirniad*. Ni wnaeth gam â neb. Yr oedd yn hwyr ofnadwy arnaf fi a Hywel yn cyrraedd y Carneddi, ac wedi blino. Edrychai pawb yn llawen arnaf, ac ni wn faint ysgydwodd law â mi. Wedi hurtio yn lân, yn hanner chwil. Fachgen, canodd yr hen

265. Cyfeirio a wneir at yr ysgrif gan Wallter yn *Y Ford Gron*, rhif v, Mawrth 1931, t. 6, a drafodai'r lluniau o Dalhaiarn, Mynyddog, Ceiriog, Llew Llwyfo ac Ieuan Gwyllt a oedd ar fur Gwesty'r Mona, Caernarfon. Safai'r gwesty ger Porth yr Aur ar safle hen Dafarn y Mona a ddymchwelwyd yn 1895.

266. Ceir cyfarchion ar gân i Garneddog am ennill cadair Eisteddfod y Cymrodyr, Beddgelert, 10 Ebrill 1931, o waith Cybi a Gwilym Deudraeth yn y 'Manion o'r Mynydd', *Yr Herald Cymraeg*, 5 Mai 1931, t. 2, ond dim o'r eiddo Gwallter.

267. Ceir adroddiad ar seremoni'r cadeirio yn Eisteddfod y Cymrodyr yn y 'Manion o'r Mynydd', *Yr Herald Cymraeg*, 21 Ebrill 1931, t. 2, o dan y teitl 'Cadeirio Carneddog': 'Testun y darn buddugol yw "Plant y Cedyrn" – Cadlef y Blaid Genedlaethol.' Gw. Atodiad XVI isod. Yr oedd Carneddog yn aelod o'r Blaid Genedlaethol, ac yn llywyddu mewn cyfarfod cyhoeddus yn Nanmor pan anerchai Lewis Valentine yn ystod yr ymgyrch seneddol yn 1929, gw. 'Manion o'r Mynydd', *Yr Herald Cymraeg*, 26 Mawrth 1929, t. 2.

Eos Gwynant 'Gân y Cadeirio' fel pe'n Eos Morlais.[268] Yr oedd yn fendigedig, meddai pawb. Bu cryn hwyl wrth Gadeirio. (Rhai Saeson, (*visitors*) yno). Rhwysg a brwdfrydedd diniwed. Wel, dyna ddigon.

Yn y Bedd mae'r Gadair eto. Mae'n bwrw glaw heddiw, neu buasai Hywel yn mynd i'w nhôl hefo'r drol. Cadair dderw fach reit glws ydyw, ond gresyn iddynt roddi plât pres arni. Beth ddywedi di am hyn? Cei ei gweled pan ddeui yma.

Prysur enbyd hefo'r defaid. Heb blanu tatws eto. Mae yma le ofnadwy. Dim amser i biso. Gwyn dy fyd ti, Gwallter bach.

Chwarddais yn uchel dros y tŷ, Gwallter *wedi troi yn dduwiol.* Englynion duwiol ofnadwy yn *Y Genedl*, a rhoi'r person yng nghanol y Nefoedd![269] Go dda. Ie'n wir, *Walter wedi cael troedigaeth, fwy ddengwaith ar hugain na Thwm Nefyn*!!! Yn dal i chwerthin. Mae'n debyg yr ei di i'r Felin Gerrig y Sul nesaf! Bendigedig!!! Hwre!!!

Diagan i, yr wyt ti yn canu yn reit swynol a byw. Gwelais gân fach ddel o dy waith yn *Y Genedl.*[270]

Aros dipyn bach *cyn dod* yma, nes i mi blanu tatws, a gyrru y defaid yma i'r mynydd. Yr wyf fi a Hywel ar redeg o fore i hwyr, a Chatrin (dy bartneres) yn bur symol. Yr ydym yn mynd yn hen. Yr wyf fi fel *cast steel.*

Yr oeddwn 'yn edrych yn swil ofnadwy yn y Bedd,' medd yr hogiau drwg yma. Yn wir i ti, yr oeddwn yn nyrfus iawn. Yr oedd Bob Owen yno.

X Cei lawer o *secrats rhyfedd* pan welaf di.

Wyt ti yn no lew yrŵan?

Pwy yw D. D. Jones, Llanllyfni?[271] Bydd yn y nesaf. Ai Dafydd, dy frawd?

268. Robert Rees (Eos Morlais, 1841-1892), cerddor a chanwr (tenor) adnabyddus, gw. *BC(I)*, tt. 779-80.

269. Cyhoeddwyd dau englyn duwiol gan Wallter 'Er cof am Iorwerth T. Jones' o Ben-y-groes, yn *Y Genedl Gymreig*, 13 Ebrill 1931, t. 6.

270. Cyhoeddwyd cerdd ddau bennill gan Wallter yn *Y Genedl Gymreig*, 6 Ebrill 1931, t. 3, ac iddi'r teitl, 'Rho Dro'.

271. Yn y 'Manion o'r Mynydd', *Yr Herald Cymraeg*, 21 Ebrill 1931, t. 2, dywed Carneddog fod D. D. Jones o Lanllyfni wedi anfon ato bennill olaf Eben Fardd a adroddodd wrth ei ferch cyn marw.

Anfon ambell i ganig i mi, da chdi. Cofia am danaf.
Yn bur arw am danat. Mae Catrin a Hywel hefyd.
Hoffwn gael sgwrs ddifyr. Mae'r ddyllhuan yn cofio atat.

Cofion fyrddiwn,
Byth yn bur,
Carneddog.

[Ar frig y tudalen]

X Cei groeso yma at fis Mai. C.

Bangor 5369, Cyfrol B, rhif 27

79

Cemlyn, Pen-y-groes S[orting] O[ffice]
16 Ebrill 1931

Annwyl Gyfaill a Chyd-Gristion,

Diolch yn fawr am dy epistol, a ddaeth i law ar fore fy mhenblwydd. Oeddyt ti'n cofio hynny tybed?

Pwy gythral ydi hwnna sy'n dy frolio yn y *Brython*, mor felldigedig?[272] Rhaid newid ei enw fo o Glan Lledr i Glan Sebon. Ha. Ha. Un o Ddolwyddelen mae'n debyg. Mae ganddo englynion pert iawn i ti ac ambell linnell wech. Hen air sâl weldi yw 'lwys' yn y 3ydd pennill ond rhaid oedd ei gael, neu buasai'r llinnell yn llesghau.

272. Cyhoeddwyd cadwyn o englynion i ganmol Carneddog am gyhoeddi *O Greigiau'r Grug* gan D. Lloyd Davies (Glan Lledr) o Utica, talaith Efrog Newydd, a oedd yn frodor o Ddolwyddelan, yn *Y Brython* yn wreiddiol, a chyhoeddwyd hwy drachefn yn y 'Manion o'r Mynydd', *Yr Herald Cymraeg*, 5 Mai 1931, t. 2.

Chwarae teg iddo am weld gwerth mewn 'brethyn cartre', ac y mae'n gysur i tithau feddwl fod eraill o blant dynion yn cael mwynhad wrth ddarllen dy waith. Ernes o'r nefoedd weldi.

Bydd yn hyfrydwch gennyt ddeall i mi gael fy newis yn flaenor, a chodwr canu, ar un slap wedi i mi sgwennu'r ddau englyn hynny, ond nid yn y Felin Gerrig. Nid wyf wedi penderfynnu'n derfynnol a fydd i mi gymryd y swyddi pwysig hyn, yntau mynd o gwmpas y wlad a wnaf i ganmol a gwerthu cwrw, ag yfed tipyn bach fy hunan, er mwyn profi ei ragoriaeth ar bob math o ddiod arall. 'Digon o fir 'rawr a fynnir'.[273] Hen foi iawn oedd Eben ynte, yn rhoi rhywbeth amgenach na glasdwr i ddyn. 'Doedd Ovaltine[274] ddim yn y ffasiwn yn ei oes o, a chrwt ambell dro oedd y tepot. Dyna i ti bobl iach, rymus oedd yn byw yr adeg honno. Nid rhyw sibols fel sydd heddiw, a phob clefyd tan haul yn cael lle i lechu yn eu perfeddi. 'Bendith nefol ydyw ffrwyth y winwydden y gall dyn ddiolch am dani, megis am ei fara beunyddiol,' meddai Walter Scot.[275] Pam wrthod bendith nefol?

Anfonaf bennill neu ddau i ti pan ddêl cyfle a hwyl. Yr wyf wrthi yrŵan yn ail sgrifennu'r casgliad hwnnw welais[t] gennyf, ar gyfer y wasg, gan hyderu y bydd i rhyw gyhoeddwr brynu'r hawlfraint, a'i gyhoeddi. Mae gennyf gyfrol fechan o dan ystyriaeth yn Wrexham ers wythnos. Yn disgwyl gair bob dydd yn ei chylch.

Y gwir yw, nad oes gennyf arian i gyhoeddi fy hunan, ac nid oes hyd yn hyn yr un gymdeithas na gorsedd a'm cynorthwya. Pe bawn yn free [...]

[Gweddill y llythyr ar goll]

LlGC 7237D

---

273. Dyfynnu o englyn Eben Fardd a geir yn llythyr rhif 40 uchod a wneir.
274. Diod llaeth a brag haidd y dechreuwyd ei werthu yng ngwledydd Prydain yn 1909.
275. Walter Scott (1771-1832), *The Waverley Novels* (Boston, 1834), 'Tales of the Crusaders. Tale II, The Talisman', t. 20: 'The juice of the grape is given to him that will use it wisely . . . He who so enjoyeth it may thank God for his wine-cup as for his daily bread . . .'.

80

Cemlyn, Pen-y-groes S[orting] O[ffice]
Lle mae llawer o groesau, a phawb yn groes
22 Mai 1931

Annwyl Gyd-Sant a Chyfaill,

Mae'n debyg dy fod yn methu dirnad pam na bawn i o bawb wedi ateb dy lythyr cyn hyn. Aros funud. Y mae gennyf ddau reswm da felldigedig. Yn gyntaf, meddyliais sgrifennu canig fach dlos i ti, ond ni ddaeth. Yn ail, yr wyf cyn ddioced â ffwlbart. Dim blas at ddim. Am a wn i, mai'r tywydd yw'r drwg. Glaw oer o hyd, a finnau mor ffond o dywydd braf. 'Does bosib mynd am dro na dim, ac yr wyf wedi gorfod bod mor gartrefol â chloc wyth diwrnod wedi stopio.

Drwg gennyf ddeall nad yw Catrin a Hywel yn dda. Rhwydd-deb iddynt wella'n fuan.

Wyt ti am fynd i ffair Griciaeth? Os doi di yno, dof innau, ond cofia, rhaid i ti fod yn *swell*. Pryna siwt lwyd, a het lwyd a sgidia brown. Clos penglin. Un felly sy gan Bob Owen a finnau 'leni. Crand felldigedig. Os y doi di yno, dof adre hefo ti'r noson am dro. Y mae gennyf lawer iawn o bethau i'w dweud wrtha ti. Mor frwnt ydi ffawd wrtha i, etc. Yr oeddwn yn rhyw led ddisgwyl y byddai i'r tywydd wella ar ôl troad y rhod, ond nid yw damad gwell heddiw eto. Beth ydi'r mater dwad? Ydi Rhagluniaeth wedi digio wrtho ni?

Hir y parhao y clefyd englyna arnat ti. Gwna englyn i minnau. Un da cofia, a gair da i mi ynddo, neu gwae i ti. Mi dyna i dy arau di drwy['i] gilydd. Wyddost ti beth? Fedra i ddim sgrifennu taswn i'n marw. Mae'r grepach ar fy menydd. 'Rwyf yn bwriadu mynd am dro i'r Werddon ym mis Awst, os y bydd y tywydd yn byhafio, a gin innau gymaint â hynny o bres.

Anfon air i mi cyn y Sul os y byddi di'n mynd i'r ffair. Cofia fi'n garedig at y wraig a Hywel, a dywed air wrth y ddylluan, fy mod yn dod i wrando'i gwdi hŵ.

Yn gywir iawn,
Cofion cu,
Gwallter.

LlGC 7237D

81

Carneddi, Nantmor, Bedd Gelert
Dydd Sadwrn, d.d. [Mai 1931]

Annwyl hen Gyfaill,

Gair bach. Bron â diffygio. Wedi blino, a hanner lladd fy hun. Bûm yn cneifio, etc., y dyddiau diweddaf o fore hyd dywyllnos, mewn amryw leoedd. Bu cneifio yma ddoe, ar ôl Cwmcaeth, a Beudy Newydd. Criw enfawr. Wrthi yma tan 10.30 y nos.

Niwl a glaw heddiw. Ni fedr neb wneud. Y Clogwyn oedd i wneud, Oerddwr ddydd Llun, Gelli Iago heb ddechreu.

Yn eistedd wrth y tân yr wyf yn methu symud, a rhyw boen garw yn fy mhen, ac wedi bwyta pob stwff ar draws ei gilydd o hyd. Fachgen, amser ofnadwy ydyw 'amser cneifio'.

Gair am *Ffair Gricieth*. Ofnaf na fedraf ddod yno eto. Os yn braf bydd Hywel yno, os yn bwrw, ni ddaw. Y cneifio yma ydyw y drwg.

Yn awr, hen ffrind, mae croeso i ti ddod yma, ond *rhaid* i mi a Hywel fynd i gneifio. Helpu ein gilydd, neu gwae ni, gymdogion.

Bendith arnat, aros am wythnos, yna byddwn yn glir, i gael sgwrs. Ond, os yr ei i Ffair Gricieth, tyrd yma hefo Hywel, os na fydd wedi *taro ar gariad yno*. Cofia, mae y cwbl yn blaen, yn glir, yn garedig, o galon rydd a chynnes. Wiw i ti ddigio.

Gweli ein hanes.

Wyt ti yn deall pethau yn awr? Dod ym mhen yr wythnos eto, ond nid wyf am dy stopio.

Mae Catrin yn well, ond yn lled wannaidd. Yr wyf innau yn mynd yn hen a rhyfedd.

Cofion fyrdd,
Ar ffrwst,
Bron methu ac ysgrifennu,
Yn bur,
Dy hen ffrind,
Carneddog.

Bangor 5369, Cyfrol B, rhif 39

82

Cyfrinachol. Nid am dy fod yn straegar chwaith, cofia. C.

Carneddi, Nantmor, Bedd Gelert
Nos Sul, 14 Mehefin 1931

Annwyl hen ffrind duwiol a maddeugar,

Fachgen, onid ydym 'yn ddiarth' i'n gilydd? Byddaf yn meddwl am danat yn aml.

Gwelais dy hanes fel trefnydd angladd y bachgen fu foddi.[276] Pam nad ei di yn Glochydd i Lanllyfni, fel Robert Ellis, dywed?

Be sydd 'ar droed' gennyt ti 'rŵan?

Nid yw Catrin na Hywel yn rhyw gryf iawn ers tro, ac y mae'n helbulus iawn arnaf. Cafodd hi y *pleurisy*, a Hywel rhyw Anwydwst ofnadwy. Maent yn araf gryfhau.

Yr wyf fi wrthi o fore hyd hwyr, ac yn blino yn arw iawn. Ow, Carn!

Cartrefol wyf. Hywel yn crwydro. Ni fûm i lawr yn y Capel ers mis, ac ofnaf 'fy mod dani' yn arw.

Diolch nad aethum i lawr heno. Mae'n law mawr yma.

Sgrifennu llythyrau yr wyf – un i'r Amerig, at ap Cenin,[277] at J. W. Jones, Blaenau Ffestiniog,[278] at Evan Roberts, Llandderfel, i'r *Rhedegydd* (Englyn Coffa) a fy llith i'r *Herald.*

Gwnes waith mawr.

276. Cyhoeddwyd adroddiad am angladd bachgen 19 oed o Ben-y-groes a foddodd yn y Bermo yn *Y Genedl Gymreig*, 8 Mehefin 1931, t. 6, pryd y nodwyd hyn: '. . . gofalwyd am y trefniadau gan Mr Walter S. Jones, Penygroes.'

277. Gohebai John Roberts (ap Cenin, m. 1935) o Lanfairfechan ag ef yn gyson, gw. LlGC 'Papurau Carneddog', G1492-1547. Anfonai ddeunydd at Garneddog i'w gyhoeddi yn y 'Manion o'r Mynydd', er enghraifft, yr adroddiad ar daith dosbarth llenyddiaeth Gymraeg Llanfairfechan o dan arweiniad Cynan, gw. *Yr Herald Cymraeg*, 3 Mehefin 1931, t. 2.

278. John William Jones (1883-1954), chwarelwr, llenor a bardd gwlad, gw. *BC(II)*, t. 105. Yr oedd yn un o'r cyfeillion y gohebai Carneddog yn rheolaidd ag ef. Ceir ysgrif goffa iddo gan E. Morgan Humphreys yn *Yr Herald Cymraeg a'r Genedl*, 18 Ionawr 1954, t. 4.

Wyddost ti beth, mae rhyw hwyl Englynu wedi disgyn arnaf. Gwnes ddau heddiw.

Gobeithio y bydd fy Llinellau ar Briodas Megan Lloyd (y Gantreg) merch Glan Rhyddallt, yn *Yr Herald* yfory. Cawn weld.[279]

Y cebyst yw, y byddant *yn llawn gwallau.* Och!

Doniol dros ben oedd dy Wawdgan i 'Alfonso'.[280] Eitha' tro â'i fath!

Onid yw G. W. Francis yn canu yn dda? Mae rhyw swyn rhyfedd yn ei waith. A yw ei lyfr yn y wasg, dywed? Mae gan T. H. Parry-Williams lyfr o'i waith wedi dod allan.[281] Welaist ti yr *hysbysiad* yn *Y Ddraig Goch*?[282] Doniol enbyd.

Wel, a fyddi di yn Ffair Ŵyl Ifan Criciath? Hen grwydrwr wyt ti. Nis gwn yn iawn a fyddaf fi yno. Bydd Hywel yno.

Mae'n ymddibynnu sut ddiwrnod a fydd. Bûm yno y llynedd, a gwnes fusnes da hefo'r llyfr. Ni chybolwn eleni.

Pryd y gwelaist ti Bob Owen? Yn Llyfrgell Coleg Bangor y mae ers tro hefo Dr Tom Richards.[283] Heb ei weld ers talm.

Mae'r cneifio yn dod.

Cwta iawn yw y gwair yn yr ucheldiroedd yma, ond y mae'n tyfu yn awr. Bu'r defaid i lawr yn hir.

Rhaid i ni dreio *eirio* y gwely mawr gael i ti ddod yma.

---

279. Cyhoeddwyd pennill cyfarch gan Garneddog a hanes priodas merch Isaac Lloyd (Glan Rhyddallt) o dan newyddion Llanrug yn *Yr Herald Cymraeg*, 16 Mehefin 1931, t. 5.
280. Cyfeiriad sydd yma at ddychangerdd Gwallter yn *Y Genedl Gymreig*, 1 Mehefin 1931, t. 6, i'r Brenin Alfonso XIII o Sbaen, a ffodd o'r wlad ym mis Ebrill 1931 pan sefydlwyd y Weriniaeth yno.
281. Cyhoeddwyd tri llyfr gan T. H. Parry-Williams yn 1931, sef *Cerddi: rhigymau a sonedau* (Aberystwyth, 1931), a dau lyfr a olygwyd ganddo, *Carolau Richard White (1537-1584)* (Caerdydd, 1931), a *Llawysgrif Richard Morris o Gerddi* (Caerdydd, 1931). Cyfeirio at y llyfr blaenaf a wneir yma, sef y casgliad o gerddi o'i waith ei hun.
282. Ar waelod dde t. 3 *Y Ddraig Goch* ym Mehefin 1931 ceid hysbyseb i gyfrol ddiweddaraf T. H. Parry-Williams o gerddi a gyhoeddid gan Wasg Aberystwyth. Edrychai'r hysbyseb yn ddigri am nad oedd dim priflythrennau ynddi.
283. Ar y gyfathrach ddoniol ac ystormus weithiau rhwng Bob Owen, Croesor, a Thomas Richards, gw. *'Doc Tom' Thomas Richards*, *passim*.

Mae rhyw goblyn o rywbeth yn drysu Catrin o hyd, a hithau yn no wan. Bydd can croeso, ie, mil o groeso, i ti yn y Carneddi eto, Walter bach. Go ddistaw yw y Ddyllhuan yn awr. Pam, dywed?

Wyt ti yn no lew yrŵan?

X O ddifri', anfon ambell i ganig i mi *yn awr*. Eisiau rhai go swynol at fisoedd yr haf yma. Prinder rhai da.

Cofion fyrdd,
Yn bur,
Carneddog.

Bangor 5369, Cyfrol B, rhif 28

83

X *Llosga hwn.* C.

Carneddi, Nantmor, Bedd Gelert
3 Gorffennaf 1931

Annwyl hen Gyfaill duwiol a phrysur,

Daeth dy lythyr ddiwrnod Ffair Cricieth, yng ngwrthgefn Hywel. Ni fûm i yno, ond bu Hywel, a bu yn holi am danat, a neb wedi dy weld yno. (Ni wyddai Hywel am dy lythyr.)

Wel, tyrd yma nos Fawrth. Disgwyliwn di. Y gwely yn barod, a threiwn lenwi dy fol hefo phob dim a hoffa 'Mei Lord'.

Cawn sgwrs. Ni welais lyfr Tom Parri.[284] Pwy fedr ei ddeall?

Wedi cneifio, ond rhyw wyth yn yr Allt a'r Parc (i lawr o'r mynydd) ac un wedi dianc (dengid) yn y mynydd.

Caiff Gwallter ei dal i mi ddydd Mercher!

Heb ddechreu ar y gwair, yn aros iddo dyfu. Tywydd go ddrwg ydyw, ynte?

284. T. H. Parry-Williams a olygir yn y fan hon yn hytrach na Thomas Parry. Geilw Carneddog ef yn 'Tom Parry, Rhyd Ddu' yn llythyr rhif 9 uchod. Cyfeirio a wna yma at yr hyn a ddywedir am T. H. Parry-Williams yn y llythyr blaenorol.

Chwarddaf am ben dy daith. Un debyg iawn i ramant 'Taith y Pererin', John Bunyan.

Tyrd i fyny yn no fuan nos Fawrth. Hwyrach y bydd Hywel i lawr yn y pentref. Cofia di basio Tafarn 'Y Bwch Gafr', ym Medd Gelert.[285] *Pobol Fawr* fydd yn galw yno.

Glaw mawr heddiw. Nid yw yn ffit i Hywel fynd i'r Port, i nôl tair pladur newydd, stric, dannedd cribianau, etc. A fedri di lifo pladur? Onid saer coed wyt ti? Dyna i ti ddarn o ddrama:

Carn yn y Port – 'Bedi'ch gwaith chi?'

Walter, yn gwta – 'Dim byd!'

Bydd yn dy gofiant, os y byddi *wedi mynd* o fy mlaen, ond, twt, mae Walter 'yn well nag y bu ers ugain mlynedd ac yn bwyta fel mochyn tew!'

Fachgen, tyrd yma, caf newid tipyn ar fy ymgom. Diflas yw siarad am ddefaid a gwartheg o hyd.

O ie, sut hwyl gest ti yn Harlech ddoe? Glaw yma ben bore, ond cododd yn braf iawn. Diau fod yno ganu da, a Dr Protheroe ar ei orau.[286]

Anfonais dy ganig i fyny. Trewais ddwy linell *drawiadol* ar y diwedd, i'w chloi. Gobeithio y rhydd Meuryn hi i mewn.[287] Cawn weld. Mae yn gadael peth ofnadwy o hyd, a chyfeillion *yn digio wrthyf fi*! Gwallau print tragywydd, och! yn andwyo fy ngwaith i o hyd. Gwall yn yr Englyn diweddaf.

Tawaf ar hyn. Caf dy weld. Hyn 'ar redeg'. Pawb yn cofio atat.

Byth yn bur,
Carneddog.

Bangor 5369, Cyfrol B, rhif 29

285. Y 'Royal Goat Hotel' ym Meddgelert.
286. Dr Daniel Protheroe (1866-1934), canwr, cyfansoddwr ac arweinydd a anwyd yn Ystradgynlais ond a ymfudodd i America. Yr oedd yn ffigwr poblogaidd mewn eisteddfodau. Cedwir ei bapurau yn LlGC 'Daniel Protheroe and Rhys Morgan Papers'.
287. Ymddangosodd y gerdd 'Dof i'r Carneddi' yn y 'Manion o'r Mynydd', *Yr Herald Cymraeg*, 7 Gorffennaf 1931, gw. Atodiad X isod.

84

X *Cyfrinachol* X *Llosga hwn*, C.

Carneddi, Nantmor, Bedd Gelert
16 Awst 1931

Annwyl hen Gyfaill gwynfydedig,

'Rwy'n siŵr dy fod yn methu â dirnad paham na chaet lythyr oddiwrthyf. Wel, gwrando 'fy mhrofiad'.

Bûm yn cwyno yn arw iawn drwy fis Gorffennaf. Ces rhyw anwyd ofnadwy amser cneifio, a bu fy mrest a fy ngwar yn brifo yn enbyd. Ofnais fod rhywbeth wedi gafael ynof. Ces physig tan gamp gan Dr Hughes, y Penrhyn. Ciliodd y boen, ond yr wyf yn rhyfedd a gwantan o hyd.

Yr ydym ar ôl yn arw gyda'r gwair eleni. Ofnaf na chawn ef cyn ŵyl Grog.[288]

Onid yw hi yn ddrwg, fachgen?

Daeth Dic adref o Coventry dros ŵyl y Banc, ond och! torrodd dau siafft yn yr ingian, felly collwyd dau ddiwrnod braf. Aethum ar ôl oherwydd hynny.

Mae gennyf gaeau eto heb eu torri. Mae gwair Buarth Capel Anwes Namor ar lawr i gyd ers wythnos yn y glaw! Ow! Nid oes posibl ei gael. Gobeithio y daw heulwen a gwres yn fuan, ynte?

Wel, anfonais *dy Ganu* doniol i fyny i'r swyddfa ar unwaith, ond ni ddaeth allan byth. Hen dro. Cest hwyl hefyd. Nid fy mai i yw. Cofia di.

Sut hwyl gest ti ym Mangor?[289] Ni welais Bob Owen ar ôl bod yno. Yr oedd yn amhosibl i mi fynd yno oherwydd y gwair. Bu Bob yma yn rhoi help i mi cyn yr ŵyl. Chwarae teg iddo. Ai Cybi oedd yr ail ar y Traethawd?[290]

288. Gŵyl y Grog, sef 14 Medi.
289. Ym Mangor y cynhaliwyd yr Eisteddfod Genedlaethol yn 1931.
290. Robert Evans (Cybi, 1871-1956), bardd a llenor a gwerthwr llyfrau o Langybi yn Eifionydd, gw. *BC (II)*, tt. 55-6.

Hyn yn breifat i ti:

Daeth rhyw hen fardd a chanwr o Fôn yma ddydd Iau, Owen Prichard (Owain Môn) Llanfaethlu, brawd i'r diweddar Rhisiart Ddu o Fôn, o'r Amerig. Bu brawd iddo farw y llynedd. O Gaerwen, Arweinydd Côr y Gaerwen.[291]

Daeth i'r Bedd trwy Lanberis, Pen y Gwryd, cerdded, a chael ei gario gan foneddigion.

Yr oedd Band y Port yn y pentref. Ymdrodd. Bu [yn] y *Goat* trwy y drws ffrynt. Cerddodd i lawr i'r Bont, a holodd am Carneddog. Ffwndrodd, aeth yn dywyll. Cysgodd o dan Bont, ac wedi iddi wawrio gwelodd […] Namor. Cysgodd yno rai oriau. Cafodd frecwast yn Namor, holodd am Carn. Cadd fwyd ym Meudy Newydd, a chyrhaedd y Carneddi a golwg arw arno.

Y peth cyntaf a ddywedodd 'Owain Môn, rhaid i mi gael swllt gen ti, Carn,' a thaflodd ei bwrs gwag ataf. Siaradai fel peiriant, pob dim ar draws ei gilydd. Canodd droion. Bu'n dynwared Llew Llwyfo.[292] Cadd fwyd, a chroeso, ond yr oedd am aros yma *yn hir*. Rhoddodd Catrin 2/6 iddo, a finnau lyfr. Es i'w ddanfon gyda'r hwyr. Cadd fotor am y Penrhyn. Teulu Brith Wernydd yn geraint agos iddo.

Hen ŵr neis, o deulu da, fferm fawr, ei blant yn athrawon, ond wedi ffwndro ym Mangor, etc.[293]

X Paid â sôn *dim gair* amdano wrth neb, *oherwydd ei deulu*.

Walter, mae rhyw gythraul efo'r ddiod yma. Dywedais *y drefn* yn ofnadwy wrth Owain Môn, ond chwarddai fel plentyn!

291. Un o blant Tyddyn y Pydew, Heneglwys, Llanfaethlu, oedd Owen Prichard, sef Owain Môn. Yr oedd yn gantor ac yn englynwr. Ymfudodd ei frawd, Richard, sef Rhisiart Ddu o Fôn, i America a chyhoeddodd lyfr, *Blodau'r Gorllewin*, yn Chicago yn 1877. Yr oedd brawd arall iddo, sef Robert Prichard, a fu farw yn 1930, hefyd yn gerddor. Robert oedd arweinydd Côr Meibion Gwyngyll a Chôr Meibion y Gaerwen. Diolchaf i Dr Dafydd Wyn Wiliam a Dr Meirion Llewelyn Williams am yr wybodaeth hon. Rhaid diolch hefyd i Dewi Jones, Benllech, a fu ar drywydd Owain Môn ar fy rhan.

292. Lewis William Lewis (Llew Llwyfo, 1831-1901), bardd, nofelydd, newyddiadurwr a chanwr o fri a aned ym Mhen-sarn, Môn, gw. *BC(I)*, tt. 522-3 a'r Atodiad yn Y Bywgraffiadur Ar-lein.

293. Cyhoeddwyd englynion gan Owain Môn (Fadog Frech, Llanfaethlu) yn y 'Manion o'r Mynydd', *Yr Herald Cymraeg*, 25 Awst 1931, t. 2.

Yr oedd *twrw tafarn* yn ei ganlyn!

Pryd y doi di yma? Aros nes y cawn y gwair, neu tyrd yma ar ddiwrnod teg *i'm helpu*!!

Hyn ar frys, a'r glaw yn curo y ffenestri. Pawb yma yn cofio atat. Canmolwn di fel *gŵr bynheddig* bob amser.

Cofion fyrddiwn,
Yn bur,
Carneddog.

Bangor 5369, Cyfrol B, rhif 30

85

Talbot Hotel, Stourbridge
16 Awst 1931

Annwyl Gyfaill a Sant,

Gweli oddiwrth y cyfeiriad mai ar grwydr yr wyf. Wedi treulio wythnos ym Mangor, daeth i fy mhen awydd gweld canolbarth Lloegr, a dyna gychwyn. Cyrhaeddais y dref hon tua 9.30 neithiwr. Af i Firmingham heddiw, ag oddiyno ddydd Mawrth i'r Amwythig, ag yn ôl gartref ddydd Iau.

Y mae fy nith Dilys yn priodi ddydd Sadwrn nesaf, a rhaid i mi fod yno. Gan fod clefyd englyna arnat, gwna Englyn iddi. Tomi Pierce o'r Waenfawr yw'r bachgen. Priodir hwy ym Mhontllyfni. Geneth dal, luniaidd, gwallt melyn, a dau lygad perliog yw Dilys, a Tomi'n fachgen glandeg, goleu bryd. Dau bur a glân eu moes. Ni raid i ti ofni canmol.

Gresyn na buasai siawns a chyfle i ti fod wedi cael dod i Fangor.

Paid â synnu os y gweli fi yna yr wythnos nesaf. Arhosaf noson, ac yna ni chrwydraf mwy eleni.

Hyderaf eich bod yn iach yna, ag wedi cael y gwair. Deallaf i Bob Owen dy helpu eleni. Da iawn wir.

Byddaf yn ddiolchgar am englyn neu ddau.

Fyth yn bur,
Cofion cu,
Gwallter.

Papurau Carneddog G998

86

Carneddi, Nantmor, Bedd Gelert
Bore Mercher, d.d.

Annwyl hen Gyfaill,

Coblyn o dro na fuaset wedi anfon dipyn bach yn gynt i mi am y Briodas. Cawswn hamdden gwell i lunio Englyn, neu Englynion, ddydd Sul.

Prysur enbyd hefo'r gwair ydwyf. Amhosibl hel fy meddwl ynghyd i wneud dim teilwng.

Gwnes hwn yn fy ngwely neithiwr. Brysiog yw. Nid yw *yn un sâl iawn*. Mae'n gryno. Rho ef gyda hanes y Briodas.

Gwenau braf byd gwyn bri roddais gyntaf.

Credaf fod y dull arall yn well. Beth yw dy farn di?

Gobeithio y gwnaiff dy blesio.

Arnat ti yr oedd y bai yn aros i'r pen heb fy hysbysu. Twt â chdi.

Diwrnod teg, hwyl a hedd i Tomi a Dilys.

Ar ôl yn gebyst hefo'r gwair. Go symol wyf. Os y deui yma, rhaid i ti grybinio, rhaid yn wir, 'My Lord'!

Cofion gorau,
Carneddog.

[Ar dudalen ar wahân]

Lwc Dda
i
Tomi Pierce a Dilys – (nith i'm hen gyfaill hoff Gwallter)[294]

At amod orau Tomi – a Dilys
Hudolaf ei thlysni,
Boed gwên braf byd gwyn, a bri,
A llawnaf gwrdd i'w llonni.
Carneddog

Bangor 5369, Cyfrol B, rhif 35

87

Cemlyn, Pen-y-groes S[orting] O[ffice]
21 Awst 1931

Annwyl Gyfaill hoff a thrafferthus,

Cyrhaeddais adref neithiwr, wedi taith fyth gofiadwy, trwy rannau prydferthaf Lloegr, a chael eistedd enyd yng nghadair Shakespeare, ac wedi hynny fwyta pryd da o fwyd mewn gwesty lle bu yntau'i hun yn llenwi'i gylla. Ni phoenaf di â hanes fy nheithiau [yn] ystod yr haf 'ma. Gwell ei hadrodd fin nos wrth dân coed ar aelwyd y Carneddi.

Diolch yn fawr am dy ddau lythyr a gefais wedi cyrraedd, ac y mae Dilys yn diolch yn donnau i ti am yr englyn, a gelli benderfynnu y bydd hi a Tomi yn darllen y 'Manion' weddill eu hoes.

Blin gennyf ddeall i ti fod yn cwyno ar adeg mor ddiawledig o brysur. Os bydd y tywydd yn weddol yr wythnos nesaf, deuaf yna i

294. Cyhoeddwyd yr englyn yn y 'Manion o'r Mynydd', *Yr Herald Cymraeg*, 1 Medi 1931, t. 2, ynghyd â phennill o gyfarchiad gan Wallter ei hun, a thri englyn i ddymuno'n dda i'r pâr ifanc gan J. E. Thomas, Penmachno.

helpu tipyn bach arnat hefo'r gwair. Ni waeth i mi beidio dwad oni cheir tywydd. Gwir heddiw gywydd Bob Parry:

> Ddi-olygfeydd lawog fyd,
> Di-aeaf, a di haf hefyd,[295]

a thithau a Dic yn torri dau siafft yr ingian. I beth yn eno'r argian?

Beth ydi'r mater ar Meuryn dwad? Ydi o wedi gorffen mynd o'i go? Peidio cyhoeddi gwaith un o feirdd gorau'r wlad. Damia fo.[296]

Welaist ti gynyrchion Bangor? Beth feddyli o Bryddest y cyfaill Cynan?[297] Caf dy farn pan ddof yna. Na, nid oedd[wn] yn cynnig y tro hwn. Y tro nesaf, y fi gaiff y goron, gei di weld.

Rhaid i ti faddeu llythyr byr heddiw. Amryw eraill i'w sgwennu cyn y post. Hyderaf y daw pethau'n well hefo chdi yn fuan. Haul a gwres.

Cofia fi at y teulu, a thi dy hunan.

Yn gywir fyth,
Dy gyfaill,
Gwallter.

LlGC 7237D

88

Carneddi, Nantmor, Bedd Gelert
5 Medi 1931

Annwyl Gyfaill, Cristion, a gweithiwr diwyd yn y Cynhaeaf,

Sut yr wyt ti? Yr wyf fi yn wantan a blinedig, y ddannodd yn ofnadwy ar Hywel, a Chatrin yn cwyno.

295. Allan o 'Haf Gwlyb 1922', *Yr Haf a Cherddi Eraill*, t. 43.
296. Mae'n ymddangos na chyhoeddwyd rhyw ganig gan Wallter yn yr *Herald*.
297. Pryddest 'Y Dyrfa', gw. *Cerddi Cynan* (pedwerydd argraffiad, Lerpwl, 1970), tt. 170-7.

Torri rhedyn a drain a chlirio y tir yr ydym yn awr. Mae Ifan yma o hyd.

Sale sâl iawn gafwyd â'r defaid ym Medd Gelert. Ni ches ond 10/9 y pen am yr ŵyn gyrfod, a hwythau yn rhai campus, wedi bod i lawr yn yr Allt ers amser Cneifio.

Grôt y pwys yw y gwlân. Cnwd dwy flynedd yma. Mae'n gwanhau yn arw ar y ffermwyr.

Wel, *os yn braf*, cofia ddod i Ffair Bedd Gelert ddydd Llun nesaf. Os yn bwrw glaw, paid â dod. Nid af yno.

Gobeithio y bydd yn braf. Cawn dipyn o hwyl, a gweld hen ffrindiau. Cei ddod yma i gysgu, a chei bob *croeso* gennym, am i ti weithio mor dda yn y gwair, *i'w gael i'r diwrnod*!

Mae Catrin yn cadw y gwely yn gynnes i ti: h.y. ei eirio, nid cysgu ynddo. Os yn braf byddaf yn disgwyl gweld *Lord Cemlyn* yn y Ffair, yn gynnar.

Anfon air rhag fy siomi. Hoffaf gael newid sgwrs. Cei siarad faint a fynnot.

Ni welais Bob Owen byth. Chwipiodd Cybi yn dda y tro yma.[298]

Hyn 'ar redeg'.

Cofion fil, oddiwrthym eill tri,
Yn bur,
Carneddog.

[Ar gefn y tudalen]

Canwy yma y Sul diweddaf. Chwarddai pan ddwedais y buost yma yn fy helpu hefo'r gwair. Un clên iawn yw. C.

298. Ymddangosodd llythyr gan un a'i galwai ei hun yn 'Gildas' yn *Y Genedl Gymreig*, 7 Medi 1931, t. 5, yn cwyno am feirniadaeth Bob Owen ar gystadleuaeth y traethawd yn Eisteddfod Genedlaethol Bangor, ac fe'i hatebwyd mewn llythyr cwbl ddi-flewyn-ar-dafod gan Bob Owen yn rhifyn 14 Medi 1931 o'r un papur. Mae'n amlwg mai Robert Evans (Cybi) oedd 'Gildas', gw. *Bywyd Bob Owen*, t. 209: 'Ym Mangor yn 1931, cloriannwn y traethodau ar hanes cymdeithasau darllen Cymreig. Cododd Cybi goblyn o helynt ar ôl colli yno. Er fod ei draethawd yn un da mewn rhannau nid oedd, drwodd a thro, yn yr un cae â'r traethawd buddugol.'

X Tyrd â chân bach yn dy boced.
X Clywais ganmol 'Ar y Mynydd'.[299]

C.

Bangor 5369, Cyfrol B, rhif 31

89

Cemlyn, Pen-y-groes S[orting] O[ffice]
17 Medi 1931

Annwyl Gyd Sant,

Diolch yn fawr am dy lythyr, ond gwell fuasai pe bai ei lond o newyddion da. Wyddost ti, byddaf yn mynd i'r felan weithiau pan gaf lythyr oddiwrth gyfaill mewn adfyd, ond ni chymeraf dy lythyr di yn rhy lythrenol. Yr wyt ti'n dipyn o fardd, a thuedd beirdd pob oes yw paentio'n go drwm, a gobeithio mai hynny a wnei yn hwn. Da fai i Hywel fynd i weld deintydd, a chael trin ei ddanedd. Gwellha hynny ei gorff hefyd. 'Does unpeth gwaeth na danedd drwg.

Ymddengus i mi fod y byd yn mynd i lawr o hyd, ond ni bydd yn hir cyn tarro'r gwaelod, ac yna ddechreu codi, a chaiff yr amaethwr swrllyd ei fodloni wedyn.

Ni wn beth i ddweud am Ffair Bedd Gelert, ond os yn braf a rhyw foddion i'm cludo, deuaf, ond paid â disgwyl gormod.

Diolch yn fawr i Catrin am gadw'r gwely'n eiri, ac os y deuaf, bydd hwnnw'n braf.

Pam yr oedd Canwy yn chwerthin? Oedd o yn amau fy ngallu gweiryddol? Y llipryn iddo.

Nid wyf wedi bod gam o'r lle byth er pan fûm yna. Yn wir ni bu'r tywydd yn rhyw ffafriol iawn.

Amgeuaf gân i ti o waith perthynas i mi sy'n byw yn nhŷ capel Ainon, y capel y cân am dano.[300]

299. Cyhoeddwyd y gerdd 'Ar y Mynydd', a ysgrifennwyd ar glogwyn ar fynydd Nanmor ar 30 Awst 1931 tra oedd Gwallter ar ymweliad â'r Carneddi, gw. Atodiad XII isod.
300. Cyhoeddwyd cerdd 'Yr Hen Gapel Gwag' gan Maggie Roberts o Dŷ Capel Ainon, Dolbenmaen, yn y 'Manion o'r Mynydd', *Yr Herald Cymraeg*, 29 Medi 1931, t. 2.

Yr wythnos yma, cefais fenthyg *Cofiant Cyfoed* (R. H. Watkins, Panglas).[301] Darllenais hi drwyddi, ond yn wir ychydig iawn o flas a gefais arni. Diamau fod ynddi gryn lawer o wir sydd a gwir angen ei ddweud, ond y mae rhyw surni ynddi. Surni dyn wedi ei siomi, ac nid oes iddi lendid llenyddol. Ymddengus fel gwaith prentis, neu lenor yn sgrifennu'n sâl o bwrpas, er mwyn cyrraedd rhyw bwrpas arbennig. Tria gael golwg arni.

Os y deuaf i'r Bedd ni gawn sgwrs a hwyl, a chwrdd â hen gyfeillion ag ennill rhai newydd.[302]

Yn gywir fyth,
Cofion atoch,
Gwallter.

LlGC 7237D

90

Cemlyn, Pen-y-groes S[orting] O[ffice]
30 Medi 1931

Annwyl Gyfaill,

Y mae'n debyg dy fod yn dechreu meddwl erbyn hyn fy mod i a'r ci wedi mynd yn ara deg i erw Duw, ac na chlywet air mwy am danom, ond na, cyflawnais fy addewid. Gwelais John R. Roberts, ond nid oedd ganddo y pryd hynny hanes yr un ci a wnâi dy siwtio di.[303] Bydd iddo holi am un cymwys, a chael praw o'i fedr gyda defaid fach a mawr, a phan y daw'r hanes, caf wybod, a chei dithau wybod hefyd, a'r ci hefyd oni fyddi wedi cael un yn y cyfamser.

301. R. H. Watkins, *Cofiant Cyfoed, sef Y Parch. Alun Morgan Gweinidog Salem* (Dolgellau, 1931). Nofel led ddychanol ar lun cofiant dychmygol oedd hon. Ymgartrefodd yr awdur ym Mhant-glas ar ôl ymddeol, gw. *O Ben Moel Derwin*, tt. 31-2.

302. Bu Gwallter yn y Ffair ac arhosodd yn y Carneddi, gw. llythyr Carneddog at John William Jones, dyddiedig 1 Hydref 1931, LlGC 'Papurau J. W. Jones', rhif 3912: 'Bu Gwallter yma dros amser Ffair Bedd Gelert. Aeth i Groesor wedyn.'

303. Mae'n amlwg i Garneddog ofyn i Gwallter holi am gi defaid drosto, gw. diwedd llythyr rhif 94 isod.

Yr wyf newydd orffen pryd da o ginio. Cinio barddonol iawn, hynny yw, cefais gyw iâr tew yn dâl am lunio cyfres o benillion coffa i rhyw eneth fach. Cei gopi o honynt pan ddônt o'r wasg. Cadair i ti a Wyn Parry, a chyw iâr i minnau.

Ni fyddai wiw i ti gael cyw iâr, neu rhedeg fyddai dy hanes.

Paid â chyhoeddi'r englyn hwnnw. Rhaid newid ei drydydd llinnell, a'r ddau air olaf yn yr ail.

Bron na ddywedwn heddiw fod y gaeaf wedi dod ag ernes o'i ddrycinoedd, a da bod bwth i lechu a chongol wrth y tân.

Ni bydd i mi fynd rhyw lawer o'r gongol bellach. Bydd yr oerni yn dweud yn arw ar fy nghorpws tlawd, ac os na edrychaf ar ôl hwnnw, nid yn ara deg yr af i erw Duw, a gwyddost na all Cymru fforddio colli Lord Cemlyn yrŵan.[304]

Canaf gerdd i ti rhyw ddiwrnod ar gyfer y 'Manion'.

Hyderaf eich bod eich tri yn mwynhau iechyd, a phob cysur daearol ag ysbrydol.

Rhaid i mi bellach roddi fy nghân yn fy nghwd a thewi.

Yn gywir iawn,
Cofion cu,
Gwallter.

LlGC 7237D

304. Dyfynnwyd darn o'r llythyr hwn gan Garneddog yn y 'Manion o'r Mynydd', *Yr Herald Cymraeg*, 13 Hydref 1931, t. 2, a cheir y ddau bennill canlynol o'r eiddo Gwallter:

'Mae'n dywyll ar y mynydd mawr,
A'r wawr yn hir yn torri,
A rhu y gwynt ar arw draeth
Fel alaeth didosturi.

I'r hen a'r gwan rhy Hydref fraw
Tra'r dail yn distaw ddisgyn,
Ond seinio cân wnaf fi mewn hedd,
A boddlon wedd yng Nghemlyn.'

Ychwanegwyd y nodyn hwn gan Garneddog: 'Yswatied ei orau. Ni all Cymru fforddio colli 'Lord Cemlyn' am dipyn eto.'

91

Carneddi, Nantmor, Bedd Gelert
Nos Iau d.d. [Tachwedd 1931]

X Maddeu fy sgribl. Pin sgwlun sâl gynddeiriog.

X *Llosga hwn* X
C.

Annwyl hen Gyfaill, a'r *Cyth. Lebor*,

Daeth dy lythyr caredig, a diolch amdano.

X *Maddeu fy mhapur.*[305] Dim yn y tŷ. Pobl 'yr Herald' heb anfon sypyn.

Rhoddais dy 'Deyrnged i Gôr Telyn Eryri' yn y 'Manion'.[306] Daw yn y nesaf.

Maddeu i mi am oedi mor hir heb anfon gair atat. Rhywbeth o hyd yn fy nyrysu gyda'r nos. 'Pobol ddiarth' o hyd. Go symol wyf fi a Hywel. Rhyw ddrwg (gwendid) ar ein calon. Go fflat ydwyf. Byddaf farw yn sydyn rhyw ddiwrnod. Cofia fy nghanmol.

Aethum i lawr i'r capel nos Sul diweddaf, a theimlwn yn *unig iawn* wrth ddod adref. Neb ar fy nghyfyl. Ni fedraf siarad am bregethau, etc. Nid af i lawr nos Sul nesaf. Mae rhyw hedd dymunol i mi wrth y tân yn y Carneddi ar nosweithiau'r gaeaf.

Gwnaf Englynion 'ffwrdd â hi' o hyd, yn gwneud rhai ar *Briodas* heno.

Be gebyst fuost ti yn ei wneud yn Lerpwl, dywed?

---

305. Ysgrifennwyd y llythyr mewn dwy golofn maint A4 ar bapur glas golau. Câi Carneddog lawer o bapur sgrap o Swyddfa'r Herald yng Nghaernarfon.
306. Cyhoeddwyd adolygiad Gwallter ar gyngerdd Côr Telyn Eryri a gynhaliwyd yn Nhal-y-sarn, Dyffryn Nantlle, yng ngholofn y 'Manion o'r Mynydd', *Yr Herald Cymraeg*, 1 Rhagfyr 1931, t. 2, a chafodd ei blesio. Ar ôl gwrando'r Côr, cyhoeddodd: 'Cafwyd yma braw ddiymwad y gall Cymru ychwanegu rhywbeth i ddiwylliant y byd, – y rhywbeth hwnnw sydd yn eiddo arbennig a neilltuol ein cenedl.'

Cafwyd Eisteddfod gampus ym Medd Gelert. Bachgen neis, di-lol, a chlên yw Carrington.[307] Caerwyn yn dda iawn. Cantorion rhagorol o bob man. Barddoniaeth o safon uchel. Ni fûm i yno, ond bu Hywel yn gohebu – y pnawn a'r nos.

Gwelais Caerwyn nos Sul yn Namor. Pregethu yma yn y Capel bach Sentars. Ddim yn gwrando arno. Ni wyddwn ei fod yno nes y daeth y bobl allan. Ces sgwrs ag ef. Aeth gyda modur i Fedd Gelert. Bydd yn darlithio yma yn fuan, meddir. Hen *foy* clên iawn yw Caerwyn.

Wel, Walter bach, sut yr wyt ti yn awr? Wyt ti yn llenydda llawer?

Bydd croeso i ti ddod yma unrhyw amser. Cei groeso gennym. Gwyddost yn dda am danom. Byddi fel un ohonom.

Bydd dy sgwrs yn felys i'm hysbryd prudd, a dy gwmni yn cydweddu â'm hanianawd.

Ple y byddi y Nadolig? Cyngerdd mawr ym Medd Gelert. Nid af fi yno. Aiff Hywel.

Nid oes fawr o le eto ar y papur i ychwanegu.

Yr ydym eill tri yn anfon ein cofion gorau atat.

Mae'r gwartheg yn bwyta 'Gwair Walter' wrth eu bodd.

Tyrd yma *i borthi*, da chdi, 'yr hen grybiniwr manion'.

Byth yn bur,
Dy hen ffrind gwyllt a duwiol,
Carneddog.

[ar ymyl y ddalen]

Af i'r Port yfory. Gwelaf *Sergeant* Roberts. *Bydd dy drwyn yn cosi. Fachgen, mae diawliaid o bobl yn y byd yma. Cei'r dirgelion eto.*

Bangor 5369, Cyfrol B, rhif 37

307. Yr oedd Tom Carrington (Pencerdd Gwynfryn, 1881-1961), o Goed-poeth, yn feirniad cerdd mewn llawer o eisteddfodau lleol, gw. 'Mynegai Bywgraffyddol W. W. Price, Aberdâr' yn LlGC, cyfrol iii, t. 42.

92

Cemlyn, Pen-y-groes
11 Rhagfyr 1931

Annwyl Gyfaill,

Nid wyf yn meddwl i mi fod erioed â chyn lleied o ddim i'w ddweud. Ni wn i ai y tywydd yntau rhywbeth arall sy'n peri hynny. Eistedd wrth y tân yr wyf ddydd ar ôl dydd, a phendwmpian hanner fy amser. Bron na ddywedwn fy mod yn isel ysbryd weithiau.

Y mae'n debyg dy fod yn methu dyfalu pam na bawn wedi ateb dy lythyr ynghynt. Gŵr sy'n arfer ateb gyda'r troad, ond gelli feddwl am danaf o ddydd i ddydd heb ddim i'w ddweud.

Ceisiais farddoni, ond ddo hi ddim. Ceisiais ganu, ond ni fynnai'r llais, a doedd dim i'w wneud ond troi at y tân a smocio.

Hyderaf y'th fod wedi gwella erbyn hyn, a'r gwartheg yn llaetha'n dda ar wair y Gotel, y chwysais i gymaint wrth ei gywain.

Sut mae'r wraig a Hywel? Yn iach gobeithio.

Y mae'r Dolig yn nesu unwaith eto, a thi a finnau un Nadolig arall yn hŷn. Eleni penderfynnais anfon fy llun i bawb o'm cyfeillion, yn lle y *Chrismas Card* hen ffasiwn. Gresyn oedd i'r argraffydd roddi'r cyfarchiad yn Saesneg, ond nid fy mai i yw hynny. Tybed a fyddai i ti fy adnabod heb weld yr enw tano?

Er nad wyf yn meddwl fod y tri phennill yma yn rhyw amserol iawn i'r 'Manion', efallai y gwnânt y tro gennyt:[308]

Yng Nghoed y Glyn

Tyrd i weld y tŵr henafol,
Ar lun oes y gwaewffyn,
Edrydd wrthyt o'r gorffenol
Rhyw hanes hen yng Nghoed y Glyn.

Yno clywi sŵn byddinoedd
Cymru Fu, a'u sang digryn,

308. Gw. yr ôl-nodyn yn llythyr rhif 93 isod.

Heb ddistewi drwy'r blynyddoedd,
Gylch y tŵr yng Nghoed y Glyn.

Cilmyn Droetddu weli'n rhodio
Yn ei rwysg mewn coch a gwyn,
A'r ddau eryr yn ei wylio
Oddiar y tŵr yng Nghoed y Glyn.

Dyna nhw i ti, gwna a fynnot â hwy. Paid â bod yn hir heb anfon gair o'th hynt a'th helynt.

Yn gywir,
Cofion fil,
Gwallter.

LlGC 7237D

93

Carneddi, Nantmor, Bedd Gelert
Nos Iau, d.d. [Chwefror/Mawrth 1932]

Annwyl hen Gyfaill,

Wel, dyma fi wedi cael dod i lawr o'r llofft i'r gegin. Bûm yn y llofft am dros wythnos, ac yn fy ngwely yn agos i fis.[309]

309. Ar 25 Ionawr 1932, o dan y pennawd 'Briwsion y Gŵr Brysiog' yn y 'Manion o'r Mynydd', esboniai Carneddog fod ei golofn yn fyrrach o dipyn oherwydd iddo fod yn ddi-hwyl. Yn rhifyn 1 Chwefror o'r *Herald* cafwyd nodyn gan Hywel Wyn yn hysbysu'r darllenwyr fod ei dad yn wael. Erbyn 8 Chwefror gallai gyhoeddi fod ei dad ar wella ac ar fin codi o'i wely i'r llofft, a'i fod yn dymuno diolch i bawb o'r gohebwyr am eu ffyddlondeb i'r golofn. Erbyn rhifyn 22 Chwefror o'r *Herald* yr oedd Carneddog wedi ymadfer ac wedi ailgydio'n ei waith, a chyhoeddwyd yr englyn hwn ganddo ynghyd â'r nodyn esboniadol canlynol: 'Ar ôl codi at y tân yn y llofft, ar ôl bod yn gorwedd am dros dair wythnos mewn gwaeledd mawr, fel diolchgarwch i Dduw, ac i Dr Gwennie Williams Traws Fynydd a'r Penrhyn, am fy nghadw yn fyw.

"A Fu Rhyngof a'r Angau"
O Geidwad! diolch! i godi – yfais
Afon o drwyth surni;
Â mil o fost molaf i
Ogoniant Dr. Gwennie.'

Cefais oerfel ofnadwy ar fy mrest ddechreu Ionawr. Daeth Dr Tom Richards, Bangor, yma ar ddiwrnod enbyd o oer. Eisiau mân lyfrau prin, a bûm i ac yntau yn y parlwr am dros ddwyawr yn chwilota.[310] Oerais *rhywsut*, beth bynnag. Aethum allan ar ôl y pythefnos cyntaf. Dyna'r drwg. Ail-oerais, a bu raid i mi fynd i'm gwely.

Fachgen, bûm *yn sâl*. Meddyliais un noson fod yr Angau Du wedi dod ataf. Ni welwn ddim. Pesychu yn ddi-baid am oriau. Taflu i fyny, etc. Fy mrest yn brifo yn enbyd, a methu bwyta dim.

Go wan wyf eto. Lladdodd y gwely fy nerth. 'Rwyf yn chwil.

Ni chaf fynd allan yn hir, warnia y Dr fi, neu caf 'y Llid'.

'Rwyf yn gwella yn araf.

Cefais fy siefio heddiw. 'Roedd golwg 'dyn gwyllt' arnaf.

Heno 'rwyf yn dechreu sgrifennu llythyrau. Ces lu o lythyrau yn holi am danaf. Synnais na alwodd rhai. Ni fu 'Gweinidog' ar fy nghyfyl, ond waeth heb gyboli hefo nhw. (Preifat.)

Wel, Walter bach, sut yr wyt ti, dywed? Ai oeri ddarfu i ti, neu ynte yr hen ddrwg yn waeth?

Waeth i ni heb lolian y tro yma.

Gobeithio, yn wir, dy fod yn well. Fachgen, onid yw yn dywydd braf? Er hynny mae'n berygl iawn oeri. Wiw i mi fentro allan y rhawg. Beth am danat ti?

Mae yma ysgrif faith 'Atgofion am hen Gantorion', gan Ehedydd Eifion.[311] Cantorion Nantlle, Pen y Groes, etc., sydd i fod nesaf.

Methaf yn lân â deall ei law-ysgrifen lawer tro.

Dywed Richard *Rodgers*. Ai *Rogers* ynte *Richards* ddylai fod?

Beth oedd enw Mrs Henderson Jones yn llawn? Onid Alice Mary?

---

310. Bargeiniai Carneddog â Dr Thomas Richards am hen lyfrau a llawysgrifau, gw. *'Doc Tom' Thomas Richards*, t. 140.

311. Robert Jones (Ehedydd Eifion), o Borthmadog. Gw. llythyr diddyddiad ganddo at Garneddog, LlGC 'Papurau Carneddog', G2025, yn cynnwys ychydig atgofion ar gyfer y 'Manion'. Ymddangosodd rhan gyntaf yr ysgrif yn y 'Manion o'r Mynydd', *Yr Herald Cymraeg*, 22 Chwefror 1932, a'r ail ran, a gynhwysai hanes cantorion Dyffryn Nantlle, ar 14 Mawrth 1932.

Dywed *Seren Eura* ei gŵr a'i merch. Nis gwn beth *yw'r enw cyntaf*. Onid teulu Miss Mary King Sarah feddylia?[312]

Beth oedd enw ei mam a'i thad?

Dywed y bu ef yn arweinydd y Band.

Enwa chdi a Dafydd.[313] Dywed eich bod yn byw yn y Felin, Llanllyfni. Rhof nodiad eich bod wedi symud.

Oes dim posibl i ti roi y manylion a nodaf i mi erbyn bore Llun, neu Mawrth nesaf?

Cas gennyf anfon at yr Ehedydd. Dywed mai rhai o deulu'r Garn ydych.

Nid yw'r 'Hen Bob' fawr o lenor. Mae'n ddiniwed a difyr.

Brysia fendio, a dod yma. Cei groeso mawr. Hoffaf *newid*, i gael sgwrs wrth fy modd.

Mae'r ddyllhuan yn swnio bob nos.

Yr ydym eill tri yn cofio yn arw atat.

Yn bur,
Carneddog.

O.N. Gwrando 'rŵan:

Bu 'Yng Nghoed y Glyn' ar goll. Cefais y papur heddyw yng nghanol tomen o bapurau yn y fasged wiail (o waith llaw rhyw hen fachgen o'r Penrhyn). Anfonaf y Ganig dlos y tro nesaf, yn sicr.

---

312. Yr oedd y gantores Mary King Sarah (1884-1965) yn arwres yn ei dydd i bobl Dyffryn Nantlle, ac ymfudodd i ogledd America. Ceir ei hanes hi a'i theulu, yn ogystal â hanes cantorion eraill y Dyffryn, gan Cledwyn Jones yn *Fy Nhal-y-sarn i* (Llanrwst, 2009), tt. 109-30.

313. Dyma fel y darllenai'r nodyn ar Wallter a'i frawd, Dafydd, yn y 'Manion o'r Mynydd', *Yr Herald Cymraeg*, 14 Mawrth 1932, t. 2: 'Yr oedd dau ganwr o fri yn Llanllyfni, sef D. D. Jones, a'i frawd, Walter S. Jones. Ganwyd y naill yn y Garn a'r llall ym Mhant Glas. Yr oedd eu mam yn ferch i William Jones, "Y Go' Mawr," Rhos Lan. Yr oedd Dafydd Jones eu tad yn fab i Dafydd Jones, gof arall yn y Garn. Bu'r ddau ganwr yma yn byw am flynyddoedd yn y Felin, Llanllyfni, ond y maent wedi symud yn awr i Ben y Groes.'

Os yn ddigon cryf, a dy feddwl yn sownd, anfon Ganig neu ddwy i mi eto.

Cymer ofal, os wyt yn wantan.

C.

Bangor 5369, Cyfrol B, rhif 38

94

Carneddi, Nantmor, Bedd Gelert
10 Mawrth1932

Annwyl Gyd-hen-Sant hoff,

Gair bach 'ar redeg'. Hywel ar gychwyn i'r Port.

Sut yr wyt ti erbyn hyn? Wyt ti wrth y tân? Yn meddwl am danat yn aml.

I mewn yr wyf fi yn swatio o hyd. Mentrais allan am rhyw ddeng munud ddoe, ond 'bobol annwyl', yr oedd[wn] 'yn chwil' a rhyfedd. Gorfu i mi redeg i'r tŷ.

Gwantan iawn ydwyf. Rhaid i mi gadw i mewn am dipyn eto. Oer enbyd ydyw.

Fachgen, ces rhyw oerfel ofnadwy, ac y mae rhyw waew yn fy mhen. Och!

Diolch i dy chwaer am sgrifennu drosot, a hynny mor dda.

Daw ysgrif yr 'Hen Ehedydd' y tro nesaf. Ail-gwciais hi i gyd.

Mae Coedglas yn boddi hanes 'Cantorion Cylch Llanberis'.[314]

Mae dy ganig 'Yng Nghoed y Glyn' yn y Swyddfa ers talm.[315] Mae hanes cyrddau yn llenwi y golofn o hyd.

Mae yma lond basged o bethau yn aros cael lle.

Pobol *Yr Herald* sy'n rheoli *Y Genedl* yn awr.

314. Ymatebodd Coedglas, o Bont Rhyddallt, Llanrug, i ysgrif Ehedydd Eifion ar gantorion ardal Llanberis mewn llythyr yn y 'Manion o'r Mynydd', *Yr Herald Cymraeg*, 14 Mawrth 1932, t. 2.

315. Cyhoeddwyd y gân yn y 'Manion o'r Mynydd', *Yr Herald Cymraeg*, 14 Mawrth 1932, t. 2.

Caiff O. Llew Owen ei le fel Gol. a phopeth yr un fath.[316]

Nid wyf yn llenydda dim. Mae yma waith mawr i Hywel a Chatrin, a rhywun yma o hyd.

Go helbulus yw hi arnom. Yr un oen bach yma eto. Gorau yn y byd.

Maddeu lythyr byr. Mae Hywel yn disgwyl wrthyf.

Brysia fendio gael i ti ddod yma.

X X *Gest ti hanes ci* i mi?

Cofion fyrdd,
Yn bur,
Carneddog.

Bangor 5369, Cyfrol B, rhif 32

95

Cemlyn
Sadwrn d.d. [Mai 1932]

Annwyl Gyfaill Ffyddlon,

Brysiaf i ateb y llythyr a anfonaist at fy chwaer er mwyn i tithau a'r teulu frysio i roddi eich meddyliau'n esmwyth. Y mae ochr Gwallter yn iawn. Paid poeni ynghylch ei lythyr cas. Anwybydda fo. Mae'n ddrwg o galon gennyf iddo beri poen i ti.[317]

Rhag ofn i chwi a'r teulu feddwl fod 'Gwallter' o fewn trwch edafedd gwawn i'r ochr arall, dymunaf eich hysbysu mai'r achos ei fod yn ei wely cyhyd [yw] fod i'r gwaed deneuo yn ystod y gauaf, yr ystumog fynd o hwyl, methu bwyta ag yn naturiol gwendid. Dywed ef fod ei galon yn gorphorol fel calon 'dynewad' ond nid y llall diolch i Dduw.

316. O. Llew Owain oedd Golygydd *Y Genedl* ar ôl i E. Morgan Humphreys ymddiswyddo yn 1930.

317. Mae'r paragraff cyntaf yn llaw Gwallter ei hun, a'r gweddill yn llaw ei chwaer am fod Gwallter erbyn hynny mor wael a gwan, fel yr esbonnir yn y nodyn ar y gwaelod. Y llythyr cas y cyfeirir ato yw eiddo Mathonwy Hughes yn Atodiad II isod.

Da gennyf eich hysbysu ei fod wedi gwella 10% yr wythnos yma. Yf wyau fel y 'Gog' a chladd fara llefrith fel daeargryn, medd ef, y mae yn siriol iawn yn ei wely. Am hynny na phoenwch am iechid 'Gwallter' na llythyr Mathonwy.[318]

Nid ei anallu i ysgrifennu a bair imi wneyd, ond ei fod ar hyn o bryd yn cael 'cwpaned' 6 o'r gloch fore Sul. Hyderwn yn fawr eich bod i gyd yn iach a daw popeth i hwyl.

Cofion cu a chywir y fo a fina (ei chwaer).

O.N. *Private –*
Nid mor dda yw Walter nis gall ysgrifennu ond rhaid i mi yrru fel yr uchod ganddo. Mae'n hynod wael a gwan.

[Ellen Morris.][319]

Papurau Carneddog G1149

318. Mathonwy Hughes (1901-1999), bardd a newyddiadurwr a anwyd ym mhlwyf Llanllyfni, gw. *Cyd*, t. 344, a hefyd Derwyn Jones *et al.*, *Cofio Mathonwy* (Caernarfon, 2001).
319. Yr oedd gan Wallter ddwy chwaer, sef Jane ac Ellen, a'r tebyg yw mai Ellen a ysgrifennodd y llythyr hwn. Bu hi'n gohebu â Charneddog ar ôl marw Gwallter, gw. LlGC 'Papurau Carneddog', G1150, ac Atodiad IV isod.

Atodiadau

I

Bryn Pisgah
Carmel, Groeslon S[orting] O[ffice]
Nos Sadwrn, d.d. [Mai 1932]

Annwyl Gyfaill,

Anfonaf yr ychydig eiriau hyn i chwi dros eich cyfaill 'Gwallter' o Benygroes. Y mae'n orweiddiog fel y gwyddoch ers rhai misoedd bellach, a chefais olwg bur anobeithiol arno brynhawn ddoe pan yno.[320] Heddiw'r bore bûm yno drachefn a chefais amgenach golwg o lawer arno. Ddoe dangosodd i mi ganig a gyfansoddodd ar wastad ei gefn yn ei wely yr wythnos hon, a gofynnodd i mi a fuaswn yn ei [h]ysgrifennu allan a'i hanfon i chwi gan ei fod ef druan bach yn rhy wan erbyn hyn i allu ysgrifennu. Yr oeddwn yn cefnu arno ddoe yn ddigalon dros ben, ac yntau yn wylo fel plentyn, ond erbyn bore heddiw ymddangosai wedi sirioli drwyddo a chawsom ymgom fechan fel arfer ac ynddi chwerthin iach. Barnai yn unpeth fod gennych chi englyn yn Eisteddfod Lewis oedd yn anhraethol uwch ei safon na'r buddugol.[321]

Os y gwelwch yn dda, beidio cyhoeddi dim o'r llythyr hwn gan ei fod yn arfer codi'r *Herald* yn gyson, ac nad yw yn sylweddoli ei fod yn agos mor wael, a buasai gweld darnau o'r llythyr hwn efallai yn

---

320. Cyhoeddodd Carneddog y nodyn canlynol yn y 'Manion o'r Mynydd', *Yr Herald Cymraeg*, 2 Mai 1932, t. 2: 'Drwg yw deall mai dal yn lled gwla y mae'r hen gyfaill hoff Gwallter, Cemlyn, Pen y Groes. Gobeithiwn y caiff adferiad buan, ac y cawn gyd-ymlonni eto "ar ddyddiau o haf hir-felyn tesog." '

321. Cyhoeddwyd englyn Carneddog yn y 'Manion o'r Mynydd', *Yr Herald Cymraeg*, 2 Mai 1932, t. 2:

> ''Siopa yn Lewis's
> Yn dawel bum yno'n dewis, – a bost
> Brolia'm baich uchelbris,
> "Y gorau nwydd a geir yn is
> O lawer gyda Lewis!"'

Cyhoeddwyd yr englyn buddugol yn *Yr Herald Cymraeg*, 9 Mai 1932, t. 6.

ddigon amdano. Ond y ffaith yw yr hyn a ddywedais ar y dechrau. A ydych chwi yn well[?] Wele canodd gog! Ac mae'r gwaethaf drosodd!

Pob hwyl a hoen,
Yn gywir iawn,
Mathonwy Hughes.

Papurau Carneddog G484

II

Bryn Pisgah
Carmel, Groeslon
26 Mai 1932

Annwyl Gyfaill,

Siomedigaeth fawr i mi, caniatewch i mi ddweud yn blaen wrthych, oedd y peth a wnaethoch. Gofynais yn bwrpasol i chwi gymryd gofal na chyhoeddech ddim gair o fy llythyr i chwi ynglŷn â Gwallter S. Jones, gan nad oeddwn ond mynegi'r ffaith heb iddo wybod wrthych, sef ei fod y diwrnod hwnnw yn awyddus am i mi ysgrifennu ac anfon ei ganig i chwi.

Ni bu unrhyw sôn o gwbl am i chwi ei chyhoeddi, a gwyddoch cystal â minnau na bu imi grybwyll yn fy llythyr o gwbl am i chwi ei chyhoeddi. Pan gefais yr *Herald* gwelais eich bod wedi ei chyhoeddi, a hynny'n wallus hollol, a mwy na'r cwbl, yn dweud yn eich nodiad fod yr hen gyfaill Gwallter yn 'erfyn' arnoch ei chyhoeddi.[322]

A fu'r fath ffwlbri erioed? Ni welais Gwallter, ac y mae arnaf ofn ei weled, ac nid oes dim i'w wneud tan yr amgylchiadau ond i chwi ofalu fod y ganig yn cael ei chyhoeddi yn gywir yr wythnos nesaf, fel

322. Gw. Atodiad XVII isod.

yr amgauaf hi eto, a'r nodiad fel y mae wrthi fel eglurhad ar eich camgymeriad trwsgl.

Yn gywir,
Mathonwy Hughes.

Papurau Carneddog G485

III

[Cerdyn Post]

Bryn Pisgah,
Carmel, Groeslon S[orting] O[ffice]
31 Mai 1932

A[nnwyl] G[yfaill],

Ymddengys i mi i chwi ymwylltio Mr Carn, heb ddeall fy llythyr o gwbl.

Dywedaf eto! *Dywedaf o hyd*! Erfyn arnoch *beidio* cymryd arnoch wrth G. ei fod mor wael a wneuthum. Dyna chwithau'n cyhoeddi 'fod G' yn '*ERFYN*' arnoch gyhoeddi ei gân. A yw hyn yn ddigon eglur bellach?

Dywedwch na wnaf ohebydd! Dichon Hynny! Nid oes gennyf lawer o awydd bod a dweud y gwir. O leiaf nid oes gennyf awydd bod yn ohebydd ar batrwm Carneddog na Meuryn beth bynnag.

Yn gywir,
M. Hughes.

Papurau Carneddog G486

IV

Cemlyn, Penygroes
13 Gorffennaf 1932

Anwyl Carneddog,

Rhywfodd nis gallaf eich cyfarch ond fel 'Carneddog' gan mai wrth yr enw yna yr wyf wedi eich adnabod ers blynyddau trwy fy niweddar frawd 'Gwallter'. Ac os oes eisiau gofyn maddeuant, wel dyma fi yn gwneyd. Fy amcan yn ysgrifennu atoch yw fy mod am ofyn i chwi a fuasech yn anfon y ganig amgauedig i'r 'Manion' i'w chael yn gywir. Fel yr ydych yn gwybod bu iddi ymddangos ers tro yn ôl ond ei bod ddim yn gywir a phoenodd hynny lawer ar Gwallter. Awgrymais anfon atoch y pryd hynny ond ni fynnai. Cyn ei farw holai llawer amdani ac wedi ei farw holai llawer iawn o'i gyfeillion a'i gydnabod eisiau ei chael a meddyliais ina mai chwi fuasai yn gallu gwneyd a byddaf yn wir ddiolchgar i chwi.

Dymunaf arnoch beidio gwneyd yn hysbys mai fi anfonodd atoch. Diolch yn fawr iawn i chwi am eich ysgrif wir dda a naturiol yn yr *Herald* yr wythnos hon am 'Gwallter'.[323] Da iawn yw englynion Cenin onite[?][324] Gwelais yn y *C[aernarvon] & Denbigh Herald* ffrwyth

323. Cyhoeddwyd ysgrif goffa i Wallter gan Garneddog yn *Yr Herald Cymraeg*, 11 Gorffennaf 1932, t. 2. Ymddangosodd y ddau bennill canlynol gan frawd Gwallter, Dafydd, yn yr un rhifyn:

'Ymson Hiraeth am Wallter Llyfnwy

Galar-gerdd a leinw'r awel,
Ac mae Cemlyn heddiw'n dawel;
Nid oes ar yr aelwyd chwerthin,
Prudd-der leinw'i hen gynefin.

Distaw huno y mae Gwallter,
Ni rydd gân na phill fel arfer;
Ymson wnaf yn ddwys amdano
Nes y cawn gyd-gwrddyd eto.

D. D. Jones (ei frawd).'

324. Ymddangosodd cyfres o wyth englyn gan Cenin yn *Yr Herald Cymraeg*, 27 Mehefin 1932, t. 2, fel ymateb i'r gerdd 'Fy Nymuniad' a gyhoeddwyd yn wreiddiol yn y 'Manion o'r Mynydd' ar 23 Mai 1932.

awen a theimlad Jack Mona Roberts Caernarfon, dymunol iawn wir.[325] Byddaf yn hoffi barddoniaeth newydd a naturiol.

Dymunaf ddiolch unwaith eto i chwi am bopeth, ag erfyn eich maddeuant am eich trwblo a'ch amser mor brin.

Cofion pur atoch eich tri,
Ydwyf Ellen Morris.

Papurau Carneddog G1150

V

Cyhoeddwyd y penillion canlynol yn y 'Manion o'r Mynydd', *Yr Herald Cymraeg*, 4 Mehefin 1929, t. 2:

Y Carneddi

Yr Hydref blin yn blingo'r coed,
Hyd oror yr Eryri;
Ond wrth y tân chwedl a chân
A glywir o'r Carneddi.

Tylluan gwyna yn y cwm,
A'i dolef ddifri, ddifri,
Ond cri nid oes, na garw groes,
Ar aelwyd y Carneddi.

Ac adar gwyllt y creigiau certh
Mewn drycin yn eu cynni,
Ond ar eu rhawd caent wenau ffawd,
Dan fondo y Carneddi.

325. Cyhoeddwyd cerdd goffa gan Jack Mona Roberts, perchennog Gwesty'r Mona, Caernarfon, gwesty y byddai Gwallter yn hoff o wlychu ei big ynddo, yn y *Caernarvon and Denbigh Herald*, 8 Gorffennaf 1932, t. 5. Cyhoeddwyd yr un gerdd ar dudalennau'r *Genedl Gymreig*, 18 Gorffennaf 1932, t. 3.

Ar draws y byd rhois innau dro,
O lannau'r lyfndeg Lyfni,
Ond cefais glwyd – digon o fwyd,
Tan gronglwyd y Carneddi.

Mae Hywel, bugail praidd ei dad,
A "Mando" 'i ffyddlon gorgi,
Oddi ar y glos bob gyda'r nos,
Yn dychwel i'r Carneddi.

Y "fwyn wraig lawen" lond ei lle,
A'i gwenau yno'n gweini,
Does ail i hon, gymhares lon, –
Brenhines y Carneddi.

Ac yntau'r gŵr yn frwd ei fryd,
A'i enaid yn llawn ynni,
Chwilotwr mad, hen greiriau gwlad –
Carneddog y Carneddi.

O dwrf y byd, ymhell o dref,
Yng nghesail y clogwyni;
Pan ddelo'r haf a'i hinon braf,
Ail nefoedd y Carneddi.

GWALLTER

Tachwedd 1928
Diolch i Wallter am ei "frechdan fêl." Mae peth fel hyn yn bur amheuthyn i mi weithiau, Mr. Gol. Brysied Gwallter yma eto i wrando can ei "[D]ylluan" yn y Coed Mawr yng nghefn yr hen dŷ. – C

VI

Cyhoeddwyd y penillion hyn yn y 'Manion o'r Mynydd', *Yr Herald Cymraeg*, 7 Ionawr 1930, t. 2, fel ymateb i hysbyseb gan Garneddog i'w gyfrol o farddoniaeth *O Greigiau'r Grug*, a ymddangosodd yn y 'Manion o'r Mynydd' o dan y pennawd 'Briwsion y Gŵr Brysiog' ar 24 Rhagfyr 1929. Dyma ddyfyniad perthnasol o'r hysbyseb honno: 'Nid yw ei bris ond "Deunaw Ceiniog." Mae'r wledd a gewch yn un flasus! Am "ddeunaw Ceiniog"! Mae fy narlun sydd ar ei ddechreu yn werth gini! Felly cewch "fargen fawr!" Daw y llyfr allan o'r wasg ar ddechrau'r flwyddyn newydd, a dof a llond sach ohonynt ar fy nghefn (fel Dic Aberdaro[n]), drwy Eryri, Eifionydd, Llyn a Meirion! . . .':

'Mae'i Ddarlun O'n Werth Gini'
("O Greigiau'r Grug")

Fe ŵyr y byd i gyd o'r bron,
Am wron y Carneddi,
A dyma'n cyfle wedi dod,
Mae'i ddarlun O'n werth gini.

'Rhen Garn yn dod fel "Santa Clos"
O "Greigiau Grug" Eryri,
Wel, cofiwch brynu bawb o'i god,
Mae'i ddarlun O'n werth gini.

Ni chafwyd, naddo er cyn co',
Fath arwydd o haelioni,
Gwerthu llyfr am "swllt a chwech"
A'i ddarlun O'n werth gini.

Wel, dewch yn wir am "fargen fawr,"
Gochelwch rhag ei cholli,

Cewch werth eich pres, a mwy dros ben,
Mae'i ddarlun O'n werth gini.

Mae wedi bod yn hir hel,
Bystachu a barddoni,
A chynnig mae yr oll yn rhad,
Mae'i ddarlun O'n werth gini.

Mae'r wledd yn rhad a phâr ei blas
I bawb yn ôl ei ffansi,
Ceir englyn pert, a "cherdd ddi-lol,"
A darlun sy'n werth gini.

Dau lygad glas fel arian byw,
A brithwallt hir yn tonni
Yn awel hyfryd "Creigiau'r Grug,"
Mae'n siŵr i chi'n werth gini.

Fe gaiff pob un a gâr Gymraeg,
Am "ddeunaw," o'r Carneddi,
Llyfryn del, y "gorau 'rioed,"
A darlun sy'n werth gini.

Na foed un bwth o fewn ein tir
Heb "Greigiau Grug" Eryri,
Mae'n werth ei gael, af ar fy llw,
A'i ddarlun O'n werth gini.

GWALLTER

VII

Cyhoeddwyd amcanion Cymdeithas Hanes Dyffryn Nantlle, yr oedd Gwallter yn un o'i sylfaenwyr, gan Garneddog yn y 'Manion o'r Mynydd', *Yr Herald Cymraeg*, 10 Mehefin 1930, t. 2:

Cymdeithas Hanes Dyffryn Nantlle
Mae y Gymdeithas newydd hon yn cael ei sefydlu, a phenderfynir mynd ymlaen. Dyma ei hamcanion:–

1. Cadw rhag difancoll bopeth o hanes y Dyffryn sydd eisoes ar gael ac ymchwilio am ychwaneg.
2. Ennyn mwy o ddiddordeb lleol, a helaethach gwybodaeth, o hanes y Dyffryn.
3. Trefnu ymchwiliadau i hanes twf diwydiannol, cymdeithasol, addysgol a chrefyddol y Dyffryn.
4. Cadw hyd y byddo'n bosibl olion hynafiaethol, hen greiriau, llawysgrifau, a chynhyrchion llenyddol a cherddorol.
5. Hyrwyddo astudiaeth o grefftau coll y Dyffryn.
6. Ceisio sicrhau amgueddfa o ddiddordeb lleol, yn cynnwys hen lawysgrifau, darluniau o hen dai, pontydd (etc.) hen gymeriadau hynod ac enwogion llenyddol, addysgol, a barddonol y Dyffryn, ynghyda phopeth o ddiddordeb lleol.
7. Cadw'n drefnus feddau a chof-golofnau enwogion.
8. Ymweld a lleoedd o ddiddordeb hanesyddol.
9. Trefnu i aelodau'r Gymdeithas ysgrifennu eu hadgofion ar wahanol agweddau yn hanes y Dyffryn, a chadw'n ddiogel y cyfryw adgofion mewn ysgrif ac argraff.
10. Sicrhau darluniau o bob adeilad a fyddo ar fedr ei dynnu i lawr.

Mawr lwydd i'r Gymdeithas werthfawr ei nod. Hyderwn y sefydlir un gyffelyb ym mhob plwyf neu gwmwd yn ein gwlad.

VIII

Cyhoeddwyd y pennill canlynol yn y 'Manion o'r Mynydd', *Yr Herald Cymraeg*, 14 Hydref 1930, t. 2:

Byd

Pan gaf anrhydedd yn farw byddaf fi,
Caf dorch o flodau ar fy arch,
Daw rhywun gyda'i alar gri
Uwchben fy medd a'i barch,
I beth mae blodau dda?
Ni chefais i ond drain ar hyd fy oes,
Ac ysgall bywyd gan bob dyn,
A'm penyd i fu cario croes.
Ti alarnadwr, moes dy glyw,
Nid marw wnaf, dewisaf fyw.

GWALLTER

IX

Cerdd gan Wallter a gyhoeddwyd yng ngholofn y 'Manion o'r Mynydd', *Yr Herald Cymraeg*, 28 Ebrill 1931, t. 2:

Fy Mhrofiad

Hen brydydd wyf yn canu cân
Ar delyn hen a bregus;
A llawer un o'i thannau mân,
Heb daro tôn soniarus.
Er bod y Gwanwyn yn y tir
Yn hardd oreuro'r eithin,
Nid yw yn Wanwyn imi, wir, –
Di gywair yw fy nhelyn.

Mae ffrwd y mynydd ar ei hynt,
A'i chân mewn cymoedd unig,
A chwiban leddf yr hafaidd wynt
A'i lond o beraidd fiwsig.
A dyfnlais pell diorffwys fôr
Fel anthem gref heb derfyn,
Ond nid oes gân tu mewn i'm dôr, –
Di gywair yw fy nhelyn.

Mae adar haf yn heidio'r fro,
A'u cân yn llond yr awel,
A myrdd briallu ymhob tro
Brydferthed â'r un angel,
Mae llais y durtur oddi draw
A'i hadlais yn y dyffryn,
I'm llonni i, 'does un a ddaw, –
Di gywair yw fy nhelyn.

Os nos yw'r dydd, yn nes y daw
Y wawr i minnau ganu;
Mae Gwanwyn gwyrdd im maes o law,
A blodau fydd i wenu;
Daw tywydd teg, a thawel hedd,
A hawddfyd wedi blinfyd,
A chanaf innau'n llon fy ngwedd
Yn oedfa olaf adfyd.

GWALLTER

X

Cerdd gan Wallter a gyhoeddwyd yn y 'Manion o'r Mynydd', *Yr Herald Cymraeg*, 7 Gorffennaf 1931, t. 2. Ceir y copi gwreiddiol ar ddalen rydd yn Llawysgrif LlGC 7237D, sef copi teipiedig gan Wallter, ac yr oedd am i Garneddog orffen y pennill olaf. Carneddog oedd piau'r diweddglo sydd rhwng bachau petryal, felly:

Dof i'r Carneddi

Pan ddelo haf a'i hinon
I harddu llwybrau'r coed,
Caf innau a Rhiannon
Yn gynnar gadw oed.

Rhaeadrau Aber Glaslyn
A'u lli yn wenyg gwyn,
A'r haul yn tynnu darlun
O'r nefoedd ar bob bryn.

Yr oenig fach a'r famog
Yn diogi ar y twyn,
A'r hedydd uwch y fawnog,
A llond ei gân o swyn.

Yr adar rhwng y brigau
Yn difyr chwarae mig
A natur ar ei gorau
Yng ngwyrdd ddihalog wig.

Caf innau delyn newydd
A seinber fydd ei thant;

[A chanaf hyd y meysydd
Gan slyrio megis sant.]

GWALLTER

O'r gorau. Dowch. Mae gennyf gribyn newydd bwrpasol i Riannon. – Carn.

XI

Cyhoeddwyd yr englyn hwn gan Garneddog yn y 'Manion o'r Mynydd', *Yr Herald Cymraeg*, 21 Gorffennaf 1931, t. 2:

Sen i Wallter (Lord Cemlyn) am dorri ei gyhoeddiad yn dod i'r Carneddi.

Gwallter, er wedi gwylltio – er aros
Hir oriau amdano;
Er addaw sgram fawr iddo,
I'w "Nyth Iâr" dianc wnaeth o!

("Y Nyth" yw ei hafdy yng Nghlynnog.)

XII

Cyhoeddwyd y gerdd hon yn y 'Manion o'r Mynydd', *Yr Herald Cymraeg*, 8 Medi 1931, t. 2:

Ar y Mynydd

(A sgrifennwyd ar glogwyn ym Mynydd Nanmor, Awst 30,
tra ar ymweliad â'r Carneddi.)

Mor fwyn yw rhodio'r llethrau crin
A'r unigeddau llonydd,
Ymhell o dwrf a mir[i] byd,
Hawdd eu hanghofio yno i gyd,
Mae'n dawel yn y mynydd.

Mor dyner yw yr awel leddf,
A'i si ym mrig y gweunydd,
Lle nad oes neb yn tynnu'n groes,
Nac undyn byw i beri loes,
Mae heddwch yn y mynydd.

Mae Natur yno wrth ei bodd
Tan wrid a gwlith y wawrddydd,
Ac adar brithion llon eu cân
Rhwng gleision frwyn ac eithin mân,
Mae nefoedd yn y mynydd.

GWALLTER

XIII

Cyhoeddwyd yr englyn canlynol yn y 'Manion o'r Mynydd', 6 Hydref 1931, t. 2:

Fy Mhrofiad Ddechreu Hydref 1931

Er chwennych llawer chwaneg – o amser
I ymson telyneg;
'E fudaf o'm braf adeg
I hen erw Duw yn ara' deg.

GWALLTER

XIV

Cyhoeddwyd a ganlyn yn y 'Manion o'r Mynydd', *Yr Herald Cymraeg*, 27 Hydref 1931, t. 2:

Peidio Dod i'r Carneddi

Ŵr glew fe wnes addewid – y deuwn
Pe'n dywydd o heulwrid;
Ond glaw ar bob llaw a llid
Gaeafol fu, er gofid.

Fe nodaf mai tro ofnadwy, – a siom
I'r hen sant clodadwy;
A cholli sgram o ham ag wy, –
Ham enwog Môn a Mynwy.

Pan ddelo'r haf yn ôl i drefn,
Ag awel lefn i sïo,
Mae angen "topcot" arnaf fi,
Dof i'r Carneddi eto.

Gobeithio bydd rhyw ddarn o ham,
Yn sgram i mi pan ddeuaf,
A wyau o anferthol seis,
A phwdin reis melusaf.

A'r "Gwdi Hŵ" yng nghoed y rhos
I'm sïo'r nos i gysgu,
A tharth y tes yn tyner gau
Ar addurn trimiau'r Arddu.

Ond cyn y deuaf yna, ffrind,
Rhaid imi fynd i Fangor;
A gwyddost ti, fel pob bardd da,
Mai dyma ein Pen Tymor.

Cawn yno dro â gwŷr o'r De
A ffrindie o'r pellderoedd,
A chwrdd ag ambell brydydd llwyd,
Na welwyd ers blynyddoedd.

Ond wedi'r ŵyl, cyn darffo'r haf,
Fe ddeuaf i'r Carneddi,
A chofia dithau am y sgram
O ham ag wyau imi.

GWALLTER

XV

Cyhoeddwyd y gerdd hon yn y 'Manion o'r Mynydd', *Yr Herald Cymraeg*, 18 Ionawr 1932, t. 2:

A Thi yn "Sefnti"

Os ydyw'r einioes yn byrhau,
'Does achos iti boeni,
Cei hwb o hyd i lawenhau
Er dy fod heddiw'n sefnti.

Cei fwyn atgofio'r dyddiau braf
A dreuliaist yn Eryri,
A threulio eto lawer haf,
O wynfyd wedi'r sefnti.

Cei wrando'r gwynt yn udo'r nos
Yn nerw y Carneddi,
A gwylio blodau teg, a rhos
Yn gwenu wedi'r sefnti.

A dringo'r llethrau hefo'r myllt,
I weld y wawr yn torri,
Dros uthredd y clogwyni gwyllt,
A thithau sionc – a sefnti.

Cei eto weled llawer blwydd
I sgwenu a barddoni,
Daw y gynghanedd yn fwy rhwydd,
Ar ôl it basio sefnti.

Diwetydd gwyn fo iti, Carn,
A gorau yr Eryri,

Boed rhwystrau dan dy draed yn sarn,
Anghofia fod yn sefnti.

Os byw a gaf yn ddigon hir,
Mi ganaf bennill iti,
Pan fyddi di yn llencyn ir,
Ac wedi cyrraedd eti.

GWALLTER

XVI

Cyhoeddwyd y gerdd hon, a ddaeth yn fuddugol yng nghystadleuaeth y Gadair yn Eisteddfod y Cymrodyr, Beddgelert, ar 10 Ebrill 1931, yn y 'Manion o'r Mynydd', *Yr Herald Cymraeg*, 4 Ebrill 1932, t. 2:

PLANT Y CEDYRN
(Cadlef y Blaid Genedlaethol)
(Dernyn Adrodd)

Cyfodwn oll, yn fyddin unol, rydd,
Fel "Plant y Cedyrn" o Eryri Wen,
Na fyddwn yn ddigalon lwfriaid, prudd,
Ond safwn dros ein hannwyl wlad, er sen,
A dirmyg deflir atom yn ddi-baid,
Gan hyf enllibwyr, er ein duo ni;
Mae nerthoedd traddodiadau gwych o'n plaid,
Er mynnu i'n hiawnderau barch a bri.

Cawn heddiw ymgyrch a rydd fythol glod
I'n gwaith a'n haberth fel gwladgarwyr pur –
Fel gwerin gywir, gyda newydd nod,
Yn ymlid o'n calonnau ofn a chur;

Ein hymdrech, gyda'n gobaith, fo'n cryfhau
Dros Gymru lân, – ein heilun hoff o hyd,
A'n gweddi drosti bellach fo'n dwysáu,
Nes gweld ei henw'r harddaf yn y byd.

Gwyllt Walia! Do, bu "Llanciau'r Ryri'n" llu,
Drwy frwydrau celyd yn amddiffyn hon,
A Duw o'n plaid, gan eu bendithio, fu
Yn rhoddi tlysau concwest ar eu bron;
Fe gawsant yn ein creigiau encilfeydd
I wylio'u cyfle drwy bob cyfyng awr,
Ein dewr wroniaid! Am eu cudd noddfeydd
Rhown ganmil diolch i'r "Hen Wyddfa Fawr."

Ha! Ha! Mae'r byw Ddeffroad yn ei waith
Yn ennill grym drwy gyrrau eitha'n tir,
Ei gorn sy'n seilio clod ein gwlad a'n hiaith,
A swynol yw ei ryfelgan glir;
Ymdeithiwn wrth ei alwad law-yn-llaw,
Ac ysbryd Dewi Sant yn tanio'n ffydd,
Mae "Milwyr Arthur" ar yr Wyddfa draw,
Yn bloeddio "Awn ymlaen! Fe ddaeth ein dydd!"

O!'r diolch glywir! Sain gorfoledd Mawrth
A leinw'n llannau, a'n dyffrynnoedd heirdd,
Pob telyn geincia'n bêr i wên y Wawr,
A chroesaw gaiff gan odlau brwd ein beirdd;
Caiff hen ddelfrydau'n cenedl, – fu dan draed,
Eu gwirio eto, selir cais Glyn Dŵr,
Nid ofer brwydrau'n tadau! Na, gwerth gwaed,
Fydd lluman tlws y Ddraig ar ben bob tŵr!

Ein gwlad! ein hymffrost yw mawrygu hon –
Cartrefle cewri o athrylith fyw,

Cynhesu'n fwyfwy y mae gwaed ein bron
Wrth ddal i'w charu, o dan nodded Duw;
Mewn cân a mawl, er gwg gelynion croes,
Ein gorau dros ei llwyddiant rown o hyd;
Os bechan ydyw, O! mae'n fawr! – mewn moes,
A dysg, a chrefydd, saif yn syndod byd!

Er mynnu hawliau Ymreolaeth llawn,
Ac ennill rhagorfreintiau ddaw'n ddi-ri',
Meithrinwn bob doethineb, a phob dawn,
Wrth seinio'n uwch ein cenedlaethol gri;
Fel "Plant y Cedyrn," daliwn at ein nod,
Tra gwyntoedd Rhyddid dros Eryri chwyth,
Yng ngwyneb grym pob rhwystrau sydd i ddod,
Ni ildiwn yn ein hymgyrch byth! byth! byth!

CARNEDDOG

XVII

Cyhoeddwyd y gerdd hon yn wreiddiol yn y 'Manion o'r Mynydd', *Yr Herald Cymraeg*, 23 Mai 1932, t. 2, ond cynhwysai lawer o gamgymeriadau cysodi. Cwynodd Mathonwy Hughes yn hallt am hynny wrth Garneddog mewn llythyr (gw. Atodiad II uchod), ond ar ôl derbyn cais gan chwaer Gwallter ymhlith eraill (gw. Atodiad IV uchod) ailgyhoeddwyd y gerdd yn y 'Manion' ar 25 Gorffennaf 1932, t. 2, ynghyd â'r nodyn canlynol:

'Llithrodd amryw wallau cas i "Gân Olaf Gwallter," a ymddangosodd yn y "Manion" ychydig cyn ei ffarweliad. Poenodd yn arw yn ei wendid. Anfonodd air ataf o'i wely ryw bythefnos cyn ei farw ynghylch y gân, gan fy nghyfarch "Annwyl Gyfaill ffyddlon". Awgrymodd amryw wrthyf ddydd ei angladd am i mi ail-gyhoeddi'r gân yn gywir, ac wele lythyrau o fy mlaen oddi wrth ei hen gyfeillion yn erfyn yr un peth.'

Fy Nymuniadau

Cleddwch fi pan fyddaf farw,
Heb un galar, och, na chri,
Os rhowch garreg, rhowch un arw, –
Dyna fy nymuniad i.

Fe gaiff natur wisgo amdanaf
Yn fy nghafell yn y glyn,
Gŵyr yn well na neb ohonoch, –
Gadewch iddi wneud a fyn.

Nid oes arnaf eisiau pregeth
Pan y rhoddir fi i'r clai,
Peidiwch adrodd fawr o f'hanes,
Hawddach cofio camp na bai.

Cenwch emyn syml, syml,
Ar ryw dôn o'r cywair llon,
Gŵyr y bydd y diwrnod hwnnw
Na bydd gofid yn fy mron.

GWALLTER

Ychwanegwyd 'Yn ei glaf wely' wrth y gerdd gan Garneddog pan gyhoeddwyd hi gyntaf ar 23 Mai 1932, ac yna'r nodyn esboniadol canlynol a gododd wrychyn Mathonwy Hughes:

'Mae'r hen gyfaill yn orweiddiog ers rhai misoedd. Ni all ysgrifennu. Adroddodd y dymuniadau hyn wrth ei gyfaill, Mr. Mathonwy Hughes, gan erfyn arnaf eu rhoi yn y "Manion."'

Mynegai i'r Ohebiaeth

(Cyfeirio a wneir at rifau'r tudalennau)